ESTRUCTURA DEMOGRAFICA
Y MIGRACIONES INTERNAS EN CENTROAMERICA

PROGRAMA CENTROAMERICANO DE CIENCIAS SOCIALES DEL CSUCA

COLECCION CIENCIAS SOCIALES

CSUCA/PROGRAMA CENTROAMERICANO DE
CIENCIAS SOCIALES

Estructura Demográfica y Migraciones Internas en Centroamérica

EDUCA EDITORIAL
UNIVERSITARIA
CENTRO
AMERICANA

PRIMERA EDICION
EDUCA, Centroamérica, 1978

EDITORIAL UNIVERSITARIA CENTROAMERICANA (EDUCA)
Organismo de la Confederación Universitaria Centroamericana que forman la Universidad de San Carlos de Guatemala; la Universidad de El Salvador; la Universidad Nacional Autónoma de Honduras; la Universidad Nacional Autónoma de Nicaragua; la Universidad de Costa Rica; la Universidad Nacional de Costa Rica; y la Universidad de Panamá

Ciudad Universitaria Rodrigo Facio, Costa Rica

PRESENTACION

Continuando con su empeño de impulsar el conocimiento y desarrollo de las Ciencias Sociales en Centroamérica, mediante la investigación sistemática y la divulgación de bibliografía especializada, el Programa Centroamericano de Ciencias Sociales de la Confederación Universitaria Centroamericana, CSUCA, ha preparado una colección de publicaciones basada en los resultados de sus investigaciones regionales y que se inicia con dos importantes títulos: "Estructura Demográfica y Migraciones Internas en Centroamérica" y "Estructura Agraria, Dinámica de Población y Desarrollo Capitalista en Centroamérica".

Estos trabajos son el producto de los esfuerzos coordinados de un grupo de investigadores pertenecientes a diversos institutos y departamentos de las Universidades Centroamericanas, que desarrollaron su labor bajo la dirección del Programa entre 1974 y 1976 a través de equipos nacionales ubicados en cada uno de los países de la región. Los resultados y el análisis que contienen, corresponden al desarrollo del proyecto "Población, Desarrollo Rural y Migraciones Internas en Centroamérica", el que a su vez se inscribe en el área de investigación "Estructura Rural y Formas de Conciencia en Centroamérica" que constituye uno de los campos prioritarios definidos por el Consejo Directivo del Programa Centroamericano de Ciencias Sociales.

El tratamiento de los datos está referido al carácter de la dinámica demográfica de la región a través de un análisis detallado de la distribución espacial de la población, de las pautas migratorias en cada país y del comportamiento de la estructura agraria. Todo ello ofrece sin duda una valiosa contribución al conocimiento e interpretación del desarrollo capitalista de la región, en su período reciente, particularmente en lo que respecta a los cambios que han experimentado la estructura rural y el sector agrario en el conjunto de las sociedades Centroamericanas. Este análisis del desarrollo de Centroamérica en las últimas dos décadas constituye un aporte útil a las labores de investigación y planificación que se encuentran realizando diversos organismos académicos e instituciones públicas, nacionales e internacionales, encargadas de las instancias de formulación y ejecución de políticas de desarrollo.

Los distintos equipos nacionales de las Universidades Centroamericanas que participaron en la realización de este proyecto regional de investigación y en la elaboración de las conclusiones que aquí se presentan, desempeñaron su labor bajo la co-dirección de los Profesores Andrés Opazo Bernales y Blas Real Espinales. Por Guatemala participó el Instituto de Investigaciones Económicas y Sociales de la Universidad de San Carlos, el que designó a los Licenciados René Arturo Orellana, Virginia Pineda de Gracias, Jorge Romero Imery y con la asistencia de Antonio Carías. Por Honduras participó el Lic. Guillermo Molina Chocano del Departamento de Ciencias Sociales de la Universidad Nacional Autónoma de Honduras contando con la asistencia de Rossana Turcios (Q.E.P.D.) y René Centeno. Por El Salvador colaboraron en un primer momento el Lic. Carlos Romero Medrano y luego el Departamento de Economía de la Universidad Centroamericana José Simeón Cañas, que destacó a los licenciados Rigoberto Monge y René Hernández. Por Nicaragua participó el Licenciado Edmundo Jarquín Calderón. Por Costa Rica, contamos con la valiosa colaboración del Licenciado Carlos Raabe Cercone.

Este amplio equipo ha realizado gran parte del estudio en lo referente a los países respectivos, contando con la colaboración del equipo central encargado de la coordinación y dirección del proyecto. Este equipo central, adscrito al Programa Centroamericano de Ciencias Sociales, estuvo formado por los licenciados Andrés Opazo Bernales, Blas A. Real Espinales y Teodoro Buarque de Hollanda, contando con la asistencia de Marcio Enrique Sierra Mejía, Jeannette Quesada y Marco Tulio Bertrand.

El desarrollo del proyecto fue posible gracias al apoyo financiero del Fondo de Naciones Unidas para Actividades de Población (UNFPA), del Centro Internacional de Investigaciones para el Desarrollo (CIID) y del Programa de Investigaciones sobre Población Relevantes para Políticas de Población en América Latina (PISPAL). Estos organismos han colaborado en el financiamiento de los equipos nacionales, del equipo central y coordinador y de los encuentros regionales habidos con ocasión del estudio. Las universidades participantes y el Programa Centroamericano de Ciencias Sociales de la Confederación también han debido dar asistencia material a la realización del proyecto.

La revisión de los textos originales para la versión final que aquí se publica, estuvo a cargo de Andrés Opazo Bernales y *de René Centeno Laínez. Debemos agradecer el trabajo mecanográfico de María Elena Solano Porras, Olga Fedora Cantillano Sancho, Soveida Hegg y Marta Salazar. Asimismo, la colaboración técnica de la Impresora CRISOL S. A. y particularmente de su Editor Manlio Argueta.*

GUILLERMO MOLINA CHOCANO
Director
Programa Centroamericano de Ciencias Sociales
C S U C A

San José, Costa Rica, Noviembre de 1977.

CAPITULO I

LA POBLACION Y EL ESPACIO: ANTECEDENTES GEOFISICOS E HISTORICOS

Antes de emprender un estudio sistemático de los desplazamientos de la población en el espacio físico que comprenden los territorios de los países del área centroamericana, resulta necesario proporcionar al lector algunos antecedentes geográficos de carácter elemental. La breve introducción al respecto que presentaremos, parecerá innecesaria al conocedor de la región. Sin embargo, para aquel que no está familiarizado con ella puede ser un requisito indispensable para una comprensión de los emplazamientos y desplazamientos internos de la población. El contenido de este capítulo introductorio comprende dos aspectos distintos y complementarios el primero referido a los antecedentes geográficos de Centroamérica, y el segundo relativo a los antecedentes históricos de la población del área. Sería necesario, quizás, advertir acerca del carácter aproximado de las observaciones que aquí se hacen. Los problemas planteados, sobretodo respecto de la historia demográfica y de su comprensión a partir de los condicionantes económicos y sociales, requieren un tratamiento en sí mismo que los conviertan en objeto de un estudio específico. Pero al no constituir el centro de nuestra problemática, nos contentamos con presentar una visión panorámica.

1.—Antecedentes geográficos

El territorio que comprende al área centroamericana se asienta en los contornos de una cadena montañosa que lo atraviesa de nor-oeste a sur-este, formando un conjunto sucesivo de valles no bien comunicados entre sí. Alrededor de los volcanes, que se encuentran situados a lo largo de esta cordillera y cerca de la costa del Pacífico, se han estructurado las planicies costeras. Por el lado del Pacífico se extienden a lo largo casi de toda Centroamérica, y por el lado del Atlántico son importantes principalmente en Nicaragua.

Estos elementos permiten configurar ya la topografía de la región. Existen básicamente tres componentes de la estructura geográfica. Una cadena montañosa que recorre todo el istmo desde el noreste hasta el sureste y que encuentra su mayor anchura en Honduras; una planicie extendida a lo largo del Pacífico, que por su constitución volcánica y por razones climáticas se ha convertido en la región más fértil y más apta para la agricultura; una amplia llanura oriental que va desde la montaña hasta la costa atlántica.

Generalizando, quizás burdamente, para Centroamérica, fenómenos que deberían tratarse particularizando en cada país, diríamos que el sistema de vientos imperantes tiene gran influencia en la distribución de los climas. La amplia región atlántica se ve azotada por los vientos alisios, que soplan desde el nor-este. Los que al recoger la humedad del mar caribe origina intensas lluvias que perduran prácticamente todo el año. Este fenómeno de pluviosidad continua se presenta en el norte de Guatemala (El Petén) y en el oriente de Honduras, Nicaragua y Costa Rica. La situación es diferente en la zona montañosa central y en la costa del Pacífico. Ambas regiones se ven afectadas tanto por vientos alisios que soplan desde el sur-oeste, como por vientos fríos procedentes del norte y del nor-oeste.

Este fenómeno resulta decisivo para la definición climática de ambas zonas. Son determinantes para originar una estación seca que transcurre desde noviembre o diciembre hasta abril o marzo.

Podemos retomar ahora las tres zonas que hemos determinado en Centroamérica y caracterizarlas desde el punto de vista de la aptitud que tienen para sustentar la población. La zona Atlántica, azotada por constantes lluvias, es prácticamente selvática. Ocasionalmente se han instalado allí poblados para explotación minera (Nicaragua) y maderera (Honduras, Nicaragua y Costa Rica) y, a partir del presente siglo, bananera. Una característica general de los emplazamientos poblacionales en estas zonas es su aislamiento del resto de la población y la "enclavización" de las actividades económicas allí existentes. La población persiste en la zona en la medida en que se mantiene la dinámica productiva que la sostiene; en el caso en que ésta decayese, esa población tendería a regresar a las zonas central o de la costa del Pacífico. En términos generales, la planicie atlántica es bastante inhóspita y para que fuese colonizada en forma significativa debería ser objeto de grandes inversiones.

En segundo lugar tenemos la zona cordillerana que constituye la espina dorsal del istmo. Se encuentran allí valles y altiplanicies de origen volcánico abonados secularmente por cenizas volcánicas. Debido a este origen la zona central es la más fértil. El clima templado del que goza gracias a la altura (de 800 a 1.300 mts. sobre el nivel del mar) ha atraído a estas regiones a los conglomerados humanos. La existencia de dos estaciones, la estación seca y la lluviosa, posibilita el desarrollo de actividades agrícolas que difícilmente podrían tener lugar en la zona atlántica. Por último, esta región ha sido la más poblada y la más activa desde el punto de vista de las actividades productivas, particularmente en Guatemala, en Honduras y en Costa Rica.

En tercer lugar tenemos la llanura costera del Pacífico formada por tierras de aluvión, a veces de alta fertilidad, la que, salvo ciertas interrupciones, se extiende desde Guatemala hasta Costa Rica. El clima allí es cálido durante todo el año y las dos estaciones se encuentran bien marcadas. Desde la Colonia esta zona ha sido dedicada a plantaciones de cultivos tropicales y ganadería, poseyendo suelos de alta fertilidad en algunas partes (Guatemala, Nicaragua y Costa Rica).

Esta rápida visión de la topografía de Centroamérica en su conjunto introduce a la descripción de las unidades de relieve de cada país del área:

Guatemala

En Guatemala se pueden diferenciar tres zonas bien delimitadas que en términos generales equivalen a las presentadas anteriormente:

a) una altiplanicie central cuya altitud, de unos 1.500 mts. sobre el nivel del mar, le proporciona un clima templado a pesar de su latitud tropical. El altiplano es la región más habitada de Guatemala en la que se ubican los principales núcleos urbanos. Frente al Pacífico, una línea de volcanes (Tajamulco, 4.220 m. Fuego, 3.763 mts. Atitlán 3.537 m.), algunos de los cuales están todavía en actividad, marca el límite occidental del altiplano.

b) **La llanura Litoral**, que ocupa el 6.2% de la extensión total del territorio, es una región cálida e insalubre en que abundan los cultivos tropicales (café y banano).

c) **La región del Norte**, el Petén, forma parte de la península de Yucatán, de la que Guatemala reivindica los 23.000 Km del territorio de Belice como parte integrante de su territorio nacional.

Las zonas climáticas características de Guatemala están determinadas por la altitud. Hasta los 600 m. se puede hablar de tierras calientes, con temperaturas medias de 23° a 26°, de los 700 a los 1.800 m. se hallan las llamadas tierras templadas, con temperaturas de 18° a 23°; y por encima de los 1.800 m. se hallan las tierras frías, con temperaturas de 10° a 17°. Las precipitaciones pluviales son abundantes en todo el país y se registran de mayo a octubre. Sin embargo, las máximas precipitaciones (más de 2.000 mm anuales) corresponden al litoral Atlántico, a causa de la influencia de los vientos húmedos (alisios). La cordillera central divide Guatemala en dos cuencas hidrográficas, la del Pacífico, de ríos cortos y poco caudalosos, y la del Atlántico, de ríos más largos y con mayor volumen. El más importante es el río Motagua (547 Km.), que atraviesa de O a E. la región central y desemboca en el Golfo de Honduras. Guatemala cuenta con numerosos lagos, entre los que destacan el Izabal (590 Km2), el Atitlán (126 Km2) y el Petén-Itzá (99 Km2).

El Salvador

En la República de El Salvador la menor de las de América Central y de ellas la única que no tiene salida al Océano Atlántico, se distinguen dos unidades de relieve bien diferenciadas.

a) **La llanura costera,** con una anchura de 75 a 100 km y con una suave pendiente transversal, está formada por depósitos aluviales recientes.

b) Hacia el interior se encuentra **la región montañosa** que ocupa una amplia superficie del país, y forma parte de la cordillera Istmica. Es una región de gran actividad volcánica (el Izalco permanece activo), con grandes mantos de lava y materiales del terciario y del cuaternario.

El clima es diferente en ambas regiones salvadoreñas: tropical lluvioso en la región costera y templado en la vertiente de las serranías. Junto a la costa las lluvias son muy abundantes (2.000 mm anuales) y están motivadas por fenómenos monzónicos locales y por el frente intertropical de depresión. Posee dos estaciones bien diferenciadas: "verano", que corresponde a la temporada seca y de temperatura más altas. Las temperaturas fluctúan entre los 25° y 28°C, con escasa oscilación anual.

Los ríos son cortos, torrenciales y de caudal regular. El más importante es el Lempa (300 Km de largo). Existen numerosos lagos de origen volcánico, siendo los mayores el Ilopango (64 Km^2), el Guija y El Coatepeque, que ocupan antiguos cráteres. La Selva Tropical y extensos pastos del tipo Sabana, con asociaciones vegetacionales xenófitas, ocupan la llanura costera. En el interior, en contacto con la Serranía, se inicia una faja de bosques tropicales.

Honduras

Honduras es un país eminentemente montañoso, pero en él, a diferencia de los restantes territorios centroamericanos, no existe ningún volcán en actividad. Una depresión de origen tectónica, recorrida por los ríos Ulúa, Humuya, y Goascorán, divide de Norte a Sur el país y pone en comunicación el Golfo de Fonseca en el Pacífico, con el Mar Caribe. Al Oeste de la depresión, la cordillera Istmica forma tres alineaciones distintas y alcanza las máximas altitudes (cerca de 3.000 m.). La región oriental presenta una disposición orográfica más regular; una serie de cordilleras orientadas de 0. a E. se suceden sobre el Litoral Atlántico (Pico Bonito, 2450 m. Pico Pijol, 2021 m.). El clima tropical viene modificado por la altitud. Junto a la costa las temperaturas son muy elevadas: la media anual oscila alrededor de los 30º. Son las llamadas "tierras calientes". Hacia el interior las temperaturas disminuyen y con la altitud se suceden las "tierras templadas" y "frías", con temperaturas que oscilan entre los 20º y 15º; Tegucigalpa, a 900 m. de altitud, registra una media anual de 21º aproximadamente.

La influencia de los vientos alisios sobre la costa Norte de Honduras determina la existencia de dos zonas climáticas bien diferenciadas en este país: la Vertiente Atlántica, con precipitaciones pluviales superiores a los 2.000 mm anuales (Tela, 2.696 mm), y la Vertiente del Pacífico, con precipitaciones que oscilan entre 500 y 1.000 mm anuales con una estación seca muy acusada. El bosque tropical se extiende por la mayor parte del país y sólo en el interior se ve definido por la altitud. La red hidrográfica de Honduras se halla compuesta por los ríos de la Vertiente Atlántica, más largos y caudalosos (Ulúa, Aguán, Chamelecón, Patuca), y los de la vertiente del Pacífico, más cortos y de menor caudal (Goascorán).

Nicaragua

Cuatro son las unidades que definen la topografía de Nicaragua:

a.—La Cordillera Istmica, que se desarrolla desde México hasta Panamá, da origen a **una altiplanicie**, con una superficie que cubre alrededor del 26% del país, que separa las llanuras costeras del Pacífico y del Atlántico; está formada por materiales eruptivos muy recientes que cubrieron el plegamiento terciario. Esta altiplanicie se extiende desde la cadena volcánica ubicada en los departamentos de Chinandega, León, Managua, Masaya y Granada, hasta los departamentos de Esteli, Madriz, Nueva Segovia, Jinotega, Matagalpa y parte de Boaco, ubicados en la parte central del país.

b.—La llanura costera del Pacífico, con el 15% de la superficie total, angosta, con anchuras que oscilan entre los 75 y 100 Km., está formada por depósitos del pleistoceno reciente, producto de aluviones. Ocupa la mayor parte de los departamentos de Chinandega, León, Managua, Masaya, Granada y Rivas.

c.—La llanura Costera del Atlántico, de mucha mayor extensión que la anterior, cubre alrededor del 60% del territorio y está formada por materiales del cuaternario que han sido erosionados por las persistentes lluvias y la gran cantidad de ríos existentes. Ocupa todo el departamento de Zelaya, que representa una tercera parte del territorio nacional.

d.—La depresión lacustre, por último, formada por los lagos de Managua y Nicaragua; el primero desemboca en el segundo y el último en el Atlántico, a través del río San Juan. Su formación se debe a la acumulación de materiales eruptivos y aluviones que hicieron avanzar el continente, ya que todavía en el cuaternario estos lugares eran una bahía del Pacífico.

Se pueden señalar tres climas: a) clima tropical, con lluvia todo el año, en la llanura del Atlántico, con precipitaciones promedias de 3.000 mm anuales, que en la costa superan los 6.000 mm.; b) en la región montañosa cabe distinguir a su vez, tres tipos de clima : Uno, "tropical lluvioso" hasta los 1.500 m., gracias a la influencia de los vientos alisios que hacen su entrada durante los meses de diciembre, enero y febrero (las lluvias medias son del orden de 2.000 a 3.250 mm); estas condiciones se modifican a mayor altura, sobre todo por lo relativo a la temperatura, dando origen así al segundo tipo de clima. El "templado lluvioso", que en el 0. se transforma a su vez en "templado" con una estación seca, ya que las masas de aire húmedo se han descargado a su paso por la cordillera. c) en la llanura costera del Pacífico se observa el clima tropical lluvioso con una estación seca. Es el clima de Sabana.

La mayoría de los ríos, y los más importantes, desembocan en el Atlántico, que es la región de mayores lluvias. Pueden considerarse como los principales el Coco o Segovia, el Prinzapolca y el Río Grande.

Estos ríos, de régimen fundamentalmente pluvial, tienen gran importancia para las comunicaciones, sobre todo en regiones donde las vías terrestres son de difícil construcción tal es el caso de la Vertiente Atlántica.

Costa Rica

Costa Rica se halla atravesada por un eje montañoso central, divisorio de las vertientes oceánicas, que se encuentra más próximo al Pacífico que al Atlántico. La cordillera central se subdivide en varias secciones de acuerdo al origen y características de cada una. La parte noroeste es, en su mayoría, volcánica; la sureste es de más altura y, a su vez más antigua. El Valle Central está ubicado en la unión de ambas secciones.

Hacia el Pacífico hay un sistema montañoso secundario. Encuéntranse aquí los restos de una antigua cadena montañosa que se extiende por parte de la Península de Nicoya, los Cerros de Herradura, Península de Osa y Punta Burica. Dicho sistema se une al resto del área por depósitos aluviales que originaron llanuras.

En la región Sur encontramos la Cordillera Costeña o Brunqueña que corre paralela a la de Talamanca y cerca de la Costa. Entre ambas cordilleras está el Valle de El General que divide en dos partes a la Cordillera Costeña.

Las mayores llanuras del país están en la parte Norte y Este, dándose una continuidad entre las llanuras de Guatuso, San Carlos, Sarapiquí, Tortuguero, Santa Clara, Matina, La Estrella y Baja Talamanca. En la parte norte, hacia el Pacífico, más que llanuras, lo que existe son valles rodeados de montañas. Están allí el Valle del Tempisque y del Golfo Oriental; también en el Pacífico, están los valles de Parrita y llanos inmediatos, el de Térraba y el de Coto. Estos últimos valles menores como el Naranjo y el Savegre.

Costa Rica tiene un clima tropical lluvioso que puede ser considerado también como marítimo, dada la cercanía de las costas.

La existencia de variantes regionales de clima están determinadas, en gran parte, por la Cordillera Central, la que atraviesa Costa Rica y divide las aguas en dos vertientes importantes, que a su vez, se ven modificadas según altitud y posición respecto a los vientos.

CAPITULO II

GUATEMALA

1.— Migración interna durante el período 1950-1964

1.1.— Areas de Atracción, Rechazo y Equilibrio de Acuerdo con la tasa de crecimiento Intercensal de la Población

La primera aproximación cuantitativa para determinar el carácter migratorio de los departamentos —la tasa de crecimiento intercensal de la población— adolece de una serie de limitaciones (ver anexo 1). Sin embargo, nos proporciona algunos elementos que permiten distinguir si la atracción (o expulsión) de población se da en áreas urbanas o rurales, complementando la información que se pueda obtener de los datos que los censos suministran acerca de las corrientes migratorias.

Relacionando las tasas de crecimiento demográfico de cada uno de los departamentos de Guatemala con la tasa de crecimiento de la población del país (3.5%). En el período 1950-1964, encontramos que 5 de los 22 departamentos serían los únicos de **atracción**, con tasas que oscilan entre 5.3 y 3.6%, en tanto que 15 departamentos los clasificamos como de expulsión; el resto serían considerados como departamentos de equilibrio (Ver cuadro No. 1).

La ubicación de los departamentos de atracción es la siguiente: Escuintla, con la más alta tasa de crecimiento poblacional e igual en ambas áreas, y Retalhuleu, con una tasa de crecimiento mayor en el área rural que en la urbana (4.10 contra 3.50%), se encuentran en la zona costera sur. Por otra parte, el departamento de Guatemala, en el altiplano, revela un crecimiento urbano superior al 4.50%. En la costa Atlántica se ubica otro departamento, Izabal, que atrae población, fundamentalmente al área rural, presentando la más alta tasa de crecimiento en dicha área (6.10%). Por último encontramos en el Norte el otro departamento de atracción, El Petén, aunque su atracción de población es mucho más débil en relación al resto de los departamentos.

CUADRO No. 1

GUATEMALA: Tasa Media Anual de Crecimiento por área Urbana y Rural, según departamentos. 1950-1964.

DEPARTAMENTOS	TASA MEDIA ANUAL DE CRECIMIENTO (%) Total	Urbano*	Rural*
Total	3.10	3 50	2.70
ATRACCION			
Escuintla	5.30	5.30	5.30
Izabal	5.10	3.20	6.10
Guatemala	4.20	4 60	2 90
Retalhuleu	3.90	3 50	4 10
El Petén	3.60	3 50	3 70
EXPULSION			
Sololá	1.20	2 20	1 20
Jalapa	1.90	2 20	1 90
Chiquimula	2.00	3 40	1 70
Sacatepéquez	2.10	1.90	2 40
Chimaltenango	2.10	2 10	2.10
El Progreso	2.20	2 30	2 20
Alta Verapaz	2.20	2 80	2 20
Zacapa	2.30	2 90	2.10
Jutiapa	2.40	2 10	2 40
Totonicapán	2.50	0.20	2 99
Sta. Rosa	2.50	2 20	2.60
Quiché	2.50	2 50	2 50
Huehuetenango	2 60	2 60	2.60
San Marcos	2 60	2.80	2.60
Baja Verapaz	2 60	3.20	2.50
EQUILIBRIO			
Quezaltenango	2 70	3 20	2.40
Suchitepéquez	2 90	3 80	2 50

*) Se ajustaron las cifras de 1950, utilizando la misma definición de "urbano" y "rural" aplicada en el censo de 1964.
temala.

FUENTE: Censos de 1950 y 1964, Dirección General de Estadísticas, Gua-

Es conveniente señalar que todos los departamentos de atracción —excepto Petén— tenían una población superior a los 50.000 habitantes. Es más, Escuintla tenía en 1950 más de 120.000 y Guatemala casi 440.000 habitantes. De ahí que el crecimiento de Petén, que tiene en ese año algo más de 15.000 habitantes, tenga poco significado —al menos en volumen— frente al crecimiento de Escuintla y los otros departamentos de atracción.

En lo que se refiere a los departamentos de **expulsión**, que son en total quince, encontramos nueve departamentos que poseen una tasa de crecimiento inferior a 2.5%, estando el límite más bajo en 1.2%, tasa correspondiente al departamento de Sololá. Los otros departamentos ubicados dentro de esta categoría presentan tasas de 2.6% (tres departamentos) y tasas de 2.5% (tres departamentos). La ubicación de estos departamentos es la siguiente:

En el Altiplano: Sololá, Sacatepéquez, Chimaltenango, Totonicapán; Quiché, San Marcos y Huehuetenango.

En el Este: Zacapa, Chiquimula, El Progreso, Jalapa y Baja Verapaz.

En el Norte Bajo: Alta Verapaz.

En la Costa del Pacífico: Jutiapa y Santa Rosa.

Es notorio el hecho de que la gran mayoría de los departamentos constituyen áreas de expulsión; sin embargo, no todos expulsan con la misma fuerza desde el área rural, algunos lo hacen, principalmente, desde área urbanas. Podemos entonces clasificar a estos departamentos de la siguiente forma:

Departamentos que **expulsan** fundamentalmente del área **rural**

Chiquimula
Zacapa,
Alta Verapaz,
Baja Verapaz y
Sololá.

Departamentos que **Expulsan** fundamentalmente del área **Urbana:**

Totonicapán, Sacatepequez, Santa Rosa, Jutiapa.
Departamentos que **Expulsan** tanto del área **Rural** como de la **Urbana:**

Jalapa, Chimaltenango, El Progreso,Quiché, Huehuetenango y San Marcos.

Al decir que unos departamentos expulsan fundamentalmente desde un área determinada, queremos señalar que la tasa de crecimiento intercensal del área es mucho menor que la del total del departamento. En términos generales se puede decir que el área que más expulsa población es el área rural (5 departamentos quedaron clasificados como fundamentalmente de expulsión rural); sin embargo, se puede señalar que existen ciertos desplazamientos originados en área urbanas y que, posiblemente, tienen como destino los centros urbanos mayores, principalmente la capital, Guatemala.

Por último, los departamentos clasificados como de **Equilibrio**, Quezaltenango y Suchitepequez, presentan tasas de crecimiento de población rural que los convierte en departamentos de expulsión rural; pero la tasa de crecimiento de su población urbana compensa la situación del área rural, convirtiéndolos en departamentos de equilibrio.

Finalmente, sería necesario hacer una aclaración sobre las áreas de equilibrio; con el método de la comparación de las tasas de crecimiento intercensal de la población no es posible determinar si las áreas llamadas de Equilibrio son realmente de "inmovilidad" de la población o áreas de intercambio compensado, el que podría ser incluso intenso. Este problema sólo se supera con la información sobre el lugar de nacimiento (o residencia anterior) referida al lugar de empadronamiento.

1.2.— Migración intercensal deducida a partir de la relación global de supervivencia.

El cálculo de la migración intercensal a partir de la relación global de supervivencia es una técnica relativamente sencilla y con la ventaja, sobre la tasa de crecimiento de la población de que nos da el volumen del saldo migratorio y las tasas netas de migración (TMN), que nos facilitan la clasificación de los departamentos según el carácter migratorio que manifiestan al final del período intercensal.

Los resultados de los cuadros correspondientes a estos cálculos se obtuvieron trabajando independientemente la zona urbana de la rural; luego, se sumaron ambos resultados para estimar el saldo y la tasa de migración neta del total del departamento, esto sólo con el objeto de que los resultados fuesen coherentes. Se calculó también, por aparte, el saldo migratorio para el total de la población de cada departamento, resultando —como era de esperar— diferencias con los datos presentados; tales discrepancias sólo fueron importantes para el caso de El Petén, que presentaba una tasa positiva de 4.1%, en tanto que los resultados aquí discutidos le dan una tasa de 0.80%.

Para Guatemala y Sacatepéquez también hay diferencias. En el primer caso, la tasa presentada aquí es de 14.36%, en cambio la obtenida globalmente es de 21.6%; en el segundo, la tasa que se da en el cuadro es de -21.29%, y la obtenida cuando se trabaja con la población total fue de 11.2%. En el resto de departamentos las discrepancias son poco significativas.

Estas discrepancias encontradas se deben, posiblemente, a que al no separar las áreas se dan compensaciones o traslados entre las áreas dentro de los mismos departamentos lo que distorsiona los resultados globales; nuestro interés principal es detectar la atracción o expulsión hacia y desde zonas rurales, por lo que decidimos utilizar sólo la información aquí presentada.

Los departamentos de atracción, al utilizar la relación global de supervivencia en la obtención del saldo migratorio, son sólo cuatro, con tasas de Migración neta que oscilan entre 33.70 y 14.36% ubicándose —como se ve en el cuadro No. 2— Escuintla en primer lugar. El departamento que queda excluído como área de atracción, pero que es de Equilibrio con tendencia a la atracción, es Petén (*). Los márgenes de error que existen al considerar un nivel de mortalidad homogénea en todo el territorio de la República provoca probablemente esta distorsión, pero podemos considerar el departamento de Petén de atracción de población.

---

*) Los resultados no son estrictamente comparables con los obtenidos con la tasa de crecimiento intercensal, debido, entre otras cosas, a que en el último "método" no se incluye el crecimiento vegetativo del período.

En términos de volumen migratorio, Guatemala presenta el más alto seguido de Escuintla, quedando bastante lejos los departamentos de Izabal y Retalhuleu. Echando una mirada a la tasa neta de migración según área urbana y rural, encontramos que Guatemala atrae población solamente hacia el área urbana (posiblemente la ciudad capital); Escuintla atrae principalmente hacia el área rural y presenta el volumen más alto de inmigración hacia ese sector. Finalmente, Izabal y Retalhuleu atraen hacia el área rural y expulsan (fuertemente en el caso de Izabal) desde el área urbana. Encontramos entonces que los departamentos considerados de atracción son de **atracción rural** con excepción de Guatemala.

Los departamentos guatemaltecos de expulsión son 16, incluyendo aquí además de los 15 considerados anteriormente por su baja tasa de crecimiento poblacional, a Quezaltenango, con una tasa neta de migración de -4.02%, la más baja de los considerados como tales.

La más alta TMN negativa es la que presenta el departamento de Sacatepéquez (21.29%), existiendo además otros 9 departamentos que superan el -10.0%. El resto de departamentos, 6 en total, presentan una tasa menor al límite antes establecido, con tasas que oscilan entre -7.0% y 4.0%. La distribución de todos estos departamentos, obviamente es la misma que señalamos en el apartado 1.1. de este capítulo.

En lo que se refiere al volúmen de la emigración vemos, que Alta Verapaz y Chimaltenango, con más de 15.000 migrantes, se ubican en primer lugar, seguidos muy de cerca de Jutiapa. Otros 8 departamentos muestran alrededor de 10.000 migrantes, entre ellos Sacatepéquez y Jalapa, que presentan la más alta TMN negativa.

Esto significa que mientras los cuatro departamentos de atracción concentran la mayor parte de la población emigrante total, esta proviene de los dieciseis departamentos de expulsión, los que contribuyen algunos con pequeñas proporciones, al crecimiento poblacional de aquellos.

Si consideramos por separado el área urbana y rural de estos departamentos de expulsión de población, encontramos que el comportamiento de la TMN urbana es muy distinto de la del área rural; en general los valores son bastante más elevados —en términos absolutos— en el área urbana. Por otra parte, los valores extremos en el área urbana son -4.10% y -66.0%, en tanto en el área rural son de +6.30 y -16.80, lo cual estaría mostrando, hasta cierto punto, que existen desplazamientos desde áreas urbanas, posiblemente hacia áreas urbanas mayores (en este caso hacia Guatemala), asi como movimientos de tipo rural-urbano y, quizás de manera más importante, movimientos de tipo rural-rural.

CUADRO No. 2

GUATEMALA: Saldo Migratorio y tasa de migración neta, según área por departamentos, obtenidos por la relación global de supervivencia. 1950-1964

DEPARTAMENTOS	SALDO MIGRATORIO TOTAL	URBANO	RURAL	TASA DE MIGRACION NETA TOTAL	URBANA	RURAL
ATRACCION						37 20
Escuintla	54114	9006	45108	33.70	23.00	41.10
Izabal	16370	2136	18506	25.03	-10 50	20 90
Retalhuleu	10166	- 362	10518	14 95	- 2 10	0 60
Guatemala	70155	69615	540	14 36		
EXPULSION	-10045	-9574	- 471	-21 29	-17.80	- 3 70
Sacatepéquez						
Jalapa	-10737	-4138	- 6599	-19.86	-27 80	-16 80
El Progreso	- 6258	-2909	- 3349	-17 83	-30 00	-13 20
Chimaltenango	-15262	-10547	4715	-16 50	-29 80	- 8 30
Sololá	-10226	- 5923	4303	-16 37	-27 40	-10 50
Jutiapa	-14668	- 6654	- 8014	-14.14	-32 00	- 9 70
Chiquimula	-11239	- 763	-10476	-13 32	- 4 10	-16.00
Alta Verapaz	-16695	- 2994	-13701	-11 78	-17 90	-11 00
Santa Rosa	- 9620	- 5538	- 4082	-11 42	-31.10	- 6 20
Zacapa	- 6118	- 1937	- 4181	-11 36	-12 30	-11.00
Baja Verapaz	- 3921	- 1105	- 2816	- 7 55	-12 70	- 6 50
Quiché	- 9294	- 3745	- 5549	- 6.76	19.60	- 4 70
Huehuetenango	- 9060	- 3747	- 3613	- 5 66	-20 10	- 2 80
San Marcos	- 8987	- 4348	- 4639	- 4 84	-18 50	- 2 90
Totonicapán	- 3614	- 7947	4333	- 4.45	-66 00	6.30
Quezaltenango	- 6249	- 2565	- 3684	- 4 02	- 4.30	- 3 80
EQUILIBRIO						
Sucaltepéquez	1073	816	257	0 99	2 60	0 30
Petén	115	815	930	0.80	-12 30	12 00

FUENTE: En base a los censos de población de 1950 y 1964, Dirección General de Estadísticas, Guatemala.

Comentando un poco las TMN urbana y rural de Totonicapán, encontramos, por una parte, una fuerte expulsión del área urbana; dos tercios de la población urbana componían el saldo migratorio al final del período. Por otro lado, se evidencia una cierta atracción en el área rural, que en términos de volumen migratorio equivale a la mitad del saldo migratorio urbano, de tal manera que la fuerte emigración urbana, en términos relativos, sólo se explica debido a lo reducido de la población urbana: en términos absolutos, estas observaciones son válidas para otros departamentos como El Progreso, Jutiapa, Santa Rosa, etc., donde la TMN del área urbana es bastante superior a la del área rural.

Comparando los saldos migratorios urbano y rural, podemos agrupar los departamentos de la siguiente manera:

Expulsión Urbana (Principalmente):

— Sacatepéquez, Chimaltenango, Huehuetenango y Totonicán

Expulsión Rural (Principalmente)

— Chiquimula, Alta Verapaz, Zacapa, Baja Verapaz y Quiché.

Expulsión Urbana y Rural Equivalente

— Jalapa, El Progreso, Sololá, Jutiapa, Santa Rosa, San Marcos y Quezaltenango.

Es evidente que esta clasificación basada en la relación global de supervivencia tienen más validez que la información derivada de la tasa de crecimiento intercensal de la población. De ahí que trataremos de realizar una descripción más detallada de la última información manejada.

Primero encontramos que la suma de los saldos migratorios positivos en áreas urbanas y rurales son bastante similares. Sin embargo, existe una pequeña diferencia, favorable para el área rural, de casi mil migrantes.

Saldo Migratorio Positivo en Areas Urbanas:	79.437
Saldo Migratorio Positivo en Areas Rurales:	80.192
TOTAL	159.629

Prácticamente el 50% de los migrantes (saldo migratorio) se ubican en el área rural. Si a esto agregamos el hecho de que existe, por una parte, mayor proporción de población rural que urbana y que por otra parte, el número de inmigrantes es mayor —obviamente —que el saldo migratorio, la posibilidad de que el número de inmigrantes en el área rural sea —en términos relativos y absolutos— mayor que en el área urbana es bastante elevada; de ahí que, concluímos, la migración en el área rural es mucho más importante que en el área urbana.

Los saldos migratorios, por área urbana y rural de la agrupación de los departamentos de expulsión es la siguiente:

	SALDO MIGRATORIO	
DEPTOS. DE EXPULSION	**URBANO**	**RURAL**
EXPULSION URBANA	-33.515	- 4.466
EXPULSION RURAL	-10.544	-36.723
EXPULSION URBANA Y RURAL	-32.075	-34.670

Los resultados nos muestran que cuando se trata de departamentos en donde la expulsión es fundamentalmente urbana, ésta se da casi por entero en dicha área; por otra parte, cuando se trata de expulsión principalmente del área rural, éste —en términos relativos— es menor que la del área urbana respectiva, aunque en términos de volumen migratorio la expulsión del conjunto de departamentos de expulsión rural es ligeramente superior a la expulsión del grupo de departamentos clasificados como de expulsión urbana. El volumen de los saldos migratorios del grupo de los departamentos de expulsión urbana y rural es muy similar en ambas zonas y con cifras cercanas a las de los dos grupos anteriores.

Para los departamentos clasificados como de equilibrio, consideramos que las conclusiones que se puedan derivar no son relevantes, en la medida en que los errores provocados por el no cumplimiento de los supuestos influyen fuertemente cuando se trata de saldos o TMN muy pequeños, pudiendo tratarse de departamentos de atracción o de expulsión cuando los resultados nos muestran equilibrio.

Los departamentos de expulsión urbana se encuentran ubicados todos en la región denominada ALTIPLANO OCCIDENTAL; en cambio los departamentos de expulsión rural se ubican en tres regiones distintas: Quiché, en el ALTI-

PLANO OCCIDENTAL, Baja Verapaz, Zacapa, y Chiquimula en la Región del ESTE y Alta Verapaz, en el NORTE BAJO. Por último, los departamentos que expulsan tanto población urbana como rural, se encuentran distribuidos así: tres de ellos en el ALTIPLANO OCCIDENTAL (Sololá, Quezaltenango y San Marcos), y los otros cuatro en el espacio ESTE (Jalapa, El Progreso, Jutiapa y Santa Rosa).

Por otro lado, los que atraen población principalmente hacia el área urbana, un sólo departamento, GUATEMALA, está ubicado en el ALTIPLANO OCCIDENTAL. De los departamentos que atraen fundamentalmente hacia el área rural dos se encuentran en la COSTA SUR y uno en el NORTE BAJO.

La ubicación de los departamentos en las distintas regiones nos va dando, desde ahora, una cierta idea de lo que serían las corrientes y los campos migratorios, distinguiéndose áreas de expulsión, sean rurales o urbanas, en regiones bien definidas. Esto nos permitirá un tratamiento mejor de la información que a continuación utilizaremos.

1.3.— Caracterización de los Departamentos a partir de la información censal sobre lugar de nacimiento (Residencia Anterior) y lugar de Empadronamiento. En 1950 y 1964.

a.— Departamentos de Atracción, Expulsión, Equilibrio e Intercambio antes de 1950.

Dado que Guatemala es el único país de Centroamérica que antes del Censo de 1970 contaba, entre sus preguntas censales, con dos referidas a la migración, trataremos de describir los resultados de la información obtenida a través de ambas preguntas. A la migración obtenida del cruce de la información acerca del lugar de nacimiento y el lugar de empadronamiento, la denominamos "a largo plazo" y la obtenida del cruce de "lugar de residencia hace cinco años" y "lugar de empadronamiento" la denominamos migración a "corto plazo".

El número de personas que en el momento del censo de 1950 se encontraba en un lugar distinto al de su nacimiento fue de 326.621, lo que significa que por cada 100 nativos de Guatemala, casi 12 se habían desplazado en un período que puede ir desde la fecha de su nacimiento hasta el día anterior al censo; esto es un lapso de tiempo indeterminado. Por otra parte, el número de personas que en 1950 se encontraban en un lugar distinto al de su residencia en 1945 fue de 122.169 personas. Bajo el supuesto de que la llegada de los migrantes empadronados según lugar de nacimiento se da en términos homogéneos en el tiempo, el número de migrantes empadronados según lugar de residencia hace cinco años representa más de un 37% de los migrantes empadronados según lugar de nacimiento. Por supuesto que esta comparación no es totalmente válida en la medida en que existen movimientos intermedios que no se detectan al establecer dos fechas arbitrarias de referencia.

Una revisión rápida del Cuadro No. 3, nos permite establecer los departamentos de atracción más importantes; en primer lugar se ubica Izabal, con una TMN — según lugar de nacimiento de 49.1%. El número de inmigrantes dentro de la población del departamento es equivalente a más de la mitad (55.3), dándose sólo una situación muy cercana en el caso de Escuintla, en donde la tasa de inmigración es del orden del 45%. Por otra parte, aunque Guatemala recibe el saldo migratorio más alto (62.880), se localiza en un cuarto lugar en términos relativos (14.9%). El caso de Petén es el extremo opuesto, ya que aunque muestra una TMN del orden cercano al 20%, el volumen del saldo migratorio apenas supera los 2.800 migrantes; el volumen más importante, después de Guatemala, lo recibe Escuintla con más de 55 mil personas inmigrantes y con un saldo un poco mayor de 41 mil. Por otro lado, los seis departamentos de atracción acumulan el 70% de los inmigrantes, cubriendo más de la mitad de esta cifra los departamentos que hemos señalado como los que reciben el mayor saldo migratorio; estos son, Guatemala y Escuintla.

En lo que se refiere a los departamentos **de expulsión**, que son catorce, es decir más de la mitad de las unidades administrativas mayores, de ninguno de los departamentos emigran más de 25 mil personas. En ninguno de ellos se llega a expulsar cantidades similares al número de inmigrantes que reciben Escuintla o Guatemala. Todos los departamentos presentan un número de emigrantes que oscilan entre 10 mil y 22 mil personas; en los casos extremos se ubican Sololá con 7.900 y Santa Rosa y Quiché con más de 20 mil.

En el caso de los departamentos de **atracción**, según la TMN, cinco de los seis considerados están por encima del 10, en cambio en los de expulsión, la mitad (de 14) supera el 10% según la misma TMN. La diferencia en los valores de la atracción y de la expulsión es grande. El departamento que más expulsa, El Progreso, presenta un TMN del orden del -20%. Entre los que menos expulsan, en términos relativos, están Jutiapa, Sololá y Alta Verapaz (6.5, 5.8 y 4.0 respectivamente).

CUADRO No. 3

GUATEMALA: Número de migrantes y tasas de migración por Departamento según su carácter migratorio 1950(*)

DEPARTAMENTOS	NUMERO			TASAS DE (x100)		
	Inmi_ grantes	Emigrantes	Saldo migratorios	Inmigración	Emigración	Migración Neta
ATRACCION						
Izabal	27775	3127	24648	55 3	6.2	49 1
Escuintla	55162	13415	41747	45 1	11 0	34.1
Petén	3782	955	2827	26 1	6.6	19 5
Guatemala	96857	34027	62830	22.6	7 9	14 9
Retalhuleu	17196	10044	7152	26 0	15 1	10 8
Suchitepéquez	28350	18753	9597	22 8	15 1	7.7
EXPULSION						
El Progreso	5098	15372	-10274	10.7	32 2	_21 5
Zacapa	5883	16944	-11061	8 5	24.6	_16 1
Sacatepéquez	6094	14746	- 8652	10 2	24 7	_14 4
Baja Verapaz	2988	11963	- 8975	4 5	18 0	_13 5
Jalapa	4134	13610	- 9476	5.5	18 2	_12 6
Totonicapán	1415	12591	-11176	1.4	12.7	_11.2
Sta. Rosa	10860	22565	-11705	10 0	20.6	_10.7
Quiché	4264	20592	-16328	2.4	11 8	_ 9 3
Chiquimula	2705	12733	-100028	2.4	11 5	_ 9 1
Chimaltenango	8241	16719	- 8478	6 8	13 8	_ 7 0
Huehuetenango	2694	16482	_13788	1.3	8 3	_ 6 9
Jutiapa	5025	13787	_ 8762	3 7	10.2	_ 6 5
Sololá	3083	7900	_ 4817	3 7	9 5	_ 5.8
Alta Verapaz	3587	11097	_ 7510	1 9	5.9	_ 5 0
INTERCAMBIO						
Quezaltenango	22004	26141	_ 4137	12 0	14.2	_ 2.2
San Marcos	9449	13083	_ 3634	4.1	5.7	_ 1.6

*) Lugar de nacimiento y lugar de empadronamiento.
FUENTE: Censo de población de 1950, Dirección General de Estadísticas, Guatemala.

Por último, de acuerdo con la migración a largo plazo, existen dos departamentos que presentan un número similar de emigrantes y de inmigrantes; estos departamentos son Quezaltenango y San Marcos, colindantes entre sí. El número tanto de inmigrantes como de emigrantes en el primero supera los 20 millares, en tanto que en el segundo el volumen oscila alrededor de 10 mil migrantes. Esto es significativo en la medida en que las tasas de migración son altas en el caso de Quezaltenango y en el caso de San Marcos apenas superan el 4%. Ambos departamentos aunque son de **intercambio,** tienden a expulsar población en la medida en que el saldo migratorio y la TMN son de signo negativo.

En el cuadro No. 4 se presenta una información similar a la del Cuadro No. 3, con la única diferencia de que se trata de población que migró en los últimos cinco años anteriores a 1950 y que llamamos migración a corto plazo. Nuevamente encontramos seis departamentos de atracción, catorce de expulsión y dos de intercambio. Coinciden con los establecidos a través de la migración a largo plazo. Sin embargo, al interior de las agrupaciones se encuentran diferencias en cuanto al lugar que ocupan en un ordenamiento de departamentos según la atracción o la expulsión. El más alto saldo migratorio positivo lo tiene Escuintla y no Guatemala, en cambio, dentro de los departamentos de expulsión, Quiché mantiene el más alto valor según el saldo migratorio.

Los cambios más importantes en el orden observado para un período y otro, es el siguiente:

	Ordenación de los Departamentos según lugar que ocupan en:	
DEPTOS DE ATRACCION	Largo Plazo	Corto Plazo
Guatemala	4°	5°
Retalhuleu	5°	4°

CUADRO No. 4

GUATEMALA: Número de migrantes y tasas de migración por departamentos, según migraciones internas a corto plazo(*) 1945-1950.

	NUMERO			TASA DE (x100)		
DEPARTAMENTOS	Inmi- grante	Emi- grante	Saldo migra- torio	Inmi- gración	Emi- gración	Migra- ción neta
TOTAL	122169	122169				
ATRACCION						
Izabal	10071	3663	6408	20.0	7.3	12.8
Escuintla	22066	7955	14111	18.1	6.5	11.5
Petén	1710	1071	639	11.8	7.4	4.4
Retalhuleu	6039	3814	2225	9.1	5.7	3.4
Guatemala	31814	20229	11585	7.4	4.7	2.7
Suchitepéquez	9818	7138	2680	7.9	5.8	2.2
EXPULSION						
El Progreso	1540	6492	-4952	3.2	13.6	-10.4
Zacapa	2667	6528	-3861	3.9	9.5	-5.6
Quiché	1341	7181	-5840	0.8	4.1	-3.3
Baja Verapaz	1357	3512	-2155	2.0	5.3	-3.2
Chiquimula	1552	4264	-2712	1.4	3.9	-2.5
Sacatepéquez	1706	3503	-1797	2.3	4.7	-2.4
Jalapa	1281	5854	-4573	0.6	2.9	-2.3
Huehuetenango	2111	5150	-3039	1.6	3.8	-2.2
Jutiapa	4212	6468	-2256	3.8	5.9	-2.1
Sta. Rosa	2724	4605	-1881	2.2	3.8	-1.6
Chimaltenango	827	2437	-1610	0.9	2.5	-1.6
Totonicapán	2685	3270	-585	4.5	5.5	-1.0
Sololá	1402	2217	-815	1.6	2.6	-1.0
Alta Verapaz	1891	3673	-1782	1.0	1.9	-0.9
INTERCAMBIO						
Quezaltenango	8718	8206	512	4.7	4.5	0.2
San Marcos	4637	4939	-302	2.0	2.1	-0.1

*) Residencia hace cinco años.

FUENTE: Censo de población de 1950. Dirección General de Estadísticas, Guatemala.

EXPULSION	Largo Plazo	Corto Plazo
Sacatepéquez	3º	12º
Totonicapán	6º	11º
Quiché	8º	3º
Chiquimula	9º	5º
Huehuetenango	11º	7º
Jutiapa	12º	8º

En los departamentos de atracción el cambio en el orden es poco significativo, no así en los de expulsión donde nueve de los catorce departamentos cambian de lugar según el valor asumido por la TMN. Sin embargo, sólo seis de esos cambios son significativos, el caso más extremo es el de SACATEPEQUEZ, que del 3er. lugar pasa al 12o.; le sigue Totonicapán del 6º al 11º. Esto implicaría que estos departamentos en los últimos cinco años estarían tendiendo a expulsar menos población. Otros departamentos como Quiché y Chiquimula estarían tendiendo a expulsar más población ya que pasan de 8º y 9º lugar a 3º y 5º, respectivamente. Los otros dos departamentos estarían en la misma situación de Quiché, sólo que con menor importancia en el cambio de lugar.

b.— Departamentos de atracción, expulsión, equilibrio e intercambio antes de 1964.

A pesar de que el censo de población de 1964 no reitera la pregunta que contenía el censo de 1950 acerca del lugar de residencia cinco años antes, es posible introducir nuevamente una distinción entre la migración a largo plazo y la migración a corto plazo. Estando la migración a largo plazo medida de la misma forma que en 1950, la migración de corto plazo se obtiene por la pregunta acerca del lugar de residencia anterior. Al no determinarse el intervalo de tiempo, la pregunta pierde mucha precisión. Sin embargo veremos que, a pesar de todo, es posible detectar a través de esta pregunta la migración más reciente.

CUADRO No. 5

GUATEMALA: Número de migrantes y tasas de migración por departamentos según migraciones internas a largo plazo(*) 1964

DEPARTAMENTOS	NUMERO Inmi-grantes	Emigran tes	Saldo mi-gratorio	TASA DE (x100) Inmi-gración	Emi-gración	Migración neta
TOTAL	629.418	629.418				
ATRACCION						
Izabal	54.982	11.183	43.799	50.4	10.2	40.1
Escuintla	130.388	33.602	96.786	49.2	12.7	36.5
Guatemala	208.118	57.870	150.248	26.3	7.3	18.9
Retalhuleu	38.000	15.796	22.204	32.6	13.5	12.0
Petén	6.108	1.876	4.232	24.0	7.4	16.6
Suchitepéquez	40.993	31.319	9.674	22.1	16.9	5.2
			-19.839	13.2	43.4	-30.8
EXPULSION						
El Progreso	8.541	28.380				
Zacapa	10.195	34.179	-23.984	10.6	35.6	-25.0
Jalapa	5.738	28.364	-22.626	5.8	28.6	-22.9
Jutiapa	8.451	48.047	-39.596	4.5	25.6	-21.1
Sta. Rosa	18.320	48.726	-30.406	11.7	31.2	-19.5

(Continúa en pág. 35)

(Continuación del Cuadro No. 5)

Chiquimula	5.869	32.247	-26.378	4.0	22.0	-18.0
Sacatepéquez	8.403	20.855	-12.452	10.5	26.0	-15.5
Baja Verapaz	3.709	18.082	-14.373	3.8	18.7	-14.9
Quiché	5.944	39.201	-33.257	2.4	15.7	-13.3
Chimaltenango	11.684	32.492	-20.808	7.2	20.0	-12.8
Totonicapán	2.662	15.917	-13.255	1.9	12.2	- 9.3
Huehuetenango	5.321	27.553	-22.232	1.8	9.6	- 7.7
Sololá	3.989	11.214	- 7.225	3.7	10.4	- 6.7
Alta Verapaz	5.674	20.381	-14.707	2.2	7.8	- 5.6
San Marcos	13.842	30.564	-16.722	4.1	9.1	- 5.0
EQUILIBRIO						
Quezaltenango	32.487	41.570	- 9.083	12.0	15.3	- 3.3

*) Lugar de nacimiento y lugar de empadronamiento.
FUENTE: Censo de población de 1964, Dirección General de Estadísticas, Guatemala.

Según los datos del Censo de Población de 1964, el total de gualtemaltecos nacidos en el país era de 4.238.117 de los cuales el 85.1% de ellos habían nacido en el mismo departamento en el cual vivía a la fecha del Censo. Por consiguiente, cerca del 15.0% de la población se había desplazado, hasta esa época, del departamento de nacimiento hacia otro departamento. Esta última cifra es 3.1% más alta que la obtenida con base en los datos del Censo de 1950, indicándose así un ligero incremento en el monto de la población migrante.

La consideración de las cifras del Cuadro No. 5 revela variaciones importantes entre los 22 departamentos de la República. En términos relativos, el departamento que ha sido más influido por el fenómeno de la migración interna es el de Izabal, en la costa norte, en donde el 50.4% de la población censada había nacido en otros departamentos de la República. A Escuintla, sobre la costa sur correspondió el segundo lugar con el 49.2% También acusaron fuertes porcentajes de población proveniente de otros departamentos: Retalhuleu con 32.6% Guatemala con 26.3%, Petén con 24.0% y Suchitepéquez con 22.1%. Todos ellos excedieron el total nacional del 14.9%.

Los departamentos que relativamente contaron con las menores proporciones de población nacida en otros departamentos fueron: Totonicapán y Huehuetenango con el 1.9% cada uno, Alta Verapaz con 2.2% y Quiché con 2.4%, los que han sido afectados en forma muy leve por la inmigración.

Cuando se analizan los números absolutos, el cuadro es algo diferente. Mientras que en Izabal la migración es relativamente más importante, el departamento de Guatemala había recibido hasta 1964, el mayor número de inmigrantes, 208.118 que representaron el 33.0% del total de 629.420 inmigrantes empadronados ese año. Siguieron en importancia Escuintla con 130.388, equivalente al 20.7% de ese total; Izabal con 54.982 y el 8.8%; Suchitepéquez con 40.993 y el 6.5%; Retalhuleu con 38.002 y el 6.0% y finalmente, Quezaltenango con 32.487 y el 5.2% del total de inmigrantes. De allí que estos seis departamentos hayan concentrado el 80.2% de la población inmigrante de todo el país, concluyéndose que las migraciones no se han realizado al azar en Guatemala sino que han tendido a converger hacia las áreas indicadas.

CUADRO No. 6

GUATEMALA: Número de migrantes y tasas de migración por departamentos, según migración interna a corto plazo(*) 1964

Deptos.	NUMERO Inmi-grantes	Emi-grantes	Saldo Migra-torio	TASA DE (x100) Inmi-gración	Emi-gración	Mig. Neta
TOTAL	578.236	578.236				
ATRACCION						
Izabal	49.096	13.685	35.411	45.0	12.5	32.5
Escuintla	116.762	39.650	77.112	44.1	15.0	29.1
Guatemala	194.971	57.793	137.178	24.6	7.3	17.3
Retalhuleu	34.409	15.617	18.792	29.5	13.4	16.1
Petén	4.990	2.127	2.863	19.6	8.4	11.3
Suchitepéquez	37.724	29.892	7.832	20.3	16.1	4.2
EXPULSION						
El Progreso	7.901	24.468	-16.567	12.1	37.4	-25.3
Zacapa	9.727	30.001	-20.274	10.1	31.3	-21.1
Jalapa	5.450	24.073	-18.623	5.5	24.3	-18.8
Jutiapa	7.848	41.650	-33.802	4.2	22.1	-18.0
Sta. Rosa	16.553	41.874	-25.321	10.6	26.8	-16.2
Chiquimula	5.631	28.010	-22.379	3.8	19.1	-15.2
Sacatepéquez	7.729	18.763	-11.034	9.6	23.3	-13.7
Quiché	5.588	34.092	-28.504	2.2	13.6	-11.4
Chimaltenango	10.566	28.977	-18.411	6.5	17.8	-11.3
Baja Verapaz	4.562	15.215	-10.653	4.7	15.8	-11.1
Totonicapán	2.345	13.452	-11.107	1.6	9.5	- 7.8
Huehuetenango	5.020	23.541	-18.521	1.7	8.2	- 6.4
Sololá	3.569	9.940	- 6.371	3.3	9.2	- 5.9
Alta Verapaz	5.537	18.884	-13.347	2.1	7.2	- 5.1
San Marcos	12.670	26.759	-14.089	3.8	8.0	- 4.2
EQUILIBRIO						
Quezaltenango	29.588	39.773	-10.185	11.0	14.7	- 3.8

*) Según lugar de residencia hace cinco años (1959).

FUENTE: Censo de población de 1964, Dirección General de Estadísticas y Censos, Guatemala.

Respecto a los departamentos de expulsión, constatamos nuevamente que el volumen total de migrantes está más repartido a lo largo del territorio. Así como respecto de la atracción los 6 departamentos más importantes reunen el 80.2% de la inmigración, los 6 principales departamentos de mayor expulsión aportan sólo un 27.20% de la emigración total. Sin embargo, en términos de zonas geográficas, los focos de expulsión de población más importantes tienden a concentrarse en el Este de la República: Progreso, Zacapa, Jalapa, Jutiapa, Santa Rosa y Chiquimula. La zona correspondiente al altiplano, la más densamente poblada del país, tienen una expulsión al altiplano, la más densamente poblada del país, tienen una expulsión moderada, siendo aún más débil el carácter expulsor de los departamentos nor-occidentales (San Marcos y Huehuetenango). El departamento de Quezaltenango, el segundo más urbanizado de la República, se mantiene como departamento de equilibrio, aunque con volúmenes de entradas y salidas bastante elevados.

La información acerca de la migración a corto plazo que se incluye en el cuadro No. 6 no presenta modificaciones significativas con respecto a la migración considerada desde el lugar de nacimiento. Pese a todo, si comparamos el cuadro No. 5 con el cuadro No. 6, veremos que el peso del aporte relativo de los departamentos de atracción varía entre ambos cuadros. De esa manera se puede deducir el carácter más reciente de la inmigración en algunos departamentos.

En el próximo cuadro encontramos información de los migrantes de acuerdo a los años de residencia en el departamento al cual migraron sólo para las zonas que arrojaron saldo migratorio favorable. Esta información puede dar una idea aproximada de la antigüedad de las corrientes migratorias aunque con cierta reserva sobre su dirección. De la referida tabla puede inferirse un alto peso relativo de los migrantes del último quinquenio anterior a la fecha del Censo (1960-64), el que varía del 32.3 al 63.7% del total de migrantes (inmigrantes llegados a estos departamentos). El peso relativo de los grupos migrantes va disminuyendo a medida que aumenta el intervalo de años de residencia, revelándose así una tendencia creciente de las corrientes migratorias, hacia estos departamentos, a medida que transcurre el tiempo, especialmente en Retalhuleu, Escuintla y Suchitepéquez, o sea, a los departamentos de la Costa Sur.

El censo de 1964 permite ir más allá en este análisis del carácter reciente o antiguo de la migración. Por ejemplo, permite construir el siguiente cuadro:

GUATEMALA: DISTRIBUCION PORCENTUAL DE LOS MIGRANTES SEGUN AÑOS DE RESIDENCIA EN LOS DEPARTAMENTOS DE ATRACCION: 1964

Departamento	total *	Años de residencia en el departamento			
		0-4 años	5-9 años	10-14 años	15-19 años
Guatemala	100.0	32.3	19.2	13.7	9.7
Escutintla	100.0	56.0	18.8	9.3	5.5
Suchitepéquez	100.0	54.6	14.3	8.1	4.8
Retalhuleu	100.0	63.7	12.4	6.5	3.6
Petén	100.0	40.9	19.6	11.5	11.5
Izabal	100.0	50.8	18.6	11.5	7.4

* La suma de los porcentajes no es 100.0 por haberse eliminado el grupo de 20 y más años.

FUENTE: VII Censo de Población 1964, Tomo II, Dirección General de Estadística, Guatemala.

Si procedemos, ahora, a comparar los cambios ocurridos entre 1950 y 1964, encontraremos interesantes alteraciones en las tendencias migratorias. Debido a que la única información que puede ser exactamente comparable es aquella que proviene del análisis de los migrantes según lugar de nacimiento, tomaremos ese punto de referencia en los dos años. Ciertamente es el indicador menos sensible, pero algo nos dice. Al respecto se puede consultar el cuadro No. 8.

Sobre la base de esta forma de análisis, se pueden comparar las cifras absolutas y relativas de migrantes para los Censos de 1950 y 1964, según el lugar de nacimiento, concluyéndose que, en general, los movimientos migratorios internos en Guatemala han tendido a intensificarse en el transcurso del tiempo ya que el número de migrantes de

CUADRO No. 8

GUATEMALA: Número de migrantes y tasas de Migración por departamentos, según carácter migratorio 1950 y 1964.*

DEPARTAMENTO	Inmigrantes 1950	Inmigrantes 1964	Emigrantes 1950	Emigrantes 1964	Saldo Migratorio 1950	Saldo Migratorio 1964	T In. 1950	T In. 1964	T Em. 1950	T Em. 1964	T M N. 1950	T M N. 1964
ATRACCION												
Izabal	27.775	54.982	3.127	11.183	24.648	43.899	55.3	50.4	6.2	10.2	49.0	40.1
Escuintla	55.162	130.388	13.415	33.602	41.747	96.786	45.1	49.2	11.0	12.7	34.2	36.5
Retalhuleu	17.196	38.002	10.044	15.798	7.152	22.204	26.0	32.6	15.1	13.5	10.8	19.0
Guatemala	96.882	208.118	34.002	57.870	62.880	150.248	22.6	26.3	7.9	7.3	14.9	18.9
Petén	3.382	6.108	955	1.876	2.827	4.232	26.1	24.0	6.6	7.4	19.5	16.6
Suchitepéquez	28.350	40.993	18.753	31.319	9.597	9.674	22.8	22.1	15.1	16.9	7.7	5.2
EXPULSION												
Progreso	5.098	8.541	15.372	28.380	-10.274	-19.839	10.7	13.2	32.2	43.4	-21.5	30.8
Zacapa	5.833	10.195	16.944	34.179	-11.111	-23.984	8.5	10.6	24.6	35.6	-16.1	-25.0
Jalapa	4.134	5.738	13.610	28.364	- 9.476	-22.626	5.5	5.8	18.2	28.6	-12.6	-22.9
Jutiapa	5.025	8.451	13.787	48.047	- 8.762	-39.596	3.7	4.5	10.2	25.6	- 6.5	-21.1
Santa Rosa	10.860	18.320	22.565	48.726	-11.705	-30.406	10.0	11.7	20.6	31.2	-10.7	-19.5
Chiquimula	2.705	5.879	12.733	32.247	-10.028	-26.378	2.4	4.0	11.5	22.0	- 9.1	-18.0
Sacatepéquez	6.094	8.403	14.746	20.855	- 8.652	-12.452	10.2	10.5	24.7	26.0	-14.4	-15.5
Baja Verapaz	2.988	3.709	11.963	18.082	- 8.975	-14.373	4.5	3.8	18.0	18.7	-13.5	-14.9
Quiché	8.241	5.944	20.592	39.201	-16.328	-33.257	2.4	2.4	11.8	15.7	- 9.3	-13.3
Chimaltenango	4.264	11.684	16.719	32.492	- 8.478	-20.802	6.8	7.2	13.8	20.0	- 7.0	-12.8
Totonicapán	1.415	2.662	12.591	15.917	-11.176	-13.255	1.4	1.9	12.7	11.2	-11.2	- 9.3
Huehuetenango	2.694	5.321	16.482	27.553	-13.788	-22.232	1.3	1.8	8.3	9.6	- 6.9	- 7.7
Sololá	3.083	3.989	7.900	11.214	- 4.817	- 7.225	3.7	3.7	9.5	10.4	- 5.8	- 6.7
Alta Verapaz	3.587	5.674	11.097	20.381	- 7.510	-14.707	1.9	2.2	5.9	7.8	- 4.0	- 5.6
San Marcos	9.449	13.842	13.083	30.564	- 3.634	-16.722	4.1	4.1	5.7	9.1	- 1.6	- 5.0
EQUILIBRIO												
Quezaltenango	22.004	32.487	26.141	41.570	- 4.137	- 9.083	12.0	12.0	14.2	15.3	- 2.2	- 3.3

*) Largo plazo: Lugar de nacimiento y lugar de empadronamiento. FUENTE: censos de población de 1950 y 1964, Dirección General de Estadísticas y Censos, Guatemala.

1964, que fueron 629.420, prácticamente duplicó la cifra de 326.621 registrados para 1950, a la vez que el porcentaje de migrantes subió en este mismo período de 12.1% al 14.9%. Todas las zonas geográficas y departamentos de la República registraron mayores volúmenes de población migrantes en 1964, acusándose los incrementos de mayor consideración en forma muy notoria en Escuintla, Retalhuleu y Guatemala que casi triplican dicha población en el curso de los 14 años comprendidos entre 1950 y 1964.

Al estudiarse las cifras relativas o índices de inmigrantes, se nota que únicamente Sololá, Quezaltenango, San Marcos y Quiché estuvieron al mismo nivel en los dos años, indicándonos que el fenómeno migratorio en esas zonas, (nor-occidental), se ha mantenido invariable.

Respecto de la atracción de población tenemos que Izabal fue en los años el departamento de atracción por excelencia, a pesar de que su tasa de inmigración se redujo del 55.3% al 50.4%.

CUADRO No. 9

GUATEMALA: PRINCIPALES DEPARTAMENTOS DE ATRACCION POBLACIONAL

A. En 1950 Departamento	Tasa de Inmigración	B. En 1964 Departamento	Tasa de Inmigración
Izabal	55.3%	Izabal	50.4%
Escuintla	45.1%	Escuintla	49.2%
Petén	26.1%	Retalhuleu	32.6%
Retalhuleu	26.0%	Guatemala	26.3%
Suchitepéquez	22.8%	Petén	24.0%
Guatemala	22.6%	Suchitepéquez	22.1%

De estos seis departamentos, Escuintla, Retalhuleu y Guatemala acusaron alza en su tasa de inmigración, indicando la intensificación de las corrientes migratorias hacia esos lugares, no así Petén, Suchitepéquez e Izabal.

Las principales áreas de repulsión en 1964 fueron: Progreso, con una tasa de emigración de 43.4%, Zacapa, 35.6%; Santa Rosa, con 31.2%, Jalapa, con 28.6% Jutiapa, con 25.6%; Chiquimula, con 22.0% y Baja Verapaz, con 18.7%. Nótese que cuatro de tales departamentos (Zacapa, Jalapa,

Jutiapa y Chiquimula) corresponden a la zona oriental y están cercanos a la frontera de El Salvador.

Sacatepéquez que en 1950 tenía una de las tasas de emigración más altas en el país, ya no estuvo entre los seis primeros departamentos de expulsión, siendo sustituido por Jutiapa. Todos los departamentos que figuraron en ambas nóminas acusaron tasas más altas en 1964, deduciéndose que estas áreas, han consolidado su posición como focos de expulsión poblacional, como lo ilustran las siguientes cifras.

CUADRO No. 10

GUATEMALA: PRINCIPALES DEPARTAMENTOS DE EXPULSION POBLACIONAL

A. En 1950 Departamento	Tasa de emigración	B. En 1964 Departamento	Tasa de emigración
Progreso	32.2%	Progreso	43.4%
Sacatepéquez	24.7%	Zacapa	35.6%
Zacapa	24.6%	Santa Rosa	31.2%
Santa Rosa	20.6%	Jalapa	28.6%
Jalapa	18.2%	Baja Verapaz	18.7%
Baja Verapaz	18.0%	Jutiapa	25.6%

1.4.— Las corrientes migratorias según los censos de 1950 y 1964

Habiéndose ya caracterizado los departamentos de Guatemala en términos de absorbentes o de repelentes de población, resulta fácil intentar establecer las corrientes migratorias más importantes. Para tales efectos la información que debe ser utilizada es la que determina los migrantes según el lugar de nacimiento o de residencia anterior. Dado, por lo tanto, que solamente se dispone de tabulaciones perfectamente comparables respecto del lugar de nacimiento, se utilizará ese procedimiento para detectar las corrientes migratorias más importantes.

De más está decir que entre todos los departamentos de la República existen movimientos poblacionales en ambos sentidos. Para simplificar la exposición solamente señalare-

CUADRO No. 11
GUATEMALA: Principales corrientes Migratorias a los cinco primeros departamentos de atracción. 1950

Departamento Receptor	Deptos. de Origen	Número	%
GUATEMALA	Quezaltenango	10.508	10.8
	Sta. Rosa	10.494	10.8
	Sacatepéquez	9.257	9.6
	Chimaltenango	8.563	8.8
	Escuintla	7.451	7.7
	Otros	50.609	52.3
	TOTAL	96.882	100.0
ESCUINTLA	Guatemala	12.644	23.0
	Sta Rosa	8.826	16.0
	Suchitepéquez	6.146	11.1
	Progreso	3.404	6.2
	Chimaltenango	3.337	6.0
	Otros	20.805	37.7
	TOTAL	55.162	100.0
IZABAL	Zacapa	9.652	34.8
	Chiquimula	4.780	17.2
	Progreso	4.270	15.4
	Alta Verapaz	2.425	8.7
	Guatemala	1.944	7.0
	Otros	4.704	16.9
	TOTAL	27.775	100.0
SUCHITEPEQUEZ	Quiché	5.899	20.8
	Sololá	4.472	15.8
	Quezaltenango	2.772	9.8
	Retalhuleu	2.510	8.8
	Totonicapán	2.398	8.5
	Otros	10.299	36.3
	TOTAL	28.350	100.0
RETALHULEU	Quezaltenango	6.521	38.0
	Suchitepéquez	3.288	19.1
	Totonicapán	1.578	9.2
	Huehuetenango	1.549	9.0
	Quiché	1.137	6.6
	Otros	3.123	18.1
	TOTAL	17.196	100.0

FUENTE: Censo de población de 1950, Dirección General de Estadísticas, Guatemala.

mos las corrientes más significativas que pueden encontrarse.

A fin de aislar estas corrientes, se han tomado los departamentos que ocupan los primeros lugares en términos de atracción de población, y se han considerado sólo las cinco corrientes de mayor volumen que se dirige hacia ellos. Con esto, solamente, creemos que se da cuenta de los campos migratorios de mayor relieve.

Si tomamos la información contenida en el Cuadro No. 11 veremos que los cinco departamentos considerados (Guatemala, Escuintla, Izabal, Suchitepéquez y Retalhuleu) reunen al 68.9% de la migración total del país. Ella se encuentra en las siguientes proporciones por departamentos: Guatemala 29.6%, Escuintla 16.8%, Izabal el 8.40%, Suchitepéquez el 8.6% y Retalhuleu el 5.2%.

Ahora bien, si consideramos los principales departamentos que nutren la migración al departamento de Guatemala, vemos que los 5 considerados se encuentran algo repartidos geográficamente en el territorio y que en su conjunto no rebasa el 50% de la migración total al departamento de la capital. Entre ellos se encuentran algunos centros urbanos de importancia (Quezaltenango, Escuintla y Sacatepéquez), lo que autoriza a hipotetizar una migración urbana-urbana. Podemos concluir, entonces, que la migración a Guatemala proviene de todos los departamentos del país, en particular de los más urbanos, sin que se definan corrientes muy marcadas por su volumen.

Otra cosa acontece con Escuintla. Allí hay una corriente bien marcada que proviene de Guatemala y que puede ser pensada como una corriente urbana-urbana. Se siguen dos departamentos ubicados en la costa del Pacífico y dos departamentos localizados en la región del este. Esto permite definir un campo migratorio en torno a Escuintla compuesto por departamentos del sur, del este y de la capital.

Alrededor de Izabal se definen corrientes aun más precisas. Cerca del 70% de la migración que recibe proviene de departamentos del este. Las otras corrientes son también bastante marcadas y tienen su origen en Alta Verapaz, departamento colindante hacia el oeste, y en Guatemala. Esta última puede ser una corriente urbana-urbana que se orienta hacia Puerto Barrios.

En torno al departamento de Suchitepéquez se define un nuevo campo migratorio, originándose allí las corrientes en la zona del altiplano occidental y definiéndose una muy pronunciada que proviene del nor-oeste del país, del departamento de Quiché. La misma configuración del campo migratorio de Suchitepéquez la presentan las corrientes que se dirigen a Retalhuleu, departamento vecino del anterior; proceden también del altiplano occidental, existiendo un intercambio mutuo entre ambos departamentos colindantes. Por esta razón se puede considerar como un solo campo migratorio al comprendido por Suchitepéquez y Retalhuleu y su articulación con el altiplano occidental.

El cuadro No. 12 nos presenta la misma información que la del cuadro anterior, pero correspondiente al año 1964. Lo afirmado respecto de la migración hacia Guatemala se confirma catorce años más tarde. Las corrientes que se orientan hacia el departamento de la capital parecen ser urbana-urbanas y los mismos departamentos donde se originan las corrientes más importantes se mantienen. Guatemala recibe población de todos los departamentos sin que se vislumbre un campo migratorio definido. Esto puede apreciarse perfectamente en el mapa migratorio No. 8 que se presenta en el anexo No. 5. La diferencia del movimiento migratorio a este departamento entre 1950 y 1964 estriba, no en la dirección de las corrientes, sino en la intensidad que se aumenta notablemente al final de período intercensal considerado.

Respecto del departamento de Escuintla, fuera de acrecentarse fuertemente la absorción de población, las corrientes se tornan de recorrido más largo. Se destaca una procedente del norte (Quiché) y otra procedente de Jutiapa, el extremo este por la costa del Pacífico. Esto nos permite afirmar que además de profundizarse este campo migratorio se desarrolla en extensión.

Alrededor de Izabal los cambios no son muy significativos. Solamente Jutiapa, que también nutre a Escuintla, se incorpora a este campo migratorio.

CUADRO No. 12

GUATEMALA: Principales corrientes Migratorias a los cinco primeros departamentos de atracción. 1964.

Departamentos Receptor	Dptos de Origen	Número	%
GUATEMALA	Sta. Rosa	21.905	10.5
	Quezaltenango	17.976	8.6
	Escuintla	17.246	8.3
	Chimaltenango	17.190	8.3
	Sacatepéquez	14.153	6.8
	Otros	119.648	57.5
	TOTAL	208.118	100.0
ESCUINTLA:	Guatemala	23.254	17.8
	Sta. Rosa	18.871	14.5
	Jutiapa	18.829	14.4
	Quiché	12.616	9.7
	Chimaltenango	8.405	6.4
	Otros	48.413	37.2
	TOTAL	130.388	100.0
IZABAL	Zacapa	17.467	31.8
	Chiquimula	16.528	30.1
	Progreso	5.043	9.2
	Alta Verapaz	4.626	8.4
	Jutiapa	3.169	5.8
	Otros	8.149	14.7
	TOTAL	54.982	100.0
SUCHITEPEQUEZ:	Quiché	6.285	15.3
	Escuintla	4.401	10.7
	Retalhuleu	4.202	10.3
	Sololá	4.039	9.9
	Quezaltenango	3.426	8.4
	Otros	18.640	45.5
	TOTAL	40.993	100.0
RETALHULEU:	Quezaltenango	9.979	26.3
	Suchitepéquez	6.081	16.0
	San Marcos	3.262	8.6
	Huehuetenago	2.438	6.4
	Escuintla	2.861	7.5
	Otros	13.381	35.2
	TOTAL	38.002	100.0

FUENTE: Censo de población de 1964, Dirección General de Estadísticas, Guatemala.

Por último, el campo migratorio originado en torno a Suchitepéquez y Retalhuleu se intensifica notablemente, incorporando corrientes hacia ambos departamentos que provienen de Escuintla. Los mapas migratorios del anexo No. 5 permiten visualizar las corrientes más significativas y confirmar la configuración de los campos migratorios señalados.

2.— Las migraciones en Guatemala en la década 1964-1973.

2.1.— Las migraciones según las relaciones globales de supervivencia

Al observar los resultados de los cálculos de las migraciones de la década 1964-1973 obtenidos por el método de las relaciones globales de supervivencia, se pueden apreciar importantísimas variaciones en las tendencias migratorias de la población guatemalteca en relación a las tendencias registradas para el período 1950-1964.

Es preciso advertir que este procedimiento de las relaciones globales de supervivencia es extraordinariamente sensible a los defectos de subenumeración y sobreenumeración de la población censada. Cuando se trata de unidades administrativas mutuamente referidas, el margen de error puede ser mayor. Y esto es probable que acontezca en Guatemala, en donde la Dirección General de Estadísticas y Censos ha advertido algunas posibles anomalías. En efecto, puede suceder que en algunos departamentos se haya incurrido en errores importantes de subenumeración en el censo de 1973, y probable, también, que en el censo de 1964, en algunos departamentos, se haya cometido el error contrario, es decir, una cierta sobreenumeración (*).

Estos antecedentes podrían explicar la magnitud en las variaciones de las tendencias migratorias observadas en el último período respecto del anterior. Sin embargo, tendremos ocasión de confrontar los resultados obtenidos según este método indirecto con los resultados proporcionados por los métodos directos, y corregir los posibles errores. Con todo, estimamos que el patrón migratorio en la última década muestra cambios de real significación.

---

*) Desgraciadamente no se dispone, hasta a la fecha, de evaluaciones del censo a nivel desagregado.

Con esta advertencia podemos entrar al análisis de los resultados según las relaciones globales de supervivencia. La información se halla sintetizada y reunida en el Cuadro No. 13. Una primera mirada al cuadro nos revela que dos importantes departamentos de atracción en 1950 y 1964 aparecen en los primeros lugares como departamentos de expulsión. Se trata de Escuintla y Retalhuleu. Por otro lado, Huehuetenango, que anteriormente era un departamento de expulsión moderada, pasa a convertirse en departamento de atracción. Por último, Jutiapa, Jalapa y Chimaltenango, que se encontraban entre los principales departamentos expulsores, se ubican en 1973 como departamentos de equilibrio migratorio.

Si observamos los departamentos de atracción de población, comprobamos que Petén ha pasado a ocupar el primer lugar con una tasa de migración neta positiva que alcanza al 46.39%. Izabal, que le sigue, a pesar de conservar su carácter absorbente de población, muestra un descenso de su tasa de migración neta, de +25.03% en 1964 a + 15.74% en 1973. El departamento de Guatemala también muestra una reducción de la T.M.N. que desciende del 14.36% al 9.05%; y por último, Huehuetenango muestra el primer cambio brusco del carácter migratorio al pasar de una T.M.N. negativa del -5.66% a una positiva del +6.17%. Ciertamente, al compararse dos períodos de distinta duración, 1950-1964 (14 años) y 1964-1973 (9 años), las tasas pueden ser más moderadas. Esto explicaría en parte el caso de Izabal y Guatemala. Pero esto mismo hace resaltar más la importancia relativa que adquiere El Petén, en primer lugar, y Huehuetenango.

CUADRO No. 13 a

GUATEMALA: Migración neta y Tasa de Migración neta según las relaciones globales de supervivencia. 1964-1973

DEPARTAMENTOS	MIGRACION NETA		
	TOTAL	URBANA	RURAL
ATRACCION			
El Petén	20.076	3.145	16.931
Izabal	18.412	-10.964	29.376
Guatemala	75.089	90.203	-15.114
Huehuetenango	15.529	- 6.453	21.982
EXPULSION			
Escuintla	-30.761	- 1.807	-28.954
Retalhuleu	- 8.840	- 1.670	- 7.178
Suchitepéquez	-14.110	- 6.557	- 7.553
Alta Verapaz	-16.407	- 4.016	-12.391
Zacapa	- 6.008	- 2.989	- 3.019
El Progreso	- 4.074	- 3.122	- 952
Baja Verapaz	- 4.557	- 1.306	- 3.251
Sta. Rosa	- 7.406	- 3.033	- 4.273
Quezaltenango	-10.241	- 9.758	- 438
Sololá	- 3.203	- 6.574	- 3.371
Chiquimula	-12.022	- 4.483	- 7.539
EQUILIBRIO			
Totonicapán	490	- 2.267	2.757
Jutiapa	- 680	- 5.789	5.109
San Marcos	4.443	-4.694	251
Sacatepéquez	1.635	- 2.929	1.294
Jalapa	-2.228	- 1.639	-589
Chimaltenango	-3.789	-6.363	2.574

FUENTE: Construido sobre la base de la información de los censos de población de 1964 y 1973. Dirección General de Estadística y Censos, Guatemala.

CUADRO No. 13 b

GUATEMALA: Migración neta y Tasa de Migración neta según las relaciones globales de supervivencia. 1964-1973

DEPARTAMENTOS	TASA DE MIGRACION NETA		
	TOTAL	URBANO	RURAL
ATRACCION			
El Petén	46.39	20.84	60.07
Izabal	15.74	-41.26	31.34
Guatemala	9.05	12.78	- 1.21
Huehuetenango	6.17	-16.60	10.33
EXPULSION			
Escuintla	-15.81	- 2.94	-21.77
Chiquimula	-10.73	-16.89	- 8.82
Retalhuleu	- 9.90	- 6.24	-11.48
Suchitepéquez	- 9.87	-14.56	- 7.72
Alta Verapaz	- 8.43	-16.39	- 7.28
Zacapa	- 8.00	-13.04	- 5.79
El Progreso	- 8.00	-22.52	- 2.57
Baja Verapaz	- 6.12	- 9.57	- 5.35
Sta. Rosa	- 6.05	-10.95	- 4.51
Quezaltenango	- 4.63	-11.50	- 0.35
Sololá	- 3.61	-22.10	- 5.72
EQUILIBRIO			
Totonicapán	- 0.42	-12.78	- 2.80
Jutiapa	- 0.43	-19.26	- 3.94
San Marcos	- 1.65	-13.28	- 0.11
Sacatepéquez	- 2.25	- 5.48	- 6.68
Jalapa	- 2.76	- 6.97	- 1.03
Chimaltenango	- 2.78	-11.93	- 3.11

FUENTE: Construido en base a la información censal de 1964 y 1973, Dirección General de Estadística y Censos, Guatemala.

Respecto de la expulsión de población, la gran sorpresa está dada por los departamentos de Escuintla, Retalhuleu y Suchitepéquez, tres departamentos de la costa del Pacífico que se revelaban como departamentos de atracción en el período anterior. Escuintla era, según este mismo método, el principal departamento de atracción con una T. M. N. positiva de +33.70%. Pasa a ocupar el primer lugar en la expulsión con una T. M. N. negativa del -15.81%. Retalhuleu era el tercer departamento de atracción en el período 1950-1964, y ahora se encuentra en el tercer lugar como expulsor de población, pasando de -14.95% a -9.90% en términos de T. M. N. El caso de Suchitepéquez también es digno de consideración, ya que siendo en el período anterior un departamento con T. M. N. positiva del +0.99%, se convierte en departamento expulsor con -9.87%.

Consecuentemente, los departamentos que ocuparon antes los primeros lugares en la expulsión, resultan ahora departamentos de expulsión moderada (El Progreso) y, en mayor cantidad, departamentos de equilibrio (Sacatepéquez, Jalapa y Jutiapa). El único departamento que conserva su peso relativo en la expulsión de población es Chiquimula, que aunque desciende en su tasa de -13.32% a -10.73% (seguramente por las razones ya señaladas), avanza de séptimo al segundo lugar.

Por último, los departamentos de equilibrio, que entre 1950-1964 eran dos, Suchitepéquez y Petén, se convierten en seis. Nuevamente la reducción temporal del período, que opera en términos de hacer descender en volumen todas las T. M. N., hace que, si se conserva el mismo límite (3%) para la consideración de los departamentos como de equilibrio, se tenga como resultado la incorporación de un mayor número de departamentos en esta categoría. Ya observábamos el caso de El Petén, que posiblemente por errores de subenumeración figuraba en el período anterior, según este método, como departamento de equilibrio, (según los otros métodos era claramente de atracción). Este departamento pasa de +0.88 a + 46.39. El otro era el caso de Suchitepéquez, ya señalado. Ahora bien, los seis departamentos que en el período 1964-1973 se registran como de equilibrio eran antes departamentos de expulsión, algunos de intensa expulsión (Jalapa, Chimaltenango y Jutiapa).

Si hacemos la necesaria distinción entre la migración urbana de la migración rural, el análisis se vuelve bastante más rico. Podríamos considerar así:

a.— **Departamentos de atracción urbana.** Encontramos aquí obviamente a Guatemala, que atrae fuertemente en términos de volumen, poseyendo incluso una alta T. M. N. y que disminuye relativamente su población urbana en términos netos en un número de 3.145 inmigrantes, alcanzando una tasa de †20.84. Se podrá observar el importante cambio en el patrón migratorio urbano. Al concentrarse prácticamente este tipo de migración en Guatemala, desapareciendo el importante peso que tuvo Escuintla en el período anterior (T. M. N. urbana de †23.00%), se están considerando los saldos migratorios ya que este método no permite otra cosa. Así y todo, el saldo positivo de migración urbana se concentra en un 96.63% en Guatemala. Esto no significa que otras unidades no reciban migración urbana. Lo que si se puede concluir es que estas otras unidades expulsan más de la que reciben.

b.— **Departamentos de atracción rural.** La migración rural más importante se orienta en el período 1964-1973 hacia el norte del país, estando quizás saturada la capacidad de absorción rural de población que mostraron antes los departamentos de la Costa del Pacífico. En términos de volumen migratorio Izabal ocupa el primer lugar, con casi 30.000 inmigrantes netos, seguido de Huehuetenango con casi 22.000 y de El Petén que se acerca a los 17.000. Si consideramos las T. M. N., el orden es distinto. El Petén primero, luego Izabal y por último Huehuetenango. Fuera del caso sobresaliente de El Petén, llama la atención Huehuetenango que antes expulsaba población rural, y particularmente Jutiapa, que poseía una alta T. M. N. negativa (-9.70%) y que ahora la registra positiva en un †3.94%. Otros departamentos de atración rural son Sacatepéquez (†6.68), Chimaltenango (†3.11) y Totonicapán (2.80).

c.— **Departamentos de expulsión urbana.** Como se afirma más arriba, de expulsión urbana son todos los departamentos de la república, salvo Guatemala y Petén. Sin embargo, los saldos migratorios y las T. M. N. son diferentes. Por ejemplo, tanto en términos de volúmenes como de tasas, la expulsión urbana más intensa se da en Izabal, con casi 11.000 emigrantes netos y con una tasa negativa de -47.26%. También es particularmente alta esta expulsión en El Progreso (-22.52%), en Sololá (-22.10%), en Jutiapa (-19.26%), en Chiquimula (-16.39%). De estos habría que recordar que Huehuetenango y Jutiapa atraen población rural. Por último, Escuintla y Suchitepéquez que en el período 1950-1964 atraían población urbana, en el período 1964-1973 expulsan, fuertemente el último (-14.56) y débilmente el primero (-2.94%).

d.— **Departamentos de expulsión rural.** Repitiendo nuevamente, el departamento de expulsión urbana más importante que se registra es Escuintla (-21.77%) seguido por Retalhuleu (-11.48%); ambos ocupaban anteriormente el primero y tercer lugar respectivamente, en la absorción de población. Le siguen Chiquimula (-8.82%), Suchitepéquez (-7.72), Alta Verapaz (-7.28) y Zacapa (-5.79). Chiquimula ya ocupaba un lugar de privilegio en términos de expulsión rural, con una T. M. N. de -16.00%, y Zacapa un cuarto lugar con -11.00%. Otros cambios significativos pueden ser la reducción en la intensidad expulsora de Jalapa, que ocupaba el primer lugar con -16.80% y se convierte en un departamento equilibrado con -1.03%, y El Progreso, que desciende de -13.20% a -2.57%.

2.2.— Las migraciones a largo plazo

El contraste de la residencia en el momento del censo con el lugar de nacimiento de la población censada permite obviar en grado aceptable, los errores de subenumeración y sobre-enumeración que pueden estar afectando el cálculo de la migración por el método de las relaciones globales de supervivencia. La razón es que tanto los empadronados como los no empadronados pueden ser migrantes o nativos. La desventaja de este método directo reside en que al ser el intervalo migratorio tan largo como la vida del individuo, registra migraciones antiguas no realizadas en el período de referencia (1964-1973). Otras desventajas existen, pero señalamos ésta para advertir que los cambios esperados con respecto al período anterior deben ser mucho más tenues. Es en el procedimiento que veremos más adelante (migraciones a corto plazo) en donde lograremos resultante más exactos. Por lo tanto, los cambios que se verifiquen según el método de las migraciones a largo plazo deberán ser amplificados para dar cuenta de la realidad.

El Cuadro No. 14 reúne la información que nos permite este análisis. Llama la atención a simple vista que el departamento de El Petén se coloca en el primer lugar de la atracción, tal como se señalaba con el método anterior. Suchitepéquez sale del grupo de los departamentos de atracción. Quezaltenango, que era de equilibrio, pasa a ser de expulsión, y Sololá, que era de expulsión, se convierte en departamento de equilibrio.

Otra observación general que puede señalarse es que el volumen migratorio general no se alteró con respecto al año 1964; el total de migrantes llegó a una cifra similar (14.78%). Lo que sí llama la atención es la preponderancia que adquiere el departamento de Guatemala en el conjunto de la migración interdepartamental. Mientras en el año 1964 el departamento de la capital recibía el 29.65% de la inmigración total, en 1973 llega al nivel del 40.34%. Si consideramos los cinco primeros departamentos según el volumen de migración, tenemos que estos concentran el 72.2% de la migración total del país.

Ahora bien, si descendemos a un nivel de mayor detalle en la lectura de este cuadro veremos cómo se perfilan las tendencias en este período.

a.— **Departamentos de atracción**. Ya observamos el comportamiento de El Petén, que adelanta a Izabal en términos de tasas. Más de la mitad de la población de este departamento es inmigrante. Por su parte Izabal mantiene prácticamente la misma tasa de inmigración que el año 1964, aumentando fuertemente la tasa de emigración, lo que se traduce en un descenso de su T. M. N. En el caso de Guatemala, ya se dijo, la inmigración aumenta significativamente y la emigración disminuye. Luego, en Escuintla y Retalhuleu, que se mantienen como departamentos de atracción, se da el fenómeno de una acentuada disminución de la tasa de inmigración (49.2% al 36.0% y 32.6% al 23.6 o/o; respectivamente). Conjuntamente, allí las tasas de emigración aumentan en forma notoria (12.7 al 18.4 y 13.5 al 16.3). El resultado es una disminución de la tasa de migración neta en ambos casos. Esto nos confirma la alteración del patrón

CUADRO No. 14
GUATEMALA Número de Migrantes y tasas de Migración por departamentos; según migraciones internas a largo plazo. 1973

DEPTOS.	NUMERO			TASA DE (x100)		
	Inmigrantes	Emigrantes	Saldo Migratorio	Inmigración	Emigración	Mig. Neta
TOTAL	757.061	757.061				
ATRACCION						
Petén	32.398	22.668	29.730	51.6	4.2	47.4
Izabal	80.112	17.322	67.790	48.4	10.5	37.9
Guatemala	305.477	59.344	246.133	28.1	5.5	22.6
Escuintla	98.849	50.585	48.264	36.0	18.4	17.6
Retalhuleu	30.048	20.608	9.440	23.7	16.3	7.4
EXPULSION						
Progreso	9.176	32.555	-23.379	12.5	44.6	-32.1
Zacapa	11.366	44.031	-32.665	10.8	41.8	-31.0
Chiquimula	6.699	47.061	-40.362	4.3	30.2	-25.9
Jalapa	7.805	35.333	-27.523	6.6	30.0	-23.4
Sta. Rosa	21.151	62.270	-41.119	12.0	35.3	-23.3
Jutiapa	12.721	63.913	-51.192	5.5	27.9	-22.4
Baja Verapaz	5.095	23.049	-17.954	4.8	21.6	-16.8
Chimaltenango	13.046	33.354	-20.308	6.7	17.2	-10.5
Sacatepéquez	11.691	21.299	- 9.608	11.7	21.4	- 9.7
San Marcos	12.879	43.857	-30.978	3.3	11.3	- 8.0
Totonicapán	3.221	15.520	-12.299	1.9	9.3	- 7.4
Alta Verapaz	9.928	29.997	-20.069	3.5	10.7	- 7.2
Quiché	8.102	29.150	-21.048	2.7	9.8	- 7.1
Quezaltenango	29.710	49.052	-19.342	9.5	15.7	- 6.2
Huehuetenango	7.480	28.587	-21.107	2.0	7.8	- 5.8
EQUILIBRIO						
Sololá	4.671	9.180	- 4.509	3.7	7.2	- 3.5
Suchitepéquez	35.436	38.326	- 2.890	17.6	19.0	- 1.4

FUENTE: Censo de población de 1973, Dirección General de Estadística, 1973, Guatemala.

migratorio producido en el último decenio, ya observado según el cálculo indirecto de la supervivencia aunque bastante atenuada por el carácter del método ahora seguido.

b.— **Departamento de expulsión.** Al igual que en 1964, en 1973 la emigración tiende a generarse en la zona del este. No existen cambios de relevancia al observar el cuadro en cuestión, aunque sí alteraciones en el orden de los departamentos. Sin embargo, y dada la poca sensibilidad de este método a los cambios en las tendencias migratorias, conviene detenerse a señalar los más significativos. Entre los departamentos que incrementan fuertemente su carácter expulsor encontramos en los primeros lugares a Quezaltenango (que pasó de -3.3 en 1964 a -6.2 en 1973); San Marcos (-5.0 a -8.0) y Chiquimula (-18.0 a -25.9), descontando a Suchitepéquez, en la Costa Sur, que pasa de una T. M. N. positiva (+5.2) a una negativa (-1.4).

Entre los departamentos que muestran de 1964 a 1973, una declinación significativa en su carácter expulsor se cuenta Sacatepéquez (-15.5 a -9.7), Quiché (-13.3 a -7.1), Sololá (-6.7 a -3.5), Chimaltenango (-12.8 a -10.5) y Huehuetenango (-7.7 a -5.8).

Algunas observaciones complementarias pueden colaborar a dar mejor cuenta del movimiento migratorio en el período. Por ejemplo, sería preciso destacar el caso de Suchitepéquez, que continúa recibiendo un volumen significativo de migrantes (recibe 35.436, ocupando al quinto lugar como departamento receptor). Sin embargo expulsa un número más elevado de personas (38.326), lo que hace que su tasa de migración neta, aunque muy baja, sea negativa. Otro departamento de alto intercambio poblacional es Quezaltenango (recibe 29.710 y expulsa 49.052), que puede ser pensado como un lugar de tránsito de una migración más larga que se dirige a Guatemala como destino final.

2.3. La migración a corto plazo

Por migración a corto plazo entendemos la migración ocurrida en el plazo de los cinco años anteriores al censo de 1973, y tal como ya se adelantó, el procedimiento aquí utilizado es el que más puede acercarse a dar cuenta de los hechos acontecidos realmente en el último período respecto al movimiento migratorio.

Según este método, cuyo resultado se reúne en el cuadro No. 15, se confirman algunas tendencias ya observadas a partir de los procedimientos anteriores. Por ejemplo, Guatemala atrae un porcentaje elevado de migrantes en el período 1968-1973 (32.63%), aunque algo inferior al resultado obtenido por los otros métodos. En términos de volumen migratorio le siguen Escuintla, con el 10.85%, Izabal, con el 10.52% y El Petén, con el 8.22%.

En cuanto a la expulsión bruta de población, el primer lugar está nuevamente ocupado por Guatemala, con el 11.21%, seguido de Escuintla, con el 9.81%, Jutiapa, con el 7.73% y Santa Rosa, con el 6.72% del total de los emigrantes. Estas cifras están obviamente influidas por el tamaño relativo de la población de los departamentos.

Si consideramos la migración relacionándola con la población del departamento y observamos la tasa de migración neta tendremos una visión más precisa de las tendencias del movimiento.

a.— **Departamentos de atracción:**

a.1 El Petén: Es el departamento que se muestra con mayor capacidad de absorción en el último período. Su T. M. N. es muy elevada (+29.29%) y la tasa de inmigración nos revela que un 33.68% de la población total del departamento ha llegado a él durante los últimos cinco años.

a.2 Izabal: Permaneciendo como un importante departamento de atracción de población, muestra una cierta declinación en la inmigración de los últimos cinco años. Ha recibido un número importante de inmigrantes, pero también ha expulsado en una proporción equivalente a la mitad de lo que recibe.

a.3. Guatemala: El departamento de la capital ocupa el tercer lugar en términos relativos y, desde el punto de vista del porcentaje de inmigrantes en los últimos 5 años sobre el total de la población se sitúa en un cuarto lugar con una tasa de inmigración del 7.33%. De acuerdo a este último indicador este departamento es superado tanto por El Petén e Izabal, como por Escuintla que cuenta con un 10% de los inmigrantes del período.

CUADRO No. 15 a

GUATEMALA: Número de Inmigrantes, Emigrantes, saldo Migratorio y tasa de Migración, según residencia en 1968, Censo de 1973.

DEPARTAMENTOS	INMI-GRANTES	EMIGRANTES	SALDO MIGRA-TORIO
Guatemala	68860	23659	45201
El Progreso	2595	6850	- 4255
Sacatepéquez	3811	3711	100
Chimaltenango	4237	7105	- 2868
Escuintla	22895	20709	2186
Sta. Rosa	7504	14185	- 6681
Sololá	1906	2094	- 188
Totonicapán	1343	3330	- 1987
Quezaltenango	9370	12353	- 2983
Suchitepéquez	9579	11915	- 2336
Retalhuleu	6606	7529	- 923
San Marcos	4511	12806	- 8295
Huehuetenango	2946	8059	- 5113
Quiché	3472	6335	- 2863
Baja Verapaz	1764	5960	- 4196
Alta Verapaz	4132	6354	- 2222
Petén	17363	1572	15791
Izabal	22212	8750	13462
Zacapa	4094	10721	- 6627
Chiquimula	2859	12152	- 9293
Jalapa	2941	8509	- 5568
Jutiapa	5986	16328	-10342
TOTAL	210986	210986	

FUENTE: Censo de población de 1973, Dirección General de Estadística, Guatemala.

CUADRO No. 51 b

GUATEMALA: Número de Inmigrantes, Emigrantes, saldo Migratorio y tasa de Migración, según residencia en 1968. Censo de 1973.

DEPARTAMENTO	TASAS		
	Inmigrantes	Emigrantes	Migración neta
Guatemala	7.33	2.64	4.69
El Progreso	4.27	10.55	- 6.28
Sacatepéquez	4.52	4.41	0.11
Chimaltenango	2.63	4.34	- 1.71
Escuintla	10.02	9.15	0.87
Sta. Rosa	5.13	9.29	- 4.16
Sololá	1.82	2.00	- 0.18
Totonicapán	0.97	2.39	- 1.42
Quezaltenango	3.60	4.70	- 1.09
Suchitepéquez	5.70	6.99	- 1.29
Retalhuleu	6.28	7.09	- 0.81
San Marcos	1.40	3.90	- 2.5
Huehuetenango	0.98	2.65	- 1.67
Quiché	1.42	2.57	- 1.15
Baja Verapaz	2.00	6.46	- 4.46
Alta Verapaz	1.80	2.74	- 0.94
Petén	33.68	4.39	29.29
Izabal	16.15	7.05	9.1
Zacapa	4.63	11.28	-6.65
Chiquimula	2.19	8.69	-6.5
Jalapa	3.04	8.33	-5.29
Jutiapa	3.14	8.13	-4.99

FUENTE: Ver Cuadro 15 (a).

Ya es de sumo interés constatar que en términos de saldos migratorios o de tasas de migración neta, la migración se dirige sólo a tres departamentos. Esto implica una confirmación del importante cambio que se evidencia con la comparación de las migraciones realizadas entre 1968 y 1973 (cinco años antes del censo) y todas las migraciones realizadas hasta 1973. La atracción de población se concentra en la capital, a donde se dirige casi un tercio del total de los migrantes, y en los departamentos del norte, El Petén e Izabal, que reciben en conjunto un 18.7% de la inmigración. El resto de la migración, que representa un 48.63%del total del país, se distribuye entre los 19 departamentos restantes sin que existan saldos favorables en ninguno de ellos. Los departamentos del Pacífico, que jugaban un gran papel en la atracción de población según el censo de 1964 dejan de realizarlo, de tal manera que se puede verificar un marcado desplazamiento del polo de atracción migratorio desde el sur hacia el norte del país. Esto se percibe gráficamente en los mapas migratorios que se presentan en el anexo No. 5.

b.— **Departamento de expulsión.**

b.1. La zona del este se confirma en el período de los cinco años anteriores al censo de 1973 como la región repelente de población por excelencia. Según las tasas de migración neta los cinco primeros departamentos de expulsión se sitúan en esta zona. Estos son: Zacapa (-6.65%), Chiquimula (-6.50%), El Progreso (-6.28%), Jalapa (-5.29%) y Jutiapa (-4.99%). Si consideramos los volúmenes migratorios el primer lugar está ocupado por Jutiapa, que expulsa a 16.328 habitantes en el plazo de cinco años entre 1968 y 1973, lo que representa un 7.73% de la migración total de este período.

b.2 Le siguen en orden de importancia Baja Verapaz, colindante con Guatemala, con una T.M.N. del -4.46% Santa Rosa, tradicional departamento expulsor de la zona Sur con el -4.16% y San Marcos con -2.5%. Estos departamentos se sitúan en el centro norte, en el sur y en el extremo occidental, respectivamente.

Es interesante señalar que ninguno de los departamentos del altiplano se caracteriza, entre 1968 y 1973, por niveles altos de expulsión. El que más se avecina al altiplano, San Marcos, ya tiene una expulsión mitigada. Departamentos como Chimaltenango y Sololá reducen muy drásticamente su carácter expulsor de población. También los departamentos del norte, sin considerar, obviamente, a El Petén e Izabal, muestran una emigración muy mitigada con respecto a la presentada en períodos anteriores.

Los departamentos de escasa emigración en el período 1968-1973, fuera de los ya señalados, son: Huehuetenango (-1.67%), Totonicapán (-1.42%), Suchitepéquez (-1.29%), Quiché (-1.15%) y Quezaltenango (-1.09%). Dentro de este grupo resulta digno de destacarse el caso de Suchitepéquez, en la costa sur, que pasa de departamento de atracción moderada a uno de expulsión también moderada. La situación de Quezaltenango ya ha sido observada; es una población urbana importante que al igual que Suchitepéquez se mantiene siempre con volúmenes de entrada y salida relativamente importantes.

c.— **Departamentos de equilibrio**.

Es aquí donde los cambios son más importantes, confirmándose las tendencias observadas en forma abultada en los resultados del método de las Relaciones Globales de supervivencia. Entre los de equilibrio se reunen los siguientes departamentos: Escuintla (+0.87%), Sacatepéquez (+0.11%), Sololá (-0.18%), Retalhuleu (-0.81%) y Alta Verapaz (-0.94%). El caso de Escuintla es el de mayor interés; se ha dicho que este era uno de los departamentos más dinámicos en la absorción de población. En el período 1968-1973 se mantiene recibiendo contingentes elevados de migrantes, ya que el 10% de sus habitantes en 1973 han llegado a él durante esos cinco años. Sin embargo, en ese mismo período inicia una brusca expulsión de población equivalente a un porcentaje casi igual, lo que le otorga una tasa de migración neta que no alcanza al +1%. La situación de Retalhuleu es similar; el crecimiento de su capacidad de absorción fue en el período anterior más intenso que el de Escuintla, aunque no llegó a alcanzar los volúmenes de inmigración de éste. Entre 1968 y 1973 se convierte en un departamento con tasa de migración negativa, aunque también recibe una cantidad considerable de migrantes.

Sacatepéquez y Sololá son dos departamentos del altiplano que reducen considerablemente los volúmenes de expulsión presentados en el período anterior. Igual cosa acontece con Alta Verapaz, localizado más bien al norte y limítrofe con El Petén e Izabal —los departamentos más dinámicos en el período desde el punto de vista de la atracción de población.

2.4.— Las corrientes migratorias en los períodos 1964-1973 y 1968-1973

Las corrientes migratorias las podemos definir de acuerdo a los mismos métodos de medición directa del fenómeno migratorio. Por lo tanto, se pueden estudiar éstas en tanto movimientos de largo plazo y en tanto movimientos de corto plazo, según las tabulaciones censales de la migración según lugar de nacimiento y según lugar de residencia cinco años antes.

La información correspondiente se presenta en los cuadros 16 y 17. Si nos preguntamos por los cambios ocurridos con respecto al período anterior, constatamos que el más significativo es la formación de un nuevo campo migratorio que se dirige hacia El Petén. La migración a El Petén existía desde años anteriores, pero al considerarla en relación a las otras corrientes migratorias no revestía la importancia que adquiere en los últimos años. Por otra parte, la inmigración al departamento de Suchitepéquez, que antes era bastante significativa, deja de serlo en el período último de estudio.

El fenómeno ya señalado de la disminución de la inmigración a la zona sur atañe también a los departamentos de Escuintla y Retalhuleu. Estos departamentos ven disminuir notablemente las corrientes migratorias que los proveen de población. El descenso se constata aun en términos absolutos ya que los migrantes a Escuintla descienden de 130.388 a 99.849 según la migración acumulativa, y a Retalhuleu lo hacen de 38.002 a 30.048 según el mismo criterio. Cabría advertir que el cambiar la naturaleza del censo, de facto en 1964 a de Jure en 1973, es previsible una cierta disminución de los migrantes, sin embargo, las dimensiones del cambio observado no pueden explicarse por la sola naturaleza diversa de los censos. No obstante, y pese a la disminución de la intensidad de la migración hacia estos departamentos, ellos permanecen como importantes departamentos de atracción, aunque expulsen cantidades similares de habitantes.

Los campos migratorios que se observan no difieren en gran medida de los señalados para 1964.

El departamento de Guatemala presenta una inmigración proveniente practicamente de todos los departamentos de la república, contribuyendo sus seis proveedores más importantes a formar casi el 50% de su población inmigrante. Estos departamentos se localizan en distintos lugares, tanto en el extremo occidental (San Marcos), como en el extremo sur oriental (Santa Rosa y Jutiapa), como en el sur (Escuintla) y como en el Altiplano (Quezaltenango y Chimaltenango). Por lo tanto, no existe un campo migratorio muy específico, o una zona particular que nutra la migración a la capital.

El campo migratorio que se organiza alrededor de Escuintla es algo más preciso. De seis departamentos proceden dos tercios de la inmigración a Escuintla, fundamentalmente del Este (Santa Rosa, Jutiapa, Jalapa y El Progreso), aunque una corriente importante, de carácter ciertamente urbano-urbano, desciende desde Guatemala. El Altiplano sale prácticamente de la órbita de atracción migratoria de Escuintla. Antes teníamos dos departamentos del Altiplano con emigración importante hacia este departamento: Quiché y Chimaltenango, que en conjunto aportaban el 16.1% de esta migración; mientras ahora tenemos sólo a Chimaltenango, con un 4.9% de la misma.

En torno a Retalhuleu se forma otro campo migratorio que mantiene casi las mismas características del mostrado en 1964. Este departamento se alimenta de departamentos vecinos, Escuintla y Suchitepéquez, y de departamentos del Altiplano, Quezaltenango y San Marcos, que le aportan en conjunto el 75.5% de su población inmigrante total.

El caso de El Petén, que ha sido destacado, presenta un campo migratorio interesante. La población que lo nutre procede en forma importante de las zonas Centro-Norte y nor-este. Entre Alta Verapaz, Baja Verapaz e Izabal le proporcionan el 36.15% de la migración. Sin embargo, le llega una corriente muy importante proveniente del extremo opuesto, de Escuintla, con un volumen equivalente al 10.22%, de Jutiapa con el 10.08% y de Santa Rosa con el 6.70% En total, la corriente que le viene del sur alcanza a conformar un 27% de la migración total al departamento.

CUADRO No. 16

GUATEMALA: Principales corrientes Migratorias a los principales departamentos de atracción de población según lugar de nacimiento. 1973.

DEPARTAMENTO RECEPTOR	DEPTOS Pe. ORIGEN	INMIGRANTES	%
GUATEMALA:	Sta. Rosa	33908	11.10
	Escuintla	26570	8.70
	Quezaltenango	25380	8.31
	Jutiapa	22270	7.29
	San Marcos	21481	7.03
	Chimaltenango	20796	6.81
	Otros	155002	50.74
	TOTAL	305477	100.00
ESCUINTLA	Guatemala	18263	18.48
	Sta. Rosa	16475	16.67
	Jutiapa	16288	16.48
	Chimaltenango	4847	4.90
	Jalapa	4792	4.85
	El Progreso	4137	4.18
	Otros	34047	34.44
	TOTAL	98849	100.00
RETALHULEU	Quezaltenango	8099	26.95
	Suchitepéquez	5390	17.94
	San Marcos	2650	8.82
	Escuintla	2438	8.11
	Jutiapa	2322	7.73
	Guatemala	1784	5.94
	Otros	7365	31.51
	TOTAL	30048	100.00
PETEN	Alta Verapaz	6845	21.13
	Escuintla	3312	10.23
	Jutiapa	3267	10.08
	Baja Verapaz	2695	8.32
	Santa Rosa	2360	7.28
	Izabal	2172	6.70
	Otros	11747	36.26
	TOTAL	32398	100.00

(Continuación del Cuadro No. 16)

IZABAL	Chiquimula	26085	32.56
	Zacapa	21447	26.77
	Alta Verapaz	8409	10.5
	El Progreso	5576	6.96
	Jutiapa	4962	6.19
	Jalapa	3347	4.18
	Otros	10285	12.84
	TOTAL	80112	100.00

FUENTE: Censo de población de 1973, Dirección General de Estadísticas, Guatemala.

Por último, tenemos el campo migratorio establecido alrededor de Izabal que muestra rasgos bien definidos. Todos los departamentos que lo nutren son del Este, salvo el departamento de Alta Verapaz que le es vecino y que se encuentra en el Centro-Norte del país. Entre Chiquimula, Zacapa, El Progreso, Jutiapa y Jalapa se constituye el campo migratorio que surte el 76.66% de la migración a Izabal.

Ahora bien, si consideramos las corrientes migratorias más importantes dentro del período más reciente, 1968-1973, encontramos algunas variaciones significativas. Por ejemplo, Retalhuleu deja de estar entre los departamentos más importantes desde el punto de vista del volumen de la inmigración, y es reemplazado por Sacatepéquez.

Con respecto a los campos migratorios establecidos, las variaciones entre las migraciones a corto plazo y las migraciones acumulativas a 1973 son de monto menor. La migración al departamento de Guatemala no manifiesta alteraciones en sus tendencias respecto al origen de esta. La migración a Escuintla muestra una cierta variación en términos de que los departamentos de Suchitepéquez, ubicado al Oeste en la Costa Sur, y Quiché, localizado al Noroeste, cobran importancia a costa de Chimaltenango, Jalapa y El Progreso. Con respecto a la migración que se dirije hacia Izabal, el cambio significativo está representado por la corriente proveniente de Escuintla, que no figura como importante en la migración acumulativa, lo que la revela como una corriente migratoria reciente.

Al considerar el departamento que en términos tendenciales cobra una mayor capacidad de absorción en el último período, El Petén, vemos que las corrientes más importantes provienen de otros departamentos incluídos en el grupo de los absorbentes de población. Escuintla ocupa el primer lugar como proveedor de población de El Petén con una corriente equivalente al 18.55% de la inmigración del departamento. Le sigue Izabal con una corriente del 12.27%. Pierden importancia relativa, por lo tanto, las corrientes provenientes de Alta Verapaz y de Jutiapa, las que, probablemente, no disminuyen en números absolutos sino que son superadas por las otras.

Por último, tenemos el departamento de Sacatepéquez, que sin tener una inmigración relevante en términos de volumen, se incorpora al grupo de los cinco departamentos más importantes en términos de absorción de población. El campo migratorio que se dibuja alrededor de este departamento se conforma de las corrientes provenientes de Guatemala, las más importantes con más de un tercio de la inmigración al departamento, y de Chimaltenango (22.36%), localizado también en el Altiplano. Las otras corrientes provienen del sur-este, de Escuintla, Santa Rosa y Jutiapa, que en su conjunto representan casi el 20% de la migración total al departamento de Sacatépequez.

CAPITULO III

EL SALVADOR

La ausencia de preguntas referidas a la migración en los censos de población de 1950 y 1961 impiden realizar en El Salvador las mediciones que se hicieron para el caso de Guatemala. Solamente algunas inferencias, a partir del crecimiento comparado de la población en distintas áreas, pueden orientar el conocimiento del fenómeno migratorio de este país. A través de los métodos indirectos podemos estimar el carácter migratorio (atracción o expulsión de población) de los departamentos. Sin embargo, lo que resulta imposible de establecer es el tipo de corrientes que fluyen de unos departamentos hacia otros.

El censo de 1971, en cambio, incluye las preguntas ausentes en los anteriores, con lo cual el estudio de la década 1961-1971 se puede volver más preciso.

1.— Análisis de la década 1950-1961

1.1.— El crecimiento intercensal.

Durante el período comprendido entre el 13 de junio de 1950 y el 2 de mayo de 1961, fechas de realización de los censos correspondientes, la población pasó de 1.855.917 a 2.510.984 personas. Ello indica un crecimiento absoluto de 665.067 habitantes, cifra representativa del 35.3% de la población. La población urbana, de 877.167 personas en 1950, aumentó en una proporción de 42.8% en dicho período, alcanzando en 1961 un total de 966.899 habitantes. En el área rural la proporción de aumento es menor que el promedio nacional. El recuento en dicha área, que alcanza 1.544.085 personas en el censo de 1961, supera en 365.335 a la cifra correspondiente al año 1950, aumento que refleja una proporción de 3.0% para toda la parte rural del territorio nacional.

Viendo esto en términos de tasa media anual de crecimiento de la población salvadoreña entre 1950 y 1961 la situación es ésta:

Total de país:	2.76%
Area Urbana:	3.24%
Area Rural:	2.47%

Tanto en términos de proporción de aumento como en términos de tasa de crecimiento las diferencias son muy notorias y reflejan claramente que las áreas urbanas crecen a un ritmo superior al promedio nacional, compensado lógicamente este hecho por un ritmo menor en las áreas rurales.

Ahora bien, si consideramos los departamentos y los referimos a estos promedios nacionales de crecimiento poblacional, tenemos que, de los catorce en que se divide el país, dos de ellos experimentaron crecimientos que superaron en más del 10% ese promedio nacional (San Salvador y La Libertad); de los departamentos restantes, siete (Cabañas, Chalatenango, Morazán, Cuscatlán, Usulutan, Santa Ana y San Vicente) se ubicaron por debajo del 10% de ese promedio nacional y cinco (Sonsonate, Ahuachapán, San Miguel, La Unión y La Paz) oscilaron en torno a dicho promedio.

En consecuencia con lo anterior, y siguiendo la dirección del cuadro No. 1, se ha logrado hacer una clasificación de los departamentos, según el carácter migratorio de cada uno, obtenido a partir de la tasa media anual de crecimiento de la población entre los años censales 1950 y 1961. De acuerdo con este procedimiento tendremos tres grupos distintos de departamentos:

Departamentos de "Atracción". Formado por aquellos departamentos cuyas poblaciones crecen con ritmos ostensiblemente más rápidos, en 10% y más, que el de la población nacional:

San Salvador
La Libertad

CUADRO No. 1

EL SALVADOR: Clasificación de los departamentos según el carácter migratorio de acuerdo a la tasa media anual de crecimiento inter-censal, Período 1950-1961.

DEPARTAMENTO	TASA 7950 - 1961		
	TOTAL	URBANA	RURAL
TOTAL	2.76	3.24	2.47
ATRACCION			
San Salvador	4.04	4.46	2.83
La Libertad	3.15	3.27	3.08
EXPULSION			
Cabañas	1.81	2.61	1.67
Chalatenango	1.87	2.45	1.67
Morazán	1.93	3.24	1.63
Cuscatlán	2.08	1.72	2.19
Usulután	2.22	1.68	2.45
Sta. Ana	2.26	3.01	1.79
San Vicente	2.32	2.40	2.29
EQUILIBRIO			
Sonsonate	2.98	2.38	3.34
Ahuachapán	2.94	1.78	3.38
San Miguel	2.76	3.28	2.51
La Unión	2.74	3.19	2.60
La Paz	2.73	1.80	3.20

FUENTE: Censos de población de El Salvador, de 1950 y 1961, Dirección General de Estadísticas y Censos, San Salvador.

Departamentos de "Expulsión": Formado por aquellos departamentos que registran crecimientos de población más lentos, en 10% y menos, que el de la población nacional:

Cabañas
Chalatenango
Morazán
Cuscatlán
Usulután
Santa Ana
San Vicente

Departamentos de "Equilibrio": Formado por aquellos departamentos cuyas poblaciones tienen crecimientos semejantes, con límites de 10%, al de la población nacional.

Sonsonate
Ahuachapán
San Miguel
La Unión
La Paz

En la misma forma, puesto que los criterios de la clasificación anterior, y la clasificación misma, son extensibles a las poblaciones urbanas y rurales de cada departamento, que crecen a un ritmo mayor, semejante o menor que las poblaciones urbana y rural nacionales, podemos hacer mención a departamentos de atración urbana de población, a departamentos de expulsión rural de población, etcétera. Sin embargo, aquí no nos interesa hacer clasificaciones que intenten agrupar, por ejemplo, todos los departamentos de atracción urbana, excluyéndolos de los departamentos de expulsión urbana, porque tanto unos como otros podrían tener, como unidades departamentales en sí mismas, un carácter migratorio ya sea de equilibrio, de expulsión o de atracción.

Al observar el cuadro No. 1 tenemos que, en términos de absorción urbana de población, se agrega a San Salvador y La Libertad, considerados ya como de atracción, el departamento de San Miguel. Al detenernos en la atracción rural de población el panorama es aún más amplio. Los primeros lugares en la atracción rural los ocupan los siguientes departamentos en el mismo orden: Ahuachapán, Sonsonate y La Paz. La atracción de población rural se localiza, por lo tanto, en el Occidente del país.

La tasa de crecimiento urbano a nivel nacional, al estar muy afectada por San Salvador, hace que la mayoría de los departamentos se sitúan por debajo del promedio nacional. Si consideramos nuestro márgen de variación del 10%, los departamentos que se revelarían como de expulsión urbana serían en el siguiente orden: Usulután, Cuscatlán, Ahuachapán, La Paz, Sonsonate, San Vicente, Chalatenango y Cabañas.

Más precisa puede resultar la consideración de la expulsión rural de población. El cuadro No. 1 nos presenta también los departamentos de crecimiento rural inferior a la media de crecimiento rural del país. Dentro de estos departamentos, y siguiendo el mismo criterio adoptado, podríamos considerar a los siguientes: Morazán, Chalatenango, Cabañas, Santa Ana y Cuscatlán. Se observa, por lo tanto, que la zona de expulsión rural se sitúa en la región Norte del país.

Por lo tanto, y para concluir, según el procedimiento del crecimiento intercensal, la zona de atracción de población rural más importante del país, se localiza en las zonas más bien costeras del sur-occidente del país. La zona de mayor expulsión rural debería ser la región montañosa limítrofe con Honduras. Ciertamente se tratará de la zona más afectada por la emigración internacional, no existiendo datos precisos para determinar el volumen de los desplazamientos de campesinos de esa región hacia el sur-oeste del país.

1.2.— Las relaciones globales de supervivencia

Con el fin de obtener una cuantificación del movimiento migratorio por departamento, para el período 1950-1961, se aplicó la relación global de supervivencia a la población censada en cada departamento en 1950. De esta manera se obtiene una estimación de la población sobreviviente en 1961 con edades de 10 años y más. Al comparar esta población teórica con la población censada en cada departamento con edades de 10 y más años se obtiene una estimación del número neto de migrantes (inmigrantes menos emigrantes). Sin embargo, el resultado alcanzado está dado en términos absolutos, lo que impide tener una idea clara de la

CUADRO No. 2

EL SALVADOR: Departamentos de atracción, equilibrio y expulsión según las relaciones globales de supervivencia. 1950-1961

Deptos.	MIGRACION NETA Total	Urbana	Rural	TASAS (%) Total	Urbana	Rural
ATRACCION						
San Salvador	54.398	55.384	-986	16.7	22.2	-1.3
La Libertad	3.958	3.530	428	2.9	7.2	0.5
EXPULSION						
Cabañas	-8.988	- 125	-8.873	-14.5	-1.2	-17.2
Chalatenango	-10.997	- 958	-10.039	-12.8	-4.0	-16.2
Morazán	- 9.587	- 1.092	-10.659	-12.1	-6.8	-17.0
Cuscatlán	- 5.978	- 1.834	- 4.144	- 7.8	-10.0	- 7.2
Usulután	- 8.060	- 3.349	- 4.771	- 5.7	- 8.1	- 4.8
San Vicente	- 3.991	- 46	- 3.945	- 5.2	- 0.2	- 7.6
La Unión	4.908	1.181	- 6.089	- 5.1	5.0	- 8.5
Sana Ana	7.895	5.594	-13.489	- 4.4	7.6	-13.0
EQUILIBRIO						
Sonsonate	2.725	31	2.694	2.4	0.1	3.8
Ahuachapán	638	-1.558	2.196	0.7	-6.4	3.5
San Miguel	- 802	5.155	-5.597	-0.5	9.4	-5.9
La Paz	- 501	-2.260	1.759	-0.6	-7.7	3.0

FUENTE: Censos de población de El Salvador, de 1950 y 1961, Dirección General de Estadísticas y Censos, San Salvador. Cálculos del equipo central de migraciones.

importancia que reviste el saldo migratorio dentro del volumen de población en cada caso. Para superar esta situación se relaciona el resultado referido con la población censada y de esta manera se obtiene una tasa de migración neta para cada departamento, lo que permite apreciar, en mejor forma, el peso relativo del saldo migratorio. Los resultados obtenidos en este caso se detallan en el Cuadro No. 2.

En este cuadro se agrupan los departamentos según el carácter migratorio obtenido, utilizando como límite discriminatorio la tasa de 2.5%.

Pero antes de entrar a observar las agrupaciones y jerarquías de los departamentos según su carácter expulsor o absorvente de población, parece necesario hacer algunas observaciones necesarias para comprender el caso salvadoreño. Por ejemplo, la migración del campo hacia las ciudades en El Salvador es un fenómeno de primera magnitud. El saldo migratorio positivo hacia las ciudades equivale a 59.683 migrantes en la década 1950-61, lo que representa un 72.72% de la migración total. De esta migración total solamente el departamento de San Salvador recibe a 55.384 migrantes, esto es, el 67.48 del total de los migrantes y el 93% de la migración urbana nacional. La importancia que revisten en este país las migraciones del campo a las ciudades es considerablemente mayor que en los otros países centroamericanos; ya veíamos que la migración a la ciudad de Guatemala representa un porcentaje mucho menor, que oscila entre el 35% y el 40% dependiendo de los distintos procedimientos de medición.

Desde el punto de vista de la migración global sólo encontramos dos departamentos de atracción de población: San Salvador, con una tasa de migración neta (T.M.N.) de +22.2%, y La Libertad con una tasa de +2.9%. Luego veremos que la migración a estos departamentos es de destino urbano, no pudiendo establecerse su origen dado que en este país no existen datos para establecer las corrientes migratorias.

En cuanto a los departamentos de expulsión de población, el que se encuentra a la cabeza en términos relativos es Cabañas, localizado en el norte del país. Posee una T.M.N. de -14.5. Sin embargo, en términos absolutos, es superado por dos departamentos vecinos y localizados también en el norte, Chalatenango y Morazán. El primero de estos expulsa un total de 10.997 habitantes, equivalente a un 13.40% de la migración total del país, y el otro expulsa a 9.587 individuos, o sea, un 11.68% de ese mismo total. Si a este cálculo agregamos la emigración de Cabañas, tenemos que de esos tres departamentos del norte proviene el 36.04% de la migración total del país.

Luego tenemos que Usulután, Santa Ana y Cuscatlán ocupan lugares importantes en la expulsión absoluta de habitantes, siendo en términos relativos más significativa la migración de Cuscatlán (-7.8%) y Usulután (5.7%). El caso de Santa Ana es digno de notarse; la expulsión rural de este departamento es impresionante y la más alta del país (13.489 habitantes que representan el 16.43% de la migración total). Sin embargo, aunque efectivamente la disminución relativa de la población rural de este departamento es muy alta, el aumento de la población urbana, sin ser equivalente, es también muy importante; mientras pierde 13.489 habitantes rurales, gana sólo 5.594 urbanos. Es posible que esto no refleje salidas del departamento de la magnitud señalada, sino un importante proceso de urbanización en el período considerado. Con todo, existe una expulsión global de población, que es muy fuerte en el campo y que se manifiesta en una tasa moderada de expulsión (-4.4%).

Los cuatro departamentos considerados como de equilibrio exhiben características diferentes. Sólo uno de ellos es posiblemente un departamento de escasa movilidad de población, se trata de Sonsonate, que muestra una población urbana que crece con la medida urbana del país, y una población rural que al crecer más que la media nacional rural, lo convierte en un departamento de leve absorción rural de población. El departamento de Ahuachapán, vecino del anterior, presenta rasgos algo similares. Posee también una tasa de migración neta ligeramente positiva (0.7%), dándose allí una situación diferente a la del equilibrio poblacional observado en Sonsonate; se trata, más bien, de lo inverso a lo que apuntamos a propósito de Santa Ana, aunque en magnitudes mucho más reducidas: se produce una significativa expulsión de población urbana, con lo que alcanza una tasa de migración neta negativa de -6.4%, en cambio, las zonas rurales registran una cierta dinámica de absorción de población, recibiendo en el período a casi 2.200 personas, es decir una tasa de migración rural positiva de 3.5%.

El departamento que tiene un comportamiento migratorio muy similar al de Ahuachapán es la Paz, que posee una tasa de migración neta también cercana a cero, aunque negativa, y expulsa población urbana en una cantidad significativa (T.M.N. de -7.7%) en tanto que atrae población rural en un porcentaje equivalente al 3.00%. Por último, tenemos el caso de San Miguel que presenta el fenómeno inverso y con intensidades bastantes mayores. Este departamento muestra una capacidad de absorción de población urbana que, en término relativo, lo coloca en un segundo lugar después de San Salvador. Prácticamente el

10% de sus habitantes en 1961 habían llegado al departamento después de 1950, o al menos habían dejado el campo para ir a la ciudad dentro del mismo departamento.

Concluyendo, podemos ver que según los dos métodos utilizados, las tendencias migratorias de El Salvador son bastante estables. Según ambos métodos tenemos dos departamentos de clara atracción de población, ocupando San Salvador un lugar tal que lo llega a aislar del resto de los departamentos. Según la expulsión de población también existe coincidencia de los métodos para señalar a los departamentos del norte, limítrofes con Honduras, como los departamentos en donde la expulsión de población, sobre todo rural, alcanza las dimensiones más grandes. Con respecto a los departamentos de equilibrio, los dos métodos coinciden en cuatro departamentos. Ahuachapán, Sonsonate, San Miguel y La Paz. El método de la comparación recíproca de los departamentos según su crecimiento intercensal agrega un quinto departamento de equilibrio, al departamento de La Unión. Según el método de las relaciones globales de supervivencia este departamento acusa una expulsión moderada. Resulta, por lo tanto, que el desplazamiento global de la población dentro del territorio salvadoreño procede en un porcentaje más alto, de los departamentos del Norte y del Nor-Este y se dirige, principalmente, hacia los de San Salvador y La Libertad, por una parte, y a las regiones rurales de Ahuachapán, Sonsonate e incluso La Paz, por otra parte.

Dado que no existen más datos para profundizar el análisis migratorio de la década 1950-1961, pasamos al estudio del período siguiente.

2.— **Análisis de la década 1961-1971**

El censo de El Salvador de 1971 permite realizar un análisis del movimiento migratorio con métodos de medición directa; incluso es posible distinguir entre una migración definida por todo el período de la vida de los migrantes, es decir, contrastando el lugar de nacimiento con el lugar de residencia en 1971, y una migración específica durante el período comprendido entre el año 1966 y 1971. Pero antes de entrar a ese análisis y con el fin de realizar una comparación con el período anterior, se vuelve necesario aplicar el método de las relaciones globales de supervi-

CUADRO No. 3

EL SALVADOR: Clasificación de los departamentos según el carácter migratorio de acuerdo a la tasa media anual de crecimiento intercensal. Período 1961-1971.

DEPARTAMENTO	TASA 1961-1971		
	TOTAL	URBANA	RURAL
TOTAL	3.44	3.69	3.27
ATRACCION			
San Salvador	4.51	4.65	4.06
La Unión	3.96	3.28	4.14
EXPULSION			
Cuscatlán	2.99	4.17	2.48
Chalatenango	2.83	2.89	2.81
Morazán	2.66	2.07	2.80
Santa Ana	2.57	3.29	2.06
EQUILIBRIO			
Usulután	3.48	3.07	3.64
Sonsonate	3.47	3.59	3.40
La Libertad	3.35	3.25	3.41
La Paz	3.28	2.34	3.68
Cabañas	3.23	3.80	3.11
San Miguel	3.21	3.33	3.15
Ahuachapán	3.08	1.82	3.49
San Vicente	3.03	2.28	3.35

FUENTE: Censos de población de El Salvador, de 1961 y 1971, Dirección General de Estadísticas y Censos, San Salvador.

vencia en el período y el método del crecimiento relativo intercensal.

2.1.— Las migraciones según el crecimiento intercensal

Los resultados obtenidos en cada departamento para realizar este análisis se encuentra en el cuadro No. 3. En él se observan algunos cambios con respecto a los resultados del mismo método en el período anterior. Por ejemplo, mientras el departamento de La Libertad, que es en 1950-1961 un departamento de atracción, pasa a ser de equilibrio, el departamento de La Unión deja de ser uno de equilibrio para ser de atracción.

Con respecto a los departamentos de expulsión se perciben algunos cambios interesantes. El Departamento de Cabañas, que ocupaba el primer lugar en la expulsión de población, se convierte en un departamento de equilibrio, con una tasa media anual de crecimiento apenas inferior a la del país. Por otra parte, el Departamento de Santa Ana, que poseía una tasa media anual de crecimiento intercensal de 2.26% y ocupaba el sexto lugar en la expulsión, pasa a ocupar el primer lugar con una tasa de crecimiento intercensal del 2.57%.

Otro punto digno de destacar es el paso de Ahuachapán, departamento del extremo occidental, al grupo de departamentos de expulsión. Con esto, tenemos que dos departamentos del occidente, Santa Ana y Ahuachapán, comienzan a disputar a los departamentos del norte los primeros lugares en la expulsión de población.

Luego, a la disminución de los departamentos de expulsión, lo que significa un acercamiento de los departamentos a la media del país en términos de crecimiento intercensal, corresponde un aumento del grupo de Departamentos de equilibrio. Los cambios más significativos en estos términos están dado por La Libertad, que baja en su tasa de crecimiento intercensal de un nivel de 0.39 puntos por sobre la media del país a un nivel de 0.09 por debajo de la media en el segundo período. El caso de Cabañas experimenta el cambio contrario, pasando de un nivel de 0.95 puntos por debajo de la media a uno de 0.21. Usulután también experimenta cambios: pasa de 0.54 puntos por debajo de la media en el primer período a un porcentaje de 0.04 por sobre la media en el segundo período.

Otras conclusiones podrían sacarse de la comparación de los períodos según el mismo método, pero dado que los otros métodos permiten un análisis algo más fino, dejaremos para más adelante cuestiones que desde ya podrían plantearse.

2.2.— Las migraciones según las relaciones globales de supervivencia.

Vemos en el cuadro No. 4 que la concordancia entre ambos métodos es nuevamente aceptable. El único departamento de fuerte atracción de población en el período 1961-1971 es San Salvador, aunque está La Unión, que posee también tasa de migración neta positiva, al igual que en el método del crecimiento intercensal. Dado que mantenemos el criterio discriminatorio entre las distintas categorías migratorias en base a una tasa del 2.5%, el departamento de La Unión queda clasificado aquí como de equilibrio migratorio.

Esto ocurre solamente a nivel global, puesto que si distinguimos entre los sectores urbano y rurales del país, se puede llegar a conclusiones muy distintas. En primer lugar tenemos el hecho, único en Centroamérica, de la casi ausencia de departamentos de atracción rural. El único departamento que aparece con una tasa de migración positiva es San Salvador, en donde puede que el peso del sector urbano se refleja también en las zonas rurales, otorgándole a estas una tasa de migración neta positiva. La otra tasa positiva es exhibida por el departamento de La Unión. Esta es la única tasa positiva que supera el límite de 2.5. Esta atracción sí debe ser eminentemente rural, ya que su sector urbano figura con una tasa negativa, pero el saldo migratorio positivo en la zona rural es tan bajo (1.588) que la tasa está lejos de alcanzar la marca de 2.5. Por lo tanto, prácticamente todos los departamentos de El Salvador expulsan población de sus zonas rurales, sin que aparezca ninguno que muestre un dinamismo en este aspecto, capaz de compensar la expulsión generalizada de los restantes. La única alternativa dentro de las fronteras para la población sobrante es la ciudad capital. La otra es la migración internacional, de la que se puede encontrar alguna información en el anexo No. 3.

Respecto del papel que desempeña San Salvador dentro de la migración del país, éste alcanza al 78.4% del total de la migración urbana. El resto del saldo positivo urbano se reparte entre los siguientes departamentos: Santa Ana (el 9.36%), Sonsonate (el 5.92%), San Miguel el 5.30%), La Libertad (el 3.80%), Cuscatlán (el 3.71%), Cabañas (el 1.61%)

y Usulután (el 1.59%). Si consideramos el peso relativo de la migración hacia los departamentos considerados, vemos que a San Salvador, que se mantiene a la cabeza con una tasa de migración neta positiva de 19.69%, le siguen Cuscatlán que recibe casi un 10% del total de su población urbana, Cabañas, que siendo de población urbana muy pequeña recibe lo suficiente para aumentarla en un 7.38%, Sonsonate, que alcanza una tasa de 6.87% y Santa Ana, que a pesar de recibir un contingente de población urbana que en su volumen ocupa el segundo lugar, alcanza una tasa de migración neta del 6.37%.

En algunos de los departamentos señalados como de atración urbana, es muy posible que no existan desplazamientos de población desde otros departamentos, ya que en ellos la disminución de población rural es significativa, lo que puede mostrar una transferencia interna de población de un sector hacia el otro. Esto acontece en forma significativa en los siguientes departamentos: Santa Ana, en donde la expulsión de población rural es importante y la absorción urbana considerable: en Cuscatlán, Cabañas y Sonsonate ocurre lo mismo aunque con dimensiones menores que en Santa Ana.

Respecto de la expulsión urbana, ésta es intensa en Morazán, Ahuachapán, La Paz, San Vicente y Chalatenango. En el primer departamento más de un 10% de la población urbana debe haber abandonado los sectores urbanos del departamento. El fenómeno es de una magnitud similar en Ahuachapán. Los otros departamentos acompañan a estos para formar el grupo de los departamentos de menor dinamismo urbano.

Si miramos ahora la expulsión rural, encontramos lo observado más arriba, que todos los departamentos, salvo San Salvador y La Unión, son departamentos de expulsión de población. Aquí podemos considerar tres grupos de departamentos según la intensidad de la expulsión.

a.— **Departamentos de Alta Expulsión.** En este grupo están los departamentos de Santa Ana, que ocupa un lugar predominante con una tasa de migración neta negativa (T.M.N.) de -17.94%, Cuscatlán con una T.M.N. de -15.65% Chalatenango con una de -12.91% y Morazán con una de -11.68%. Es de notar que la máxima expulsión se encuentra nuevamente concentrada en la región geográfica del Norte.

Sin embargo, los departamentos de mayor expulsión no son exactamente los mismos que en el período anterior; incluso el área de expulsión intensa se expande. Los primeros departamentos según el rango de expulsión rural son Santa Ana y Cuscatlán que no figuraban en el período anterior entre los departamentos de expulsión más acentuada.

CUADRO No. 4

EL SALVADOR: Departamentos de atracción o de equilibrio según las relaciones globales de supervivencia. 1961 - 1971

DEPTOS.	SALDO MIGRATORIO			TASAS		
	Total	Urbano	Rural	Total	Urbano	Rural
ATRACCION						
San Salvador	+84.408	+80.760	+3.648	+16.16	+19.64	+3.28
EQUILIBRIO						
La Unión	+ 1.480	- 108	+1.588	+ 1.05	- 0.32	+1.47
Usulután	- 2.329	+ 1.127	-3.456	- 1.20	+ 2.00	-2.52
Sonsonate	- 3.232	+ 4.199	-7.431	- 2.09	+ 6.87	-7.94
La Libertad	- 4.554	+ 2.697	-7.251	- 2.42	- 3.86	-6.14
EXPULSION						
Morazán	-11.525	- 2.042	-9.483	-11.36	-10.08	-11.68
Chalatenango	-11.617	- 1.759	-9.858	-10.44	- 5.53	-12.41
Cuscatlán	- 8.409	+ 2.634	-11.043	- 8.53	+ 9.42	-15.65
Santa Ana	-15.808	+ 6.642	-22.450	- 6.89	+ 6.37	-17.94
Cabañas	- 5.287	+ 1.143	- 6.430	- 6.28	+ 7.38	- 9.36
San Vicente	- 6.022	- 1.751	- 4.271	- 5.97	- 5.61	- 6.13
La Paz	- 5.655	- 2.876	- 2.779	- 4.79	- 7.82	- 3.42
Ahuachapán	- 5.352	- 2.812	- 2.540	- 4.52	- 9.54	- 2.86
San Miguel	- 6.099	+ 3.757	- 9.856	- 2.86	+ 4.36	- 7.25

Fuente: Censos de población de El Salvador, de 1961 y 1973, Dirección General de Estadísticas y Censos. Cálculos del equipo central de migraciones.

b.— **Departamentos de Expulsión Mediana.** El segundo grupo está constituido por cinco departamentos ordenados de la siguiente manera: Cabañas, Sonsonate, San Miguel, La Libertad y San Vicente. La intensidad relativa de la expulsión oscila entre -9.36% y -6.13%. Es curioso que de estos cinco departamentos, los cuatro primeros cuentan con una tasa de migración neta positiva en el sector rural que a veces anula el efecto migratorio, pudiendo interpretarse el fenómeno como un tránsito dentro del departamento. Solamente en Cabañas y San Vicente se encuentra una emigración global del departamento que es significativa. Respecto de los cambios más significativos en relación al período anterior se puede señalar el caso de La Libertad, que pasa de una T.M.N. positiva (0.5%) a una negativa considerable (-6.14%). El fenómeno del cambio de sentido en la migración rural en Sonsonate es aún más importante: pasa de una T.M.N. positiva del 3.8% a una negativa del -7.94%. En San Vicente y San Miguel el nivel de expulsión se mantiene relativamente a la misma altura que en el período anterior. Sin embargo, en Cabañas tenemos el fenómeno contrario al señalado anteriormente; pasa de ser el departamento de máxima expulsión rural (-17.2) en el período anterior, a uno de expulsión rural mediana, mientras su sector urbano muestra una tasa de migración positiva de 7.38%.

C.— **Departamentos de Baja Expulsión.** Aquí incluimos a los departamentos de La Paz, Ahuachapán y Usulután. Ellos poseen una tasa de migración neta negativa que se encuentra entre -3.86 y -2.52%. Entre estos departamentos. sólo Usulután disminuye su intensidad expulsora en las zonas rurales. Los otros departamentos del grupo comienzan a expulsar población en estas zonas solamente en el último período. La Paz poseía antes una capacidad absorbente a nivel rural equivalente al 3.0% Ahuachapán figuraba en los mismos términos, con una T.M.N. en zonas rurales de 3.5%. Ambos departamentos pasan a expulsar población en términos moderados pero significativos.

Tenemos, en último lugar, que los departamentos de equilibrio poblacional, en el último período, en las zonas rurales son prácticamente inexistentes. Ya se señaló el caso de La Unión, que es el único que exhibe una tasa de migración inferior al 2.5% y el único de saldo positivo en zonas rurales después de San Salvador.

CUADRO No. 5

EL SALVADOR: Saldo migratorio y tasa de migración neta total urbano y rural de acuerdo al método global de supervivencia por departamento 1950-1961 y 1961-1971

DEPTOS.	SALDO MIGRATORIO						TASA DE MIGRACION NETA					
	TOTAL		URBANO		RURAL		TOTAL		URBANO		RURAL	
	1950-61	1961-71	1950-61	1961-71	1950-61	1961-71	1950-61	1961-71	1950-61	1961-71	1950-61	1961-71
ATRACCION												
El Salvador	54.398	84.408	55.384	80.760	-986	†3.648	16.7	16.15	22.2	19.64	-1.3	3.28
La Libertad	3.958	4.554	3.530	2.697	428	-7.251	2 9	- 2.42	7.2	3.85	0.5	- 6.14
EXPULSION												
Cabañas	- 8.998	- 5.287	- 125	1.143	- 8.873	- 6.430	-14.5	- 6.28	- 1.2	- 7.38	-17.2	- 9.36
Chalatenango	-10.997	-11.617	- 958	- 1.759	-10.039	- 9.858	-12.8	-10.44	- 4.0	- 5.53	-16.2	-12.41
Morazán	- 9.587	-11.525	- 1 092	- 2.042	-10.659	- 9.483	-12.1	-11.36	- 6.8	- 10.08	-17.0	-11.68
Cuscatlán	- 5.978	- 8 409	- 1 834	† 2.634	- 4.144	-11.043	- 7.8	- 8.53	- 10.0	9.42	- 7.2	-15.65
Usulu'án	- 8 060	- 2.329	- 3 319	1.127	- 4.771	- 3.456	- 5.7	- 1.20	- 8.1	2.00	- 4.8	- 2.52
San Vicente	- 3.991	- 6.022	- 46	- 1.751	- 3.945	- 4.271	- 5.2	- 5.97	- 0.2	- 5.61	- 7.6	- 6.13
La Unión	- 4.908	1.480	1 181	- 108	- 6.089	1.588	- 5.1	1.05	5.0	- 0.32	- 8.5	1.47
Santa Ana	- 7 895	-15 808	5 594	6 642	-13.489	-22.450	- 4.4	- 6.89	7.6	6.37	-13.0	-17.94
EQUILIBRIO												
Sonsonate	2 725	- 3 232	31	4 199	2.694	- 7.431	2.4	- 2.09	0.1	6.87	3.8	- 7.94
Ahuachapán	638	- 5.352	- 1 558	- 2 812	2.196	- 2.540	0.7	- 4.52	- 6.4	- 9.54	3.5	- 2.86
San Miguel	802	- 6.099	5 155	† 3 757	- 5 957	- 9.856	- 0 5	- 2.86	9.4	4.86	- 5.9	- 7.25
La Paz	- 501	- 5 655	- 2.260	- 2.876	1.759	- 2.779	- 0.6	- 4.79	- 7.7	- 7.82	3.0	- 3.42

En página 82 presentamos el cuadro No. 5 que reúne, en forma sintética, la información de ambos períodos sobre las relaciones globales de supervivencia, ya presentada en forma aislada en distintos momentos. La utilidad de este cuadro puede ser la de profundizar en la comparación entre los dos períodos considerados, según el único método que permite una cierta comparación en El Salvador. Como ya se han señalado los aspectos juzgados más importantes en el desarrollo que acaba de hacerse, no nos detendremos más en el estudio de este cuadro, sino que lo presentamos para que el lector pueda verificar las tendencias consideradas arriba.

2.3.— Las Migraciones a largo plazo

Nuevamente vamos a entender por migraciones a largo plazo el cálculo de la migración acumulativa hasta la fecha del censo de 1971. Es de notar el hecho de que con este censo se hace posible, por primera vez, para El Salvador, la medición de las migraciones. Debido a esto, resulta imposible intentar cualquier comparación con períodos anteriores, por lo que nos reduciremos a una descripción rápida de los resultados contenidos en los cuadros correspondientes.

Según esta medición la proporción de la población migrante sobre la población total del país es equivalente a la encontrada en Guatemala y representa un 14.85%.

De este total de 523.221 migrantes de la república el departamento de San Salvador absorbe el 40.80%, siendo compensada esta migración por una salida de San Salvador hacia otros departamentos que alcanza casi al 10% del total de la migración del país. Los otros departamentos que contribuyen en forma significativa en la absorción de población son La Libertad, con un porcentaje del 13.03%, Sonsonate con uno de 8.68% y Santa Ana, con un porcentaje de 6.16%. En conjunto, estos cuatro departamentos atraen el 68.67% de la población de los departamentos del país.

Es de notar que los dos tercios de los migrantes totales del país se han desplazado hacia estos departamentos localizados en el centro-oeste del país, zona en donde se encuentran las ciudades más importantes. Ya nos referimos en páginas anteriores al peso relativo preponderante que en este país cobran las migraciones con destino urbano, lo que revelan un sector rural de escasa capacidad para retener a la población en actividades agrícolas.

A fin de distinguir entre la migración con destino urbano y la migración con destino rural, se han elaborado los cuadros 6 y 7, lo que nos permite un análisis de los tópicos que acaban de mencionarse.

Ya decíamos que a nivel de migración global son tres los departamentos de atracción de población. De estos tres departamentos, la inmigración a San Salvador cobra una intensidad que destaca al departamento respecto de los restantes. Los otros dos departamentos, La Libertad y Sonsonate, poseen una fuerte inmigración, 24.07% y 19.26%, pero reflejan salidas también importantes, lo que lleva a considerarlos como departamentos de saldos positivos, pero de altos intercambios.

Si consideramos la expulsión de población, el Cuadro 6 nos muestra cuatro departamentos de alta expulsión, cinco de expulsión mediana y uno de Baja expulsión.

1.— **Departamentos de Alta Expulsión.** Entre éstos se cuentan Chalatenango, Cabañas, San Vicente y Morazán. Tres de estos cuatro departamentos se localizan en la zona montañosa del norte, en el límite con Honduras. San Vicente se sitúa en el centro del país y colindante con Cabañas hacia el sur. La presente clasificación considera la emigración en términos relativos; los cuatro departamentos peseen una tasa de emigración elevada y una tasa de inmigración muy baja (salvo San Vicente); debido a ésto, las tasas de migración neta son negativas y elevadas. Pero si consideramos los volúmenes brutos de expulsión, tenemos que los mayores contingentes de emigrantes salen de Santa Ana (56.588) San Salvador (51.834) San Miguel (50.886), Usulután (46.423), La Libertad (42.476) y Chalatenango (40.090). Si compensamos el volumen de las salidas con el volumen de las entradas tenemos una ordenación mejor en términos absolutos; los rangos, entonces, serán los siguientes: Chalatenango (-33.546), Santa Ana (-24.331), San Vicente (-22.866), San Miguel (-19.832) y Morazán (-18.896). Por lo tanto, en nuestra clasificación de los departamentos según la intensidad de la expulsión, los cuatro departamentos de alta expulsión están considerados en términos relativos, esto es, en relación a la población total del departamento.

2.— **Departamentos de Expulsión mediana.** Dentro de este grupo tenemos a La Paz, Cuscatlán, Santa Ana, San Miguel y Usulután. Los departamentos mencionados no se localizan en una región determinada, sino que se hayan repartidos a lo largo del territorio: La Paz, Cuscatlán y Usulután en el centro. Santa Ana en el Nor-Oeste y San Miguel en el Este. Estos cinco departamentos tienen un comportamiento similar en términos de la relación entre entradas y salidas de población. Todos poseen una alta tasa de emigración y una alta tasa de inmigración. Ahora bien, en términos absolutos el fenómeno es particularmente intenso en Santa Ana y en San Miguel, que son departamentos de altos intercambios con saldos negativos significativos.

3.— **Departamentos de Baja expulsión.** El único departamento que se encuentra en esta categoría es Ahuachapán. Las entradas y salidas son, también, relativamente importantes, aunque en términos de volumen la migración es bastante más atenuada que en los casos anteriores.

Por último, tenemos que sólo un departamento puede ser clasificado en El Salvador como departamento de equilibrio. La Unión muestra un saldo migratorio muy pequeño y negativo, aunque nuevamente los volúmenes de entradas y salidas son importantes.

Concluyendo, se puede afirmar que el fenómeno migratorio de El Salvador presenta características bien particulares; si la proporción de migrantes sobre el total de la población nacional es similar a la de Guatemala, el fenómeno migratorio en El Salvador se singulariza por un cierto equilibrio entre entradas y salidas de población en casi todos los departamentos, salvo los de fuerte expulsión, lo que hace que las tasas de migración neta sean más bajas que las observadas en ese otro país. Posiblemente la alta densidad del país provoca este movimiento de flujo y reflujo entre departamentos.

Desde el punto de vista del destino de la migración, las preguntas censales formuladas en 1971 permiten establecer la diferencia entre la migración que se dirige hacia las ciudades y la que se dirige hacia el campo. Esto permite establecer una cierta jerarquía entre los departamentos desde el punto de vista de la atracción urbana y la atracción rural. La información correspondiente se halla organizada en el cuadro No. 7.

Desgraciadamente no existe la pregunta acerca del origen rural o urbano de los migrantes, lo que nos impide estudiar tanto las corrientes migratorias según su origen, como el mismo carácter de la expulsión según la zona urbana o rural. Al no poseerse los datos de emigración urbana o rural, no tiene sentido el cálculo de tasas de migración neta. Lo que puede facilitar en algo el análisis es la ordenación

CUADRO No. 6

EL SALVADOR Número de Migrantes, saldo Migratorio y Tasas de Migración por departamentos, 1971

DEPTOS.	Inmigrantes	Emigrantes	Saldo Migratorio	Tasa de Mig.	Tasa de Emig.	Tasa Neta de Mig.
TOTAL	523221	523221				
ATRACCION						
San Salvador	217217	51834	165383	30.00	9.28	20.72
La Libertad	68196	42476	25720	24.07	16.48	7.59
Sonsonate	45463	34619	10844	19.26	15.38	3.88
RECHAZO						
Chalatenango	6544	40090	-33446	3.84	19.68	-15.84
Cabañas	4826	29287	-24461	3.72	19.01	-15.29
San Vicente	13222	36088	-22866	8.68	20.60	-11.92
Morazán	4217	23113	-18896	2.72	13.31	-10.59
La Paz	20516	37615	-17099	11.34	19.00	- 7.66
Cuscatlán	15876	28119	-12243	10.42	17.08	- 6.66
Santa Ana	32257	56588	-24331	9.66	15.79	- 6.13
San Miguel	31054	50886	-19832	9.75	15.04	- 5.29
Usulután	28882	46423	-17541	9.85	14.94	- 5.09
Ahuachapán	17055	24277	- 7222	9.62	13.16	- 3.54
EQUILIBRIO						
La Unión	17.896	21.806	-3.910	8.25	9.88	- 1.13

FUENTE: Censo de población de 1971, Dirección General de Estadísticas y Censos, San Salvador.

CUADRO No. 7

EL SALVADOR: Destino de las migraciones según área urbana o rural por Departamento. 1971

DEPARTAMENTOS	Inmigrantes Urbanos	Tasa de Migración Urbana	Inmigración Rurales	Tasa de Migración Rural
San Salvador	118.244	34.05	28.973	16.92
La Libertad	28.096	28.79	40.100	21.58
Sonsonate	21.802	25.36	23.661	15.77
Cuscatlán	9.176	22.57	6.700	5.99
San Miguel	17.733	16.45	13.321	6.32
Santa Ana	20.593	14.43	11.664	6.10
Usulután	10.969	13.83	17.913	8.37
La Paz	7.216	13.72	13.300	10.36
San Vicente	5.140	11.79	8.082	7.43
Cabañas	2.530	11.51	2.296	2.13
La Unión	5.333	11.10	12.563	7.44
Ahuachapán	3.267	8.01	13.788	10.10
Morazán	2.222	7.77	1.995	1.58
Chalatenango	3.194	7.37	3.395	2.74

FUENTE: Censo de población de 1971, Dirección General de Estadísticas y censos, San Salvador.

de los departamentos según la atracción de población distinguiendo la zona urbana y la rural. Esto, a pesar de presentar enormes vacíos, que ya señalaremos oportunamente, permite apreciar en qué departamentos la inmigración es preponderantemente urbana y en cuales es preponderantemente rural.

Si comparamos detenidamente las columnas del Cuadro No. 7 veremos que no son muy elocuentes si se trata de establecer clasificaciones diferenciales entre la migración hacia las zonas rurales y hacia las zonas urbanas. Podemos observar, en primer lugar, que las tasas de inmigración urbana son considerablemente más altas que las rurales, lo que nos revela ya una capacidad de absorción de población alta en las zonas urbanas y, correlativamente, un nivel mayor en la expulsión rural.

Tenemos también que los primeros lugares ocupados según la inmigración urbana corresponden a los departamentos que también ocupan lugares de privilegio en la inmigración rural. San Salvador, La Libertad y Sonsonate se sitúan en las primeras posiciones de ambas inmigraciones. La explicación de este fenómeno se dará más adelante cuando se estudian las estructuras socioeconómicas de estos departamentos, pero desde ya se puede observar que no sería raro que una intensa atracción de las zonas urbanas de estos departamentos implique una afluencia mayor de población a las áreas rurales.

Algunos cambios de posiciones entre los departamentos y la comparación de las tasas de inmigración según las distintas zonas, pueden ser de interés en el análisis. Por ejemplo, fuera de los tres primeros departamentos, que son departamentos de atracción urbana según el método de las relaciones globales de supervivencia, tenemos el caso de otros que muestran una capacidad de atracción en las zonas urbanas mayor que la de las zonas rurales. Cuscatlán pasa de un décimo lugar según la atracción rural, a un cuarto lugar según la atracción urbana. San Miguel también pasa de un noveno lugar a un quinto lugar en el mismo sentido. Santa Ana y Cabañas son también departamentos que mejoran la posición si se considera la inmigración urbana. Estos siete departamentos nombrados son los que, según el método de las relaciones globales de supervivencia, muestran capacidad de absorción de población.

Si observamos el cambio de posiciones en el sentido inverso, veremos que hay otros departamentos en donde la atracción de población es predominantemente rural. El departamento de Ahuachapán pasa de un duodécimo lugar, según la inmigración urbana, a un quinto lugar, según la inmigración rural. La Paz también asciende en el mismo sentido, de un octavo lugar a un cuarto lugar. La Unión pasa del décimo al séptimo. El caso de Ahuachapán es significativo: recibe algo más de 3.000 habitantes en las zonas urbanas y 13.788 en las zonas rurales. La Paz recibe 7.216 y 13.300 respectivamente. La Unión muestra una relación de 5.333 al 12.563 en el mismo sentido. Otros departamentos que muestran un número mayor de entradas en las zonas rurales que en las urbanas son San Vicente y Usulután.

Los datos proporcionados por el cuadro anterior pueden complementar el análisis efectuado a partir del procedimiento de las relaciones globales de supervivencia y corregir, en parte, los efectos de compensación entre zonas rurales y urbanas que con aqués método resulta difícil de superar.

2.4.— Las migraciones a corto plazo

Al igual que como lo hicimos con Guatemala, entenderemos aquí por migraciones a corto plazo, en el período 1961-1971, a las calculadas utilizando la pregunta censal sobre el lugar de residencia cinco años antes de la fecha del censo.

Los resultados obtenidos según este procedimiento se encuentran sintetizados en el cuadro No. 8. Ellos nos indican la migración más reciente ocurrida en 1971 y podemos apreciar algunos cambios respecto de la migración acumulativa que ya hemos analizado. El proceso de atracción de población se ha concentrado en dos departamentos, San Salvador y La Libertad. Al mismo tiempo se ha conformado un nuevo grupo de departamentos de equilibrio, saliendo de este grupo el departamento de La Unión, que se transforma en un departamento de expulsión, y entrando otros tres nuevos, Sonsonate, Ahuachapán y Cuscatlán. De estos tres, Sonsonate deja de ser un departamento de atracción, mientras que Ahuachapán y Cuscatlán eran anteriormente, departamentos de expulsión moderada.

Es interesante destacar el proceso de concentración espacial de la población salvadoreña. Los dos departamentos de atracción son vecinos, encontrándose Nueva San Salvador y San Salvador, sus capitales, a escasos kilómetros de distancia una de otra. La migración en los últimos años antes del censo tiende a concentrarse, por lo tanto, en la región más urbanizada, la que va desde San Salvador, hacia el sur-oeste, prolongándose hasta el puerto de La Libertad.

Los departamentos de equilibrio migratorio son Sonsonate, Ahuachapán y Cuscatlán. Los dos primeros se encuentran en la Costa Occidental del país. Cuscatlán está situado al Nor-Este del departamento de San Salvador y su

CUADRO No. 8

EL SALVADOR: Número de Migrantes, saldo Migratorio y Tasas de Migración por departamentos según residencia hace 5 años y de empadronamiento. Censo de 1971.

DEPARTAMENTOS	Inmi_ grantes	Emi_ grantes	Saldo Migratorio	Tasa neta de Mig.
TOTAL	113986	113986		
ATRACCION				
San Salvador	38954	18693	20261	3.26
La Liberad	15112	9987	5125	2.20
RECHAZO				
Cabañas	1730	5001	-3271	-3.12
Chalatenango	2672	6308	-3636	-2.65
Morazán	2031	4505	-2474	-1.98
San Vicente	3547	5685	-2138	-1.70
Santa Ana	6180	10705	-4525	-1.61
San Miguel	7386	11469	-4083	-1.56
La Unin	3756	5763	-2007	-1.18
La Paz	5460	7080	-1620	-1.09
Usulután	7645	10137	-2492	-1.04
EQUILIBRIO				
Sonsonate	9.912	8.817	1.095	0.57
Ahuachapán	4.607	4.453	154	0.11
Cuscatlán	4.994	5.383	- 389	-0.31

FUENTE: Censo de población de 1971, Dirección General de Estadísticas y Censos, San Salvador.

capital es relativamente vecina de la ciudad de San Salvador. Ahora bien, si consideráramos como una constante del país la expulsión de población, diríamos que, de estos tres departamentos, existen factores urbanos de atracción de población o de retención de la misma, en Sonsonate y en Cuscatlán, y factores rurales de atracción en Ahuachapán. En los dos primeros, según los anteriores métodos de análisis, existe una cierta atracción de población urbana, probablemente hacia el puerto de Acajutla en Sonsonate y hacia Cojutepeque en Cuscatlán. En Ahuachapán se ha constatado una fuerte expulsión urbana y, para el conjunto del período intercensal (1961-1971), una moderada expulsión rural. Es probable, por lo tanto, que la retención de población o, incluso, la mínima atracción que muestra este departamento en los últimos cinco años, se deba a su sector rural.

Respecto de la expulsión de población, se podría afirmar que en los últimos años el fenómeno se ha acentuado en algunos departamentos y reducido en otros. En el departamento de Cabañas la expulsión se ha incrementado fuertemente. Su tasa de migración neta (T.M.N.) negativa ha aumentado en términos considerablemente mayores que la del departamento de Chalatenango, que según la migración acumulativa ocupa el primer lugar. En todo caso, estos dos últimos departamentos se afirman como los dos departamentos expulsores por excelencia, distánciándose, incluso, de los restantes departamentos de expulsión. Si tomamos ahora la pareja de departamentos que les siguen, veremos que en San Vicente hay una cierta atenuación del proceso de emigración con respecto a Morazán, que se sitúa como tercer departamento de expulsión durante los últimos cinco años.

En Santa Ana y San Miguel la emigración de la población se ha intensificado. En estos departamentos las tasas de migración neta negativa han aumentado relativamente; si para el conjunto del período intercensal representan algo así como un tercio de las tasas de los departamentos de mayor expulsión, ahora pasan a expresar cantidades equivalentes a la mitad de las de esos departamentos. Además, Santa Ana pasa de un séptimo lugar a un quinto en la escala de expulsión, mientras que San Miguel pasa del octavo al sexto. El otro departamento que en los últimos años ve incrementar relativamente su emigración es La Unión. Ya vimos que según las relaciones globales de supervivencia este departamento era un departamento de equilibrio con una T.M.N. positiva y en la misma categoría estaba según la migración acumulativa. Por lo tanto, si cambia de categoría con el procedimiento del corto plazo es porque en los últimos cinco años antes del censo ha sufrido una emigración significativa.

Un proceso inverso parece verificarse en La Paz. Este departamento ocupaba un quinto lugar en la expulsión según la migración acumulativa y, de acuerdo a la emigración durante el período intercensal, se situaba en el séptimo lugar. Al considerar la emigración de los cinco últimos años antes del censo, este departamento pasa a ocupar el octavo lugar, muy cerca de Usulután que cierra la lista de los departamentos de expulsión. Se puede concluir, entonces, que el departamento de La Paz ha mostrado una reducción en tanto expulsor de población. Es útil, quizás recordar que este departamento es colindante con San Salvador hacia el Sur, por lo que puede estar incorporándose al área, ya señalada, de mayor concentración de la población salvadoreña. arET

Por último, tenemos el departamento de Usulután que parece mantenerse como un departamento de expulsión moderada, sin mostrar cambios apreciables ni de intensificación ni de amortiguación del fenómeno migratorio.

2.5.— Las corrientes migratorias

Dado que el cálculo de las corrientes migratorias se realiza solamente en base a preguntas censales directas sobre el lugar de residencia en un tiempo anterior, no es posible, para El Salvador, realizar comparación entre corrientes a partir de dos censos distintos. Sólo el último censo el de 1971, como ya se ha señalado, incorpora estas preguntas. Por lo tanto, si deseamos verificar cambios en las tendencias, el único recurso a nuestra disposición es la comparación entre las corrientes detectadas según el método de la migración acumulativa (largo plazo y el método de la migración en los últimos cinco años anteriores al censo de 1971. El inconveniente radica en que el límite final de ambos intervalos es siempre el mismo, la fecha del último censo. Esto ya nos anticipa cambios bastante atenuados. Sin embargo, al constituir este el único procedimiento comparativo posible, lo utilizamos en este análisis.

En el cuadro No. 9 se presenta la información de las corrientes migratorias importantes que se dirigen a los principales departamentos de absorción de población. Como ya se observó que en El Salvador existen muchas corrientes menores, de intercambios compensados y recíprocos entre los departamentos, la proporción de corrientes consideradas resulta ser menor que la utilizada para otros países, según el mismo método de selección de las corrientes más importantes. De cualquier forma, este procedimiento analítico refleja algunos campos migratorios que sin duda son los más importantes del país.

Nos detenemos, en primer lugar, en el departamento de la capital, que concentra el 41.5% de la migración total del país. Allí vemos que los cinco departamentos considerados como proveedores de población para San Salvador le aportan algo más del 50% de la migración total que recibe el departamento. Ya podemos concluir que, al igual que el departamento capital en Guatemala, este departamento no aglutina en torno a sí un campo migratorio muy definido, sino que recibe población de todos los departamentos del país en términos significativos. Con todo, desde La Libertad, La Paz, Santa Ana y Usulután recibe las cuatro corrientes más numerosas, siendo la quinta, algo menor, la proveniente de San Miguel. Por lo tanto, dos corrientes importantes provienen de los departamentos vecinos, La Libertad, y La Paz. Una tercera corriente proviene del extremo Nor-Oeste, desde Santa Ana, y otras dos corrientes provienen de dos departamentos vecinos entre sí, situados en el Este del país, Usulután y San Miguel. Es de notar que de los cinco departamentos aludidos, cuatro de ellos son departamentos que muestran una dinámica urbana superior a la promedio del país. Por esta razón se puede presumir que desde La Libertad, Santa Ana, Usulután y San Miguel se originan corrientes de origen urbano y destino urbano. El departamento de La Paz muestra un escaso dinamismo urbano por lo que podría hipotetizarse que esa corriente tiene un origen rural.

El segundo departamento de importancia, en términos de destino de las corrientes migratorias, es La Libertad, en donde también puede postularse que el destino sea urbano, dada la presencia, en el departamento, de la ciudad de Nueva San Salvador y del puerto de La Libertad. Este departamento absorbe el 13.03% de la migración total del país y muestra un campo de influencia algo más preciso que el de San Salvador. Las cinco principales corrientes migratorias hacia el departamento conforman casi las tres cuartas partes de la migración total recibida por este. La corriente más importante es la proveniente de San Salvador, que puede

CUADRO No. 9

EL SALVADOR: Principales corrientes migratorias a los tres departamentos de atracción, según lugar de nacimiento. 1971.

DEPARTAMENTOS RECEUTOR	DEPTOS DE ORIGEN	NUMERO	%
SAN SALVADOR	La Libertad	25700	11.83
	La Paz	24568	11.31
	Sta. Ana	23039	10.61
	Usulután	22413	10.32
	San Miguel	18826	8.67
	Otros	102657	47.26
	TOTAL	217217	100.00
LA LIBERTAD	San Salvador	17231	25.27
	Sta. Ana	12768	18.72
	Sonsonate	7092	10.40
	Chalatenango	7006	10.27
	Cabañas	4973	7.29
	Otros	19126	28.05
	TOTAL	68.196	100.00
SONSONATE	Sta. Ana	11229	24.70
	Ahuachapán	7103	15.62
	La Libertad	7004	15.41
	San Salvador	6220	13.68
	Chalatenango	3756	8.26
	Otros	10151	22.33
	TOTAL	45463	100.00
SANTA ANA	Ahuachapán	6571	20.37
	Sonsonate	6352	19.69
	San Salvador	5413	16.78
	La Libertad	4087	12.67
	Chalatenango	3240	10.09
	Otros	6594	20.44
	TOTAL	32257	100.00

(Continuación de Cuadro No. 9)

SAN MIGUEL	Morazán	8856	28.52
	Usulután	8475	27.29
	La Unión	6989	22.51
	San Salvador	2499	8.05
	San Vicente	1031	8.32
	Otros	3214	10.32
	TOTAL	31059	100.00

Fuente: Censo de población de 1971 de la República de El Salvador, Dirección General de Estadísticas y Censos, San Salvador, 1971.

considerarse como una corriente urbana-urbana que por sí sola constituye un 25% de la migración total al departamento. Le siguen en importancia dos departamentos vecinos a La Libertad, que le aportan corrientes equivalentes en conjunto al 29.12% del total recibido. Son los departamentos de Santa Ana y Sonsonate. La tercera corriente que recibe el departamento considerado proviene de los departamentos del Norte, que muestran la máxima expulsión de población del país: son los departamentos de Chalatenango y Cabañas, que le aportan en conjunto una corriente migratoria equivalente al 17.56% del total que recibe La Libertad. Observamos que la corriente proveniente de Chalatenango es más significativa que la que se origina en Cabañas.

Alrededor del departamento de Sonsonate se configura un campo migratorio más preciso aún, aunque, obviamente, de menor volumen que los considerados hasta ahora. Aquí resulta posible también aventurar acerca del destino urbano de las corrientes migratorias, ya que este departamento posee según las relaciones globales de supervivencia una considerable atracción urbana, debido, seguramente, al puerto de Acajutla que coexiste con una importante expulsión rural. Los cinco departamentos que más abastecen de población a Sonsonate contribuyen con un 77.67% de la migración total al departamento, ocupando el primer lugar, entre ellos, el de Santa Ana, que lo provee casi con un cuarto de la migración total que recibe. Otras dos corrientes se originan en los departamentos colindantes hacia el Oeste y hacia el Este, Ahuachapán y La Libertad, corrientes casi similares en intensidad equivalente cada una al 15% de la migración total al departamento. La cuarta corriente proviene del departamento de San Salvador, que le aporta algo más de un 13%, y la quinta se origina en un departamento ya más lejano, en Chalatenango, que como principal departamento expulsor nutre a casi todos los departamentos receptores de importancia. Concluyendo las observaciones respecto a Sonsonate, habría que destacar que el campo migratorio que se define alrededor de este departamento incluye a sus tres departamentos colindantes más San Salvador, con lo cual el campo se centra en el Occidente del país y se completa con el aporte, de distancia, proveniente de Chalatenango.

El cuarto campo migratorio considerado es el que se organiza alrededor de Santa Ana, en el Nor-Occidente del país. Se señaló a su debido tiempo a este departamento como el de mayor expulsión rural en términos de las relaciones globales de supervivencia; sin embargo, esta emigración de las zonas rurales es amortiguada fuertemente por una atracción en su zona urbana. Esto nos permite postular, en forma fundamentada, el destino urbano de las corrientes que se dirigen a Santa Ana. El campo migratorio organizado alrededor de este departamento es bastante definido, aportando las cinco corrientes consideradas casi el 80% de la inmigración total del departamento. Este campo se compone, en primer lugar, del aporte de los otros dos departamentos que junto a Santa Ana constituyen la región occidental, Ahuachapán y Sonsonate, los que en conjunto suman el 40% de la migración al departamento considerado. En segundo lugar participan los dos departamentos más urbanizados, San Salvador y La Libertad, que alimentan con casi un 30% la migración a Santa Ana. Por último tenemos al departamento de Chalatenango que concurre él solo con más de un 10%. Por lo tanto, el campo migratorio de Santa Ana se compone de tres corrientes distintas desde el punto de vista espacial: una procedente del sur-oeste del país (Ahuachapán y Sonsonate), otra que asciende desde el centro sur (San Salvador y La Libertad) y una tercera del centro-Norte del país (Chalatenango).

Desde el punto de vista del origen, rural o urbano, de estas corrientes, y considerando que en Santa Ana la inmigración tiende a concentrarse en la ciudad, consideramos que las corrientes provenientes de San Salvador y La Libertad constituyen migraciones de carácter urbano-urbano, por ser estos departamentos de intensa dinámica urbana. Luego, las corrientes procedentes de Sonsonate y de Chalatenango deberían ser corrientes de origen rural y destino urbano, ya que ambos departamentos presentan una importante expulsión a nivel rural que se combina con una considerable atracción a nivel urbano en Sonsonate, y con una expulsión más moderada en Chalatenango. El caso de Ahuachapán resulta menos claro en términos de la zona que provee los migrantes; sin embargo, es más probable que sea la zona urbana, que expulsa intensamente, ya que la zona rural lo hace en términos moderados. La principal corriente que nutre al departamento de Santa Ana debería ser, por lo tanto, una corriente urbana-urbana.

El último campo migratorio de consideración es el que se constituye en torno al departamento de San Miguel, situado en la región Oriental del país. Es propiamente el campo migratorio del este, ya que todos los departamentos que lo componen se sitúan en esta región, salvo San Salvador. Nuevamente el destino de estas corrientes migratorias debe ser el sector urbano del departamento, ya que, según el método de la relación global de supervivencia, este departamento acusa una significativa atracción urbana y una mayor expulsión rural. Con esto confirmamos la aseveración de que en El Salvador no existen polos de atracción de población situados en zonas rurales. La eventual atracción rural es insignificante si se le compara con la urbana.

Casi un 30% de la migración a San Miguel se origina en el departamento de Morazán, que forma parte del grupo de departamentos de mayor expulsión del país. Este departamento expulsa población rural y urbana en términos proporcionales. Sin embargo, por ser un departamento eminentemente rural, la emigración es cuantitativamente mayor en las zonas rurales (9.483 rurales contra 2.042 emigrantes urbanos). Por lo tanto, se puede suponer, sin mucho riesgo, que esta importante corriente es principalmente rural-urbana.

El caso de Usulután, que constituye la segunda corriente de importancia, muy similar a la anterior, es de más difícil diagnóstico, ya que para el conjunto del período, según las relaciones globales de subsistencia, se lo clasifica como departamento de equilibrio con tasa de migración neta levemente negativa en lo rural. Pero dado que también es un departamento principalmente rural, el carácter de esta corriente debe ser rural-urbana.

La tercera corriente importante de este campo migratorio es la proveniente de La Unión, departamento también de equilibrio, que contribuye con más de un 20% de la migración al departamento de San Miguel y que resulta aún más difícil de definir en términos de su origen rural o urbano. Por último, los otros departamentos que conforman este campo migratorio, el infaltable San Salvador, que presenta intercambios significativos con todos los departamentos, y San Vicente, situados más hacia el centro del país, aportan en conjunto algo más de 11% de la migración a San Miguel, pudiendo ser la corriente procedente de San Salvador de carácter urbano-urbano, y la originada en San Vicente de carácter rural-urbano por ser allí la expulsión más importante en esta zona.

Hasta ahora hemos reparado solamente en las corrientes migratorias definidas según el cálculo de la migración acumulada desde la fecha de nacimiento de los migrantes. Nos corresponde analizar las corrientes migratorias de los últimos cinco años y establecer las posibles diferencias entre ambas para apreciar los cambios recientes en las tendencias.

A este propósito utilizamos la información reunida sintéticamente en el cuadro No. 10. Vemos en primer lugar que el campo migratorio constituido alrededor de San Salvador experimenta cambios de escasa significación. Son los mismos cinco departamentos los que aportan la migración más importante, en conjunto algo más del 54% del movimiento total hacia el departamento de la capital. Los cambios, como se señala, son de poca monta, siendo lo observable una intensificación de la corriente migratoria proveniente de La Libertad, así como un incremento de la que se origina en San Miguel.

Con respecto a los otros campos migratorios, la variación global que se puede observar es la salida de Santa Ana del grupo de los cinco principales departamentos receptores y su reemplazo por Usulután, conservándose San Miguel en el quinto lugar.

Si observamos más detenidamente el campo migratorio formado alrededor de La Libertad, constatamos que no hay alteración ni siquiera en el orden de los departamentos que lo componen. Lo que sí es discernible es el peso relativo mayor que adquiere la corriente originada en San Salvador, que se intensifica considerablemente pasando del 25.27% al 34.56%. Consecuentemente, las otras corrientes pierden algo en su importancia.

Con respecto al campo migratorio que se organiza en torno a Sonsonate los cambios son más significativos. La corriente procedente de Santa Ana sigue la más importante, pero desciende proporcionalmente de un 24.70% al 19.28%. La que se origina en San Salvador aumenta considerablemente su aporte, pasando del 13.68% al 18.66%. También se incrementa la corriente que proviene de La Libertad al ascender de un 15.41% a un 18.24%, disminuyendo la procedente de Ahuachapán que decae del 15.62% al 13.47%. Sin embargo, el cambio que podría ser más significativo es la corriente que de Usulután se dirige a Sonsonate (6.86), que desplaza a la corriente que en términos de migración acumulada se originaba en Chalatenango y que contaba con un 8.26% de la migración a este departamento.

Tal como se señaló más arriba, en la migración reciente surge un nuevo campo migratorio alrededor de Usulután. Este campo se le puede considerar como un campo del centro-este del país. El aporte principal a Usulután proviene de San Miguel (40.24%), seguido de San Salvador (18.18%). El destino de estas corrientes podría ser considerado principalmente como urbano, ya que el departamento de Usulután presenta, para el período intercensal, una leve atracción urbana y una moderada expulsión rural. Sin embargo, los antecedentes no son tan claros como para establecer

CUADRO No. 10

EL SALVADOR: Principales corrientes migratorias a los cuatro departamentos de atracción, según lugar de residencia. 1971.

DEPARTAMENTOS RECEPTOR	DEPTOS DE ORIGEN	NUMERO	%
SAN SALVADOR	La Libertad	4.995	12.82
	Usulután	4.114	10.56
	La Paz	4.084	10.48
	Sta. Ana	4.075	10.46
	San Miguel	4.030	10.34
	Otros	17.656	45.32
	TOTAL	38.954	99.98
LA LIBERTAD	San Salvador	5.223	34.56
	Sta. Ana	2.148	14.21
	Sonsonate	2.076	13.73
	Chalatenango	1.112	7.35
	Cabañas	967	6.39
	Otros	3.586	23.72
	TOTAL	15.112	99.96
SONSONATE	Sta. Ana	1.912	19.28
	San Salvador	1.850	18.66
	La Libertad	1.808	18.24
	Ahuachapán	1.336	13.47
	Usulután	680	6.86
	Otros	2.326	23.46
	TOTAL	9.912	99.97
USULUTAN	San Miguel	3.077	40.24
	San Salvador	1.390	18.18
	La Unión	702	9.18
	San Vicente	607	7.93
	La Paz	451	5.89
	Otros	1.418	18.54
	TOTAL	7.645	99.96

(Continuación de Cuadro No. 10)

SAN MIGUEL	La Unión	1.828	24.74
	Usulután	1.781	24.11
	Morazán	1.735	23.43
	San Salvador	929	12.57
	Sonsonate	275	3.72
	Otros	837	11.33
	TOTAL	7.386	99.96

FUENTE: Censo de población de 1971 de la República de El Salvador, Dirección General de Estadísticas y Censos, San Salvador, 1971.

afirmaciones categóricas al respecto. Las otras corrientes que configuran este campo migratorio son de menor importancia. La Unión aporta casi un 10% de la migración a Usulután, San Vicente, el 7.93% y La Paz el 5.89%. Presumiblemente las tres corrientes son de origen rural, ya que los tres departamentos son predominantemente rurales, aunque el sector rural de La Unión manifiesta, para el período intercensal y según las relaciones globales de supervivencia, una leve atracción rural, que bien puede haberse mitigado al final de dicho período.

El último campo migratorio considerado es el que se señaló en quinto lugar a propósito de las migraciones calculadas según el lugar de nacimiento de los migrantes. Recordemos que las corrientes orientadas hacia San Miguel son de destino urbano principalmente y no existen antecedentes para verificar un cambio reciente, es decir, en los últimos cinco años antes del censo. Desde el punto de vista de los departamentos que alimentan la población de San Miguel, la composición varía levemente con respecto a lo que apuntamos antes. El departamento de San Vicente sale del grupo de los cinco que proporcionaban migración al departamento considerado, y es reemplazado por Sonsonate, es decir, un departamento localizado en el Occidente del país. Por otra parte, los departamentos de Morazán y Usulután ven disminuir la intensidad de las corrientes migratorias que dirigían a San Miguel: Morazán baja del 28.52% al 23.49% y Usulután del 27.29% al 24.11 o/o. Inversamente, la coriente que proviene de La Unión se intensifica, pasando del 22.51% al 24.74%. Lo mismo acontece con San Salvador cuya corriente se incrementa, en forma más significativa aún, al ascender del 8.05% al 12.57%.

Observamos el fuerte intercambio recíproco existente entre San Miguel y Usulután. San Miguel provee en un 40% la inmigración de Usulután, mientras que éste le aporta a aquél un contingente de población equivalente al 24.11% del total de la población migrante que recibe.

Esto es un ejemplo de los altos intercambios poblacionales recíprocos existentes entre los departamentos de El Salvador, que conspiran contra el intento de establecer desplazamientos migratorios muy definidos y aptos para ser explicados en base a las variables contextuales y estructurales.

CAPITULO IV

HONDURAS

1.— Migraciones Internas en el período 1950-1961

El análisis de las migraciones internas de Honduras puede realizarse en forma más completa que el que realizamos para El Salvador. En efecto, se dispone de suficiente información como para confrontar los tres métodos que se están aplicando esto es, el del crecimiento relativo intercensal, el de la relación global de supervivencia y el de la medición directa a través de información censal. Mediante este último procedimiento, resulta posible estudiar en este país las corrientes migratorias a partir de los tres censos de población, tal como se hizo en el caso de Guatemala. Para seguir el mismo orden que los países anteriores, comenzamos con el método del crecimiento intercensal.

1.1.— El crecimiento intercensal en Honduras: 1950-1961

Resulta necesario señalar que Honduras es el país centroamericano en donde la población rural es porcentualmente la de mayor volumen. Para conocer la evolución de la población rural respecto de la población total del país es preciso un previo ajuste de la información censal dado que las definiciones censales de la zona urbana ha cambiado desde 1950. Efectuado este ajuste según los criterios censales aplicados en 1961 y 1974 se puede llegar a la siguiente distribución de la población:

	Población Total	Población Urbana	Población Rural
1950 :	1.368.605	274.774	1.093.831
1961 :	1.884.765	443.413	1.441.352
1974 :	2.653.857	819.408	1.834.449

Estas cifras dan cuenta de un cierto proceso de urbanización que parte de niveles muy bajos. Tenemos que en 1950 la población urbana representó sólo el 20.08% de la población total del país, que en 1963 había ascendido al 23.52% para pasar bruscamente a un volumen superior en 1974 y representar el 30.87% del total de la república. Por lo tanto, en el período analizado (1950-1961) la población rural significa más de las tres cuartas partes de la población de Honduras.

Esta consideración acerca del carácter marcadamente rural de la población hondureña determina la interpretación de los datos reunidos en el cuadro No. 1, en donde se transcriben las tasas de crecimiento de la población total, urbana y rural. La tasa de crecimiento de 4.27% de la población urbana refleja un intenso crecimiento de muy reciente iniciación.

Para efectos del análisis de las migraciones se ha calculado la tasa de crecimiento intercensal, distinguiendo la zona urbana y la zona rural y se han ordenado los departamentos en campos de atracción de población (cuando presentan tasas superiores a un 10% respecto de la tasa del país), de expulsión de población (cuando presentan tasas inferiores en un 10% a la tasa del país), y de equilibrio (cuando no difieren en más de un 10% de la tasa del país).

En términos globales el cuadro No. 1 nos presenta cinco departamentos de atracción en el período 1950-1961. El departamento de Cortés presenta un crecimiento intercensal del orden del 50% superior al del país. Tres departamentos le siguen, con crecimiento mayor al del país, en proporciones que van del 33.21% al 20.49%: Santa Bárbara, Francisco Morazán y Atlántida, en ese orden. Por último tenemos al departamento de Comayagua que crece en un porcentaje apenas superior al 10% al crecimiento total del país. La zona de mayor atracción de población se localiza en el Norte del país. La zona de segunda importancia se sitúa en el centro y está formada por el departamento de la capital, Francisco Morazán. Comayagua, de débil atracción, se sitúa entre este último departamento y Cortés, el de mayor atracción en el Noroeste del país.

En cuanto a la expulsión de población, el cuadro nos presenta once departamentos de crecimiento inferior a un

CUADRO No. 1

HONDURAS: Clasificación de los departamentos según el carácter Migratorio de acuerdo a la Tasa de Crecimiento inter-censal.

Período 1950-1961.

DEPARTAMENTOS	TASA DE CRECIMIENTO (X100)		
	TOTAL	URBANO	RURAL
TOTAL	2.83	4.27	2.49
ATRACCION			
Cortés	4.15	6.43	2.48
Santa Bárbara	3.77	3.73	3.77
Fco. Morazán	3.60	5.28	2.07
Atlántida	3.41	2.51	10.44
Comayagua	3.12	3.12	3.12
EXPULSION			
Islas de la Bahía	0.96	3.44	-0.00
Ocotepeque	1.27	1.74	1.20
Colón	1.51	-2.25	2.09
La Paz	1.53	1.08	1.57
Lempira	1.85	1.39	1.85
Intibuca	1.89	0.90	1.98
Valle	1.93	2.00	1.91
Paraíso	2.33	3.05	2.21
Copán	2.48	2.04	2.54
Olancho	2.51	4.26	2.23
Yoro	2.53	4.50	2.09
EQUILIBRIO			
Choluteca	2.97	3.09	2.94

FUENTE: Censo de Población de 1950 y 1961. Cifra del área urbana y rural corregidas. Dirección General de Estadísticas y Censos, Tegucigalpa.

10% respecto del crecimiento de Honduras. Sin embargo, las diferencias de la intensidad de su crecimiento aconsejan un tratamiento por grupos. Un primer grupo puede ser formado por los departamentos de alta expulsión de población en el período, es decir, por aquellos que crecen en proporciones más baja que el crecimiento nacional: Islas de la Bahía, con crecimiento inferior en 66.07% al del país; Ocotepeque, 55.12% inferior, Colón, 46.64% inferior; y la Paz, 45.93% inferior al del país. Como formando un grupo de expulsión mediana consideramos a los departamentos de Lempira, Intibucá, Valle y Paraíso, que crecen a un ritmo inferior al del país, entre 34% y 17.66%. Por último se presentan los departamentos de expulsión moderada, Copán, Olancho y Yoro, que apenas sobrepasan la marca del 10% inferior a la tasa nacional de crecimiento intercensal.

El departamento de Choluteca es el único que puede ser clasificado como un departamento de equilibrio, ya que su población crece a un ritmo superior sólo en un 4.94% al ritmo de crecimiento de la población del país.

Ahora bien, si reparamos en el crecimiento urbano y rural podemos llegar a conclusiones más interesantes. Entre los departamentos de atracción urbana, Cortés y Francisco Morazán, el crecimiento de la población rural es inferior al de la población rural del país, lo que bien puede significar expulsión rural (Francisco Morazán) o bien, y quizás más probable, un intenso proceso de urbanización que transfiere población del campo a las ciudades, dentro del mismo departamento. El otro departamento de atracción urbana en el país es Yoro, que en términos generales era considerado como un departamento de expulsión moderada, y que reflejaría expulsión del agro en proporciones similares a la de Francisco Morazán, quedando planteada la cuestión de posibles procesos internos de urbanización.

Entre los departamentos de menor dinamismo urbano encontramos a Colón, que muestra una tasa negativa de crecimiento urbano del -2.25%, Intibucá (0.90%), La Paz (1.08%), Lempira (1.39%) y Ocotepeque (1.74%). Todos estos departamentos revelan también una expulsión rural, siendo el caso de Ocotepeque el de mayor relevancia ya que ocupa el segundo lugar en términos de expulsión de las áreas rurales, sólo superado por Islas de la Bahía, que es un departamento pequeño, insular y de escasa población.

Un segundo grupo de menor expulsión urbana estaría constituído por los departamentos de Valle (2.00%), Copán (2.04%), Atlántida (2.51%), El Paraíso (3.05%), Choluteca (3.09%) y Comayagua (3.12%). De estos departamentos, algunos, como Valle y El Paraíso, presentan también una importante expulsión rural; los otros son de atracción en las zonas agrarias. El tercer grupo de expulsión urbana más moderada lo forman los departamentos de Islas de la Bahía (3.44%), Santa Bárbara (3.73%) y Copán que es prácticamente un departamento de equilibrio en la zona urbana y de fuerte atracción en la zona rural.

Es de sumo interés constatar que, desde el punto de vista rural, los departamentos de mayor expulsión son los que se localizan en el Occidente del país, generalmente en zonas montañosas, y en la región limítrofe con El Salvador. Dejamos obviamente de lado al departamento de Islas de la Bahía por constituir una región (isleña) bastante diferente del resto del país. Los departamentos que después de éste ocupan los primeros lugares son Ocotepeque, La Paz, Lempira, Valle e Intibucá. Todos ellos exhiben una tasa de crecimiento intercensal de la población de las zonas rurales inferior en más de un 20% a la tasa de crecimiento rural del país, sobrepasando el departamento de Ocotepeque el 50% en esta relación. Esto nos lleva a concluir que la zona de expulsión rural por excelencia será la zona occidental, lo cual, como veremos más adelante, será confirmado por los otros métodos de medición.

Si observamos ahora los departamentos de atracción rural de población, constataremos que, durante el período intercensal considerado, la mayor atracción se encuentra emplazada en el Norte del país, aunque existen polos de atracción localizados en el centro y en el Sur del país. Efectivamente, el departamento de Atlántida, en la Costa Norte, ocupa el primer lugar, distanciándose mucho de los restantes. El otro departamento del norte, aunque no situado en la zona costera, es Santa Bárbara, que ocupa un segundo lugar, con un crecimiento en el período que supera en más del 50% al crecimiento de las zonas rurales del país. También en la zona Norte, aunque más desplazado hacia el Occidente, se encuentra el departamento de Copán, que posee una tasa de crecimiento rural que sobrepasa sólo en un 2% al crecimiento total de las zonas rurales. Los otros departamentos, Comayagua en el centro y Choluteca en el sur del país, superan en un 25.30% y en un 18.07% respectivamente el crecimiento de las zonas rurales del país.

Las primeras conclusiones, de carácter aún muy general, nos dicen que desde el punto de vista del crecimiento urbano, el polo dinámico se encuentra en Cortés, departamento al que pertenece la ciudad de San Pedro Sula, que muestra un vigor que posteriormente se intensificará aún más, y Francisco Morazán en donde se encuentra la ciudad capital Tegucigalpa, que constituye el principal centro urbano, aunque con un ritmo de crecimiento inferior al de San Pedro Sula. El menor dinamismo urbano se encuentra en Colón (-2.25%) y en los departamentos de occidente Intibucá, La Paz, Lempira y Ocotepeque. Desde el punto de vista rural, la expulsión de población está representada en sus primeros lugares por estos mismos departamentos de occidente, agregándose al grupo de departamento del Valle, de la región sur. De aquí resulta que la zona occidental comienza a perfilarse como la región de expulsión por excelencia, en tanto que la región de mayor atracción se ubica en el norte del país, aunque también existen algunos polos secundarios en el centro y en el sur.

1.2.— Las relaciones globales de supervivencia (1950-1961).

Los resultados finales del cálculo de las migraciones internas de Honduras, en el período 1950-1961, según la técnica de las relaciones globales de supervivencia, se encuentran reunidos en el cuadro No. 2. Al intentarse este cálculo, las dificultades de comparación intercensal derivadas de las diferencias de definición de lo urbano y lo rural existentes entre uno y otro censo de población, no pudieron ser superadas. Por esta razón se prefirió prescindir de un análisis que distinguiera la zona urbana de la zona rural de los departamentos. Con todo y esto, las ventajas de esta técnica respecto al procedimiento del crecimiento intercensal de la población siguen válidas: mayor precisión en la medición y capacidad de ofrecer los volúmenes brutos de población migrante en términos de saldos migratorios.

El análisis puede recurrir, por lo tanto, a la comparación de volúmenes con tasas, apreciando tanto la importancia absoluta como la relativa de la migración.

La convergencia de los dos métodos, que se basan en estimaciones indirectas de la migración en el período intercensal, es manifiesta. Los cinco departamentos resultantes como absorbentes de población según el primer procedimiento, figuran como atrayentes al aplicarse el segundo. Solamente el orden cambia al considerar las tasas de migración neta, pasando Francisco Morazán al segundo lugar en vez de Santa Bárbara.

Con respecto a la repulsión de población el cambio más significativo es el de Copán, que en el primer método figuraba como departamento de expulsión moderada y pasa a constituirse en departamento de equilibrio. Se verifican igualmente cambios en los rangos ocupados, siendo quizás el de mayor relevancia el representado por el departamento de El Paraíso que pasa del octavo lugar, según el primer método, al décimo y último lugar, según el segundo. El departamento de Choluteca se mantiene como un departamento de equilibrio poblacional, ahora comparado por Copán.

Observamos ahora que en términos del volumen mostrado por el saldo migratorio, el departamento de Francisco Morazán ocupa el primer lugar, seguido de cerca por el departamento de Cortés. En el resto de los departamentos de atracción el volumen migratorio es bastante menor, ocupando el último lugar el departamento de Comayagua. Conviene recordar aquí que el saldo migratorio es la diferencia entre las entradas y las salidas de población de un departamento, siendo posible el hecho de que algunos departamentos con saldo migratorio bajo posean altos volúmenes de inmigrantes y de emigrantes. Este problema no podrá ser dilucidado sino por el método directo de medición de la migración basado en información censal.

Al observar los volúmenes que exhibe el saldo migratorio de los departamentos de expulsión, llama la atención que éste es apreciablemente más bajo que el mostrado por los departamentos de atracción. En efecto, el número de

CUADRO No. 2

HONDURAS: Carácter Migratorio de los departamentos según las relaciones globales de supervivencia. 1950-1961.

DEPARTAMENTOS	SALDO MIGRATORIO	T.M.N.
ATRACCION		
Cortés	19.631	15.24
Fco. Morazán	22.959	12.44
Sta. Bárbara	9.300	10.21
Atlántida	4.206	7.23
Comayagua	2.186	3.64
EXPULSION		
Colón	-4.049	-15.55
Islas de la Bahía	- 905	-15.55
Ocotepeque	-5.104	-15.17
La Paz	-4.922	-12.77
Valle	-5.833	-11.75
Intibuca	-5.171	-11.14
Lempira	-6.444	- 9.11
Yoro	-3.283	- 4.08
Olancho	-2.775	- 4.05
El Paraíso	2.276	- 3.35
EQUILIBRIO		
Choluteca	1.336	1.44
Copán	-1.288	-1.60

Fuente: Censos de Población de 1950 y 1961, Dirección General de Estadísticas y Censos, Tegucigalpa.

departamentos de expulsión constituye el doble de los departamentos de atracción, lo que revela un cierto proceso de concentración de la población en torno a ciertos conglomerados que adquieren creciente importancia.

El mayor volumen de expulsión lo muestra el departamento de Lempira, que al tener una población menor que otros departamentos ocupa el sétimo lugar en términos relativos. Le siguen Valle, Intibucá y Ocotepeque, con lo cual la zona Occidental se convierte en la zona de expulsión no sólo en términos relativos sino también en términos absolutos. Por el lado del volumen menor de expulsión, el departamento que se destaca es Islas de la Bahía, que sólo expulsa 905 personas y que por lo reducido de su población figura en primer lugar junto a Colón en términos relativos.

Los departamentos de Yoro, Olancho y El Paraíso, que en una línea Este a Oeste se encontrarían localizados en el Centro-Este de la república, son los que representan volúmenes de expulsión más reducidos, debiéndose recordar que en el período analizado la región oriental del país está casi despoblada. Por lo tanto, pese a los grandes espacios vacíos que se sitúan en el Oriente del país, la tendencia migratoria muestra una cierta concentración de la población en los departamentos ya señalados.

Por último, habría que señalar el impacto que puede tener sobre el cálculo de la migración realizada según los métodos indirectos, la llegada de salvadoreños, intensa durante este período. La información sobre esta migración internacional ha sido presentada en el anexo No. 3. En la medida en que ésta se ha dirigido hacia los departamentos occidentales, que son los primeros en recibir la migración, la estimación de la emigración de esos departamentos debe ser inferior a la emigración real, pues muchos de los habitantes que aparecen como no migrantes bien pueden ser salvadoreños recién llegados, al ser nutridos estos departamentos por contingentes importantes procedentes de El Salvador. Por lo tanto, pese a la contínua llegada de salvadoreños, que en términos censales pueden ser considerados en buena parte como hondureños, estos departamentos figuran como los de expulsión más intensa.

Por otra parte, en los departamentos que aparecen como de equilibrio puede estar aconteciendo algo similar. Copán y Choluteca son departamentos que están fácilmente al alcance de los inmigrantes salvadoreños. El efecto de esta migración internacional puede ser el de esconder un cierto nivel mayor de expulsión en estos departamentos, en donde la llegada de salvadoreños está escondiendo una eventual salida más significativa de hondureños de esa región.

La reflexión inversa habría que hacerse en el caso en que los inmigrantes salvadoresños se estuviesen localizando en los departamentos del norte. Si se da esta situación la inmigración final en términos de volumen sería idéntica, aunque la proporción de hondureños provenientes de otros departamentos de la república sería algo menor. Desgraciadamente, al no disponerse, según el procedimiento de las relaciones globales de supervivencia, del cálculo de las entradas (inmigrantes) y de las salidas (emigrantes) por departamento, no se pueden captar los fenómenos que pueden estar ocurriendo, por ejemplo, en Santa Bárbara, que muestra un saldo migratorio positivo relativamente alto y que bien puede estar compuesto parcialmente por un contingente de población salvadoreña.

1.3.— **La migración según lugar de nacimiento.**

Al realizarse la medición directa de emigrantes e inmigrantes por departamentos se descartan los efectos de la compensación entre la población rural y la población urbana dentro de un departamento, compensación que señalábamos a propósito del método del crecimiento intercensal. Como más arriba nos referimos a las ventajas y desventajas de cada método, nos remitimos a esas observaciones respecto de las ambiguedades introducidas por la medición de la migración según el lugar de nacimiento de la población censada. Valga la aclaración presente solamente para prevenir acerca de cambios que podrán aparecer respecto de los resultados obtenidos según los métodos ya abordados.

Según el método de la comparación entre la población enumerada y la población nacida en cada departamento, podemos estudiar la migración según el censo de 1950 y el de 1961 en forma separada. Los resultados del cálculo directo de la migración se encuentra en dos cuadros No. 3, referido al censo de 1950, y No. 4, referido al de 1961.

Si analizamos el cuadro No. 3 constataremos que el volumen total de migrantes corresponde, en 1950, al 8.30% de la población total, dando cuenta de un volumen migratorio proporcionalmente inferior en esa fecha al de otros países centroamericanos. Ahora bien, Honduras presenta, también, la particularidad, dentro del contexto centroamericano, de una migración orientada hacia dos polos realmente importantes: Cortés y Francisco Morazán. Ambos son los departamentos más poblados, representando el primero el

CUADRO No. 3

HONDURAS: Migraciones Internas según lugar de nacimiento. 1950.

DEPTOS.	POBLACION Emi_grantes	Inmi_grantes	Saldo Migra_torio	TASAS Inmi_gración	Emi_gración	Meta de Emig.
TOTAL	112.542	112.542				
ATRACCION						
Cortés	26.025	6.841	19.184	22.20	5.83	16.37
Yoro	18.805	4.809	13.996	19.78	5.05	14.73
Fco. Morazán	20.798	11.548	9.250	11.13	6.18	4.95
Atlántida	11.736	8.978	2.758	18.99	14.53	4.47
EXPULSION						
Ocotepeque	**205**	8.600	-8.395	**0.45**	19.25	**-18.80**
Islas de la Bahía	237	1.458	-1.221	2.97	18.27	-15.30
La Paz	620	6.182	-5.562	1.22	12.16	-10.94
Valle	1.523	7.990	-6.467	2.38	12.48	-10.10
Colón	2.861	4.847	-1.986	8.14	13.79	- 5.65
Olancho	4.089	8.597	-4.508	4.88	10.26	- 5.38
El Paraíso	2.470	6.412	-3.942	3.01	7.81	- 4.80
Intibucá	722	3.397	-2.675	1.22	5.77	- 4.55
Lempira	1.527	5.538	-4.011	1.69	6.14	- 4.45
Choluteca	3.105	7.481	-4.376	2.93	7.00	- 4.15
Comayagua	3.722	6.440	-2.718	5.51	9.54	- 4.03
EQUILIBRIO						
Copán	8.237	6.275	1.962	9.19	7.00	2.19
Santa Bárbara	5.860	7.149	-1.289	6.17	7.52	-1.35

Fuente: Dirección General de Estadísticas y Censos, Tegucigalpa 1950.

8.64% de la población total del país y el segundo el 13.77% de la misma. Hacia estos dos departamentos fluyen las corrientes migratorias más importantes, siendo la que se orienta hacia Cortés la más voluminosa incluso en términos absolutos. Cortés recibe el 23.12% del total de migrantes del país, mientras Francisco Morazán recibe el 18.47%. Los volúmenes migratorios recibidos están señalados en el cuadro No. 3 y nos ahorran mayores comentarios.

En 1950 existe otro polo muy importante de migración. Es el departamento de Yoro que recibe un volumen migratorio equivalente al 16.70% del total del país, y que al poseer una población menor que los departamentos ya mencionados y al presentar volúmenes de emigrantes también menores que los otros departamentos lo llevan a mostrar una tasa de migración neta positiva del 14.73%, que lo coloca en segundo lugar, después de Cortés, en términos de la migración relativa. Recordemos que este departamento figuraba como repelente moderado de población, según los otros métodos, razón por la cual se puede afirmar que en el presente análisis está reflejando una migración más antigua.

Respecto de los departamentos de atracción nos queda hacer notar que Francisco Morazán muestra, a la par de una considerable entrada de población, una sustanciosa salida. Es el departamento que en términos absolutos expulsa un contingente mayor de población. Al analizar las corrientes migratorias podemos considerar a este departamento como un lugar de tránsito de un flujo migratorio más amplio que llega a este departamento y que se dirige posteriormente hacia Cortés. Esto hace que en términos de saldos migratorios, el departamento de Yoro presente uno mucho más alto que el del departamento de la ciudad capital. Algo similar acontece con Atlántida, que siendo un departamento de atracción de población presenta un volumen de emigrantes que en términos brutos ocupa el segundo lugar después de Francisco Morazán. Es también un departamento de intenso tránsito o de intenso intercambio de población.

Si observamos ahora los once departamentos de expulsión según esta migración acumulada en 1950, encontramos diferencias bastante significativas que recomiendan distinguir entre departamentos de intensa y de moderada repulsión de población. Cuatro departamentos conforman un grupo realmente distanciado del resto que presentan una expulsión muy intensa. Son en ese orden Ocotepeque (-18.80%), Islas de la Bahía (-15.30%), La Paz (-10.34%) y Valle (-10.10%). El departamento de Ocotepeque es casi un caso extremo; presenta el número de inmigrantes más bajo de la república (205) y un alto número de emigrantes que representa casi un 20% de su población. El departamento de Islas de la Bahía, que ocupa el segundo lugar en términos relativos, tiene un comportamiento muy diferente al ser de población muy escasa (el 0.58% de la población del país), lo que nos autoriza a pasar rápidamente por él. Más significativa es la situación de los otros departamentos Occidentales que componen el grupo, que presentan volúmenes de expulsión más altos, manteniendo siempre volúmenes de inmigración bastante bajos. Esto hace que se coloquen en los primeros lugares de la expulsión de población, pues otros departamentos, como Atlántida y Colón, presentan tasas de emigración más elevadas que son compensadas por tasas de inmigración altas (Atlántida) o relativamente altas (Colón).

Los departamentos de expulsión moderada son los restantes que figuran en el cuadro No. 3. El departamento de Colón, que encabeza el grupo, es el penúltimo y superior solamente a Islas de la Bahía desde el punto de vista del tamaño de la población, pero, territorialmente, es bastante extenso. Revela intercambios importantes relativamente, aunque en términos de volumen migratorio las cantidades no son de significación. El departamento de Olancho, que le sigue, bastante más poblado, aunque bien extenso, presenta un número de inmigrantes y de emigrantes sensiblemente mayor, duplicando los últimos a los primeros y mostrando tasas de migración relativamente altas. El departamento de El Paraíso, de población equivalente al anterior, muestra tasas más reducidas y una importancia mayor de la emigración respecto de la inmigración que la mostrada por Olancho. Intibucá, Lempira, Choluteca y Comayagua completan el grupo de los departamentos de expulsión moderada de población. Recordamos que según los métodos anteriores Choluteca era un departamento de equilibrio y Comayagua un departamento de atracción moderada. El cambio puede deberse tanto a problemas de medición provenientes de las limitaciones de los métodos ensayados, como a una eventual emigración de mayor relevancia habida en estos departamentos.

Dos departamentos aparecen según este método como departamentos de equilibrio, Copán, que muestra una tasa de migración neta positiva del 2.19%, y Santa Bárbara, que la tiene negativa y equivalente a -1.35%. Ambos departamentos, situados en el Nor-Oeste del país, muestran tasas de emigración y de inmigración considerables, con lo cual puede afirmarse que se trata de intercambios poblacionales equilibrados que realizan entre sí o con otros departamentos del país.

El cuadro resumen del cálculo de las migraciones según el lugar de nacimiento referido al lugar de empadronamiento en 1961 es el Cuadro No. 4. Al observarlo vemos como el número de migrantes se ha duplicado respecto del cuadro anterior, lo que refleja una migración real aún más intensa si pensamos que muchos de los migrantes de 1950 han muerto o regresado a sus lugares de origen. El volumen de la migración en 1961 alcanza al 15.23% del total de la población, colocándose Honduras a la altura de los otros países en términos de esta relación.

Del total de 277.574 migrantes en 1961, un 24.35% se dirige hacia el departamento de Cortés que reafirma su calidad de primer absorbente de población del país. Le sigue en importancia Francisco Morazán incorporando el 15.85%. La particularidad de Honduras dentro del contexto no se ve reforzada en 1961, en términos de que el departamento de la ciudad capital no juega el papel que le corresponde en los otros países. Mientras en ellos el departamento de la capital absorbe entre el 35% y el 40%, en Honduras este departamento recibe sólo algo más del 15%, siendo relegado a segundo término por Cortés que muestra una dinámica de absorción de población muchísimo más intensa. Fuera de los cuatro departamentos de atracción que reciben en conjunto el 64.93% de la migración del país, se destaca, en términos de absorción, el departamento de Santa Bárbara, que incorpora una cantidad no despreciable, equivalente al 7.71% del país. Sin embargo, este departamento expulsa una cantidad casi igual de población, razón por la cual presenta una tasa de migración casi nula, siendo su intercambio realmente significativo.

Si consideramos ahora la ordenación de los departamentos de atracción, jerarquizados según el valor de sus

CUADRO No. 4

HONDURAS: Migraciones internas según lugar de nacimiento 1961.

	POBLACION			TASAS		
	Inmi-grantes	Emi-grantes	Saldo migra-torio	Inmi-grantes	Emi-gración	Neta de Inmi-gración
TOTAL	277.574	277.574				
ATRACCION						
Cortés	67.596	21.257	46.339	36.07	11.34	24.75
Atlántida	33.685	17.289	16.396	38.15	19.59	18.56
Yoro	34.977	17.082	17.895	27.95	13.65	14.30
Fco. Morazán	44.021	21.774	22.247	15.80	7.81	7.99
EXPULSION						
Ocotepeque	830	19.228	-18.398	1.63	37.95	-36.32
La Paz	1.802	13.873	-12.071	3.07	23.68	-20.41
Valle	4.141	19.250	-15.109	5.40	25.14	-19.73
Islas de la Bahía	932	2.502	- 1.570	10.66	28.63	-17.97
Lempira	3.600	17.849	-14.249	3.27	16.24	-12.97
Intibucá	2.181	11.123	- 8.942	3.05	15.55	-12.50
Olancho	7.925	19.001	-11.076	7.30	17.52	-10.21
Choluteca	6.734	16.291	- 9.557	4.62	11.19	- 6.57
El Paraíso	6.740	13.275	- 6.535	6.48	12.78	- 6.30
Copán	15.343	20.173	- 4.830	12.80	16.83	- 4.03
EQUILIBRIO						
Colón	11.933	10.405	1.528	29.41	25.65	3.76
Gracias a Dios	480	334	146	4.49	3.12	1.37
Sta. Bárbara	21.413	21.358	55	14.90	14.86	0.04
Comayagua	13.241	15.510	-2.269	14.07	16.48	- 2.41

Fuente: Dirección General de Estadísticas y Censos, Tegucigalpa, 1961.

tasas de migración neta, podemos percibir algunos cambios con respecto al Censo de población de 1950. Es digno de destacarse que Cortés avanza algo en su participación en la absorción total de población, sin embargo, en términos de tasas netas asciende del 16.37% al 24.75%. También desde el punto de vista de las tasas netas, esto es, del peso de la migración respecto de la población del departamento, Francisco Morazán muestra un incremento en la migración al elevarse del 4.95% al 7.99%. Sin embargo, considerando la participación de la migración a este departamento dentro del movimiento migratorio global, ésta experimenta un descenso del 18.48% al 15.85%.

El cambio más significativo desde el punto de vista de las tasas de migración neta es el experimentado por Atlántida que cuadruplica esta tasa, colocándose en segundo lugar después de Cortés. El departamento que declina en este aspecto es Yoro, que conservándose como departamento de atracción gracias a una intensa inmigración, muestra en este período una importante salida de población. Tenemos, por lo tanto, que el triángulo formado en el norte por los departamentos de Cortés, Atlántida y Yoro se refuerza en términos de constituir la principal zona de atracción de población del país. Frente a este intenso polo de atracción, Francisco Morazán se ve relegado al último lugar de los departamentos de atracción de población en cuanto a las tasas netas de migración.

Si observamos ahora la expulsión de población desde el punto de vista de la tasa de migración neta, podremos comprobar cómo las tendencias encontradas en el período anterior (censo 1950) se confirman y acentúan. De los seis primeros departamentos de expulsión, cinco se encuentran en la línea fronteriza con El Salvador, siendo el sexto el departamento de Islas de la Bahía que posee características peculiares y una población muy escasa. Ocotepeque duplica su tasa de migración neta negativa, manteniéndose en el primer lugar; lo mismo acontece con La Paz, que pasa al segundo lugar; en Valle acontece casi lo mismo; en Lempira la tasa casi se triplica, del mismo modo que en Intibucá. Esta tendencia del reforzamiento del carácter expulsor de esta zona Sur-Occidental del país es un fenómeno de primera magnitud. De estos cinco departamentos sale casi el 30% de los emigrantes del país, siendo que su población corresponde en 1961 sólo al 20% de la población total del país. De estos departamentos solamente Valle figura con entradas de población algo significativas (tasa de inmigración de 5.40%); los restantes presentan altas tasas de emigración y muy bajas de inmigración siendo el caso extremo el departamento de Ocotepeque que recibe sólo 830 personas, que representan el 1.63% de su población.

Señalamos que desde el punto de vista de la emigración absoluta, otros departamentos de tamaño poblacional mayor, expulsan un número mayor de emigrantes; en otros casos (Copán, Comayagua, Olancho y El Paraíso), volúmenes de emigrantes similares a los de los departamentos sur-occidentales son compensados con volúmenes de inmigrantes de mayor significación, lo que atenúa el carácter expulsor de esos departamentos.

Los departamentos de expulsión mitigada son Olancho, Choluteca, El Paraíso y Copán. Este último se incorpora en 1961 a la lista de los departamentos repelentes de población, pues en 1950 figuraba como departamento de equilibrio.

Olancho, en términos de la tasa de migración neta, también muestra un aumento en expulsión de población que casi duplica la tasa exhibida en 1950. La expulsión aumenta fuertemente, de 8.597 a 19.001 emigrantes, mientras la atracción crece más débilmente. Choluteca se muestra con la misma tendencia anterior, manteniéndose en volúmenes relativamente bajos de expulsión. Igual cosa acontece con El Paraíso, mientras Copán, como ya se señaló, ve cambiar el signo de su tasa de migración neta al pasar de un saldo positivo de 1.962 migrantes a uno negativo de 4.830. Este es el cambio más significativo que se aprecia en este grupo de departamentos.

Tenemos en tercer lugar los departamentos considerados de equilibrio por exhibir tasas de migración neta inferiores al 4%. Aquí tenemos un cambio muy significativo, a saber, el experimentado por el departamento de Colón, situado en la costa norte del país, al oriente de Atlántida. Este departamento ocupaba el quinto lugar en la expulsión de población en 1950, con una tasa de migración neta negativa de -5.65%. En 1961 se encuentra cercano a la marca de 4% y a punto de convertirse en un departamento de atracción de población. Esto refleja corrientes más nuevas que se dirigen a este departamento, lo cual significa una ampliación hacia el Este del campo de atracción de población del Norte, el más importante del país.

El segundo departamento de equilibrio, y de tasa de migración neta positiva, es Gracias a Dios, en el extremo oriental del país. Este departamento fue creado hasta 1957 y nació de la división que en esa fecha se hizo al departamento de Colón. Por lo tanto, en el censo de 1950, su población se encuentra formando una sola con la de Colón, pero, de acuerdo al censo de 1961, y pese a la gran extensión territorial, ésta apenas pasa los 10.000 habitantes. Los volúmenes de entradas y salidas de población a este departamento son muy bajos, quizás por ser una región desconectada del resto del país y de difícil acceso por tierra.

Luego dos departamentos de comportamiento casi similar: Santa Bárbara y Comayagua. Sobre Santa Bárbara ya se señaló su inclusión dentro de los departamentos occidentales, cuyas emigraciones tienen, probablemente, como destino final los departamentos de la Costa Norte del país: Cortés, Atlántida y Colón, y quizás también Yoro. El caso de Choluteca es similar en el sentido de mostrar salidas y entradas de población que son muy importantes. Sin embargo, se torna menos claro de apreciar su carácter de lugar de tránsito, pues resulta difícil tasar un flujo migratorio más amplio que lo pueda estar atravezando. Lo que sí puede hipotetizarse en este momento, lo que se tendrá que confirmar al estudiarse en mayor profundidad las corrientes migratorias, es que este departamento puede estar recibiendo población de Valle y de El Paraíso para enviarla luego a Francisco Morazán.

A fin de posibilitar al lector un análisis más detallado de los cambios acontecidos entre 1950 y 1961 respecto del carácter migratorio de los departamentos, presentamos el cuadro No. 5 que reúne la información contenida en los cuadros anteriores y la organiza a fin de facilitar las comparaciones que pueden ser pertinentes.

1.4.— Las corrientes migratorias

A fin de no extendernos desmesuradamente y de no entrar en detalles innecesarios seguiremos el mismo orden expositivo empleado en los análisis de las migraciones internas de Guatemala y El Salvador. Consideramos, por lo tanto, las seis corrientes migratorias más importantes que

CUADRO No. 5

HONDURAS: Comparación intercensal de las tasas de migración neta por departamentos 1950-1961

DEPARTAMENTOS	TASAS Inmi_gración		TASAS Emi_gración		TASAS Migración Neta	
	1950	1961	1950	1961	1950	1961
ATRACCION 1950						
Cortés	22.20	36.07	5.83	11.34	16.37	24.75
Yoro	19.78	27.95	5.05	13.65	14.73	14.30
Fco. Morazán	11.13	15.90	6.18	7.81	4.95	7.99
Atlántida	18.99	38.15	14.53	19.59	4.47	18.56
EXPULSION						
Ocotepeque	0.45	1.63	19.25	37.95	-18.80	-36.32
Islas de la Bahía	2.97	10.66	18.27	28.63	-15.30	-17.97
La Paz	1.22	3.07	12.16	23.68	-10.94	-20.41
Valle	2.38	5.40	12.48	25.14	-10.10	-19.73
Colón	8.14	29.41	13.79	25.63	- 5.65	3.76
Olancho	4.88	7.30	10.26	17.52	-5.38	-10.21
El Paraíso	3.01	6.48	7.81	12.78	-4.80	- 6.30
Intibucá	1.22	3.05	5.77	15.55	-4.55	-12.50
Lempira	1.69	3.27	6.14	16.24	-4.45	-12.97
Choluteca	2.93	4.62	7.00	11.19	-4.15	- 6.57
Comayagua	5.51	14.07	9.54	16.48	-4.03	- 2.41
EQUILIBRIO 1950						
Copán	9.19	12.88	7.00	16.83	2.19	- 4.03
Sta. Bárbara	6.17	14.90	7.52	14.86	-1.35	0.04
Gracias a Dios	——	4.49	——	3.12		1.37

Fuente: Censos de población de 1950 y 1961, Dirección General de Estadísticas y Censos, Tegucigalpa.

proveen de población a los cinco departamentos que reciben los contingentes humanos más numerosos. Por lo tanto, tomamos en cuenta los volúmenes más elevados, sin reparar en la importancia relativa que puedan tener algunas corrientes para determinados departamentos.

El cuadro No. 6 nos resume la información que emplearemos en este análisis, se refiere a las corrientes acumulativas, es decir, calculadas a partir del lugar de nacimiento de los migrantes, que se verifican según el censo de 1950.

Si observamos los campos migratorios que se grafican en los mapas incorporados en el Anexo No. 5 veremos que existen dos campos migratorios bien definidos. Aquél que se organiza alrededor de los departamentos del Nor-Oeste: Cortés, Atlántida y Yoro, que reciben población de la mayoría de los departamentos del país, y aquél que se configura alrededor de Francisco Morazán, que recibe población principalmente de los departamentos ubicados más bien en el Sur. Sin embargo, y a fin de no perder información, consideraremos en forma aislada a los cinco departamentos absorbentes de población, aunque ellos en conjunto puedan formar un campo migratorio más amplio.

El campo migratorio más importante que constatamos es el que se origina en torno a Cortés. Las seis corrientes más importantes que nutren a este departamento constituyen el 67.33% de la migración total que recibe. Entre ellas se destaca la que proviene de Santa Bárbara, su departamento colindante hacia el Sur-Oeste, que le aporta un 16..37%. Del departamento de la ciudad capital le viene otra significativa que constituye el 11.73%. De Comayagua, al Sur de Cortés, de Choluteca, en el extremo Sur del país, de Copán en el Occidente del país, y de Atlántida, que es el departamento colindante hacia el Este, provienen las restantes corrientes en orden de importancia. Por el crecimiento urbano del departamento, confirmado con el análisis efectuado a partir del método del crecimiento intercensal, puede postularse sin mucho margen de error, que el destino de estas corrientes migratorias es probablemente urbano. Sin embargo, no pueden descuidarse eventuales corrientes con destino rural, ya que este departamento tiene en 1950 casi dos tercios de población rural. Respecto del origen de estas corrientes podríamos pensar que las que provienen de Francisco Morazán pueden ser principalmente

CUADRO No. 6

HONDURAS: Principales corrientes migratorias a los principales departamentos de atracción de población. Año 1950

DEPARTAMENTO RECEPTOR	DEPTOS DE ORIGEN	Inmi- grantes	%
CORTES	Sta. Bárbara	4259	16.37
	Fco. Morazán	3054	11.73
	Comayagua	2281	8.76
	Choluteca	2277	8.75
	Copán	2215	8.51
	Atlántida	1910	7.34
	Otros	8503	32.67
	TOTAL	26025	100.00
FCO. MORAZAN	El Paraíso	3521	16.93
	Choluteca	2936	14.12
	Atlántida	2627	12.63
	Valle	2465	11.85
	La Paz	1721	8.27
	Comayagua	1712	8.23
	Otros	5816	27.96
	TOTAL	20798	100.00
YORO	Olancho	3359	17.86
	Atlántida	2293	12.19
	Valle	2099	11.16
	Cortés	2069	11.00
	Colón	1614	8.58
	Fco. Morazán	1576	8.38
	Otros	5796	30.82
	TOTAL	18805	100.00

(Continuación de Cuadro 6)

ATLANTIDA	Colón	1719	14.19
	Olancho	1711	14.58
	Yoro	1677	14.29
	Cortés	1332	11.35
	Fco. Morazán	1224	10.43
	Valle	774	6.59
	Otros	3299	28.11
	TOTAL	11736	100.00
COPAN	Ocotepeque	5666	68.79
	Lempira	1214	14.74
	Sta. Bárbara	507	6.16
	Cortés	281	2.80
	Intibucá	208	2.52
	La Paz	140	1.70
	Otros	271	3.29
	TOTAL	8237	100.00

Fuente: Censo de población de 1950, Dirección General de Estadísticas y Censos, Tegucigalpa, 1950.

urbanas, aunque las de origen rural tampoco pueden ser descartadas por la importancia rural del departamento de la capital, que tiene, en esa fecha, un 57.96% de su población en el campo. Las corrientes provenientes del departamento de Atlántida puede considerarse con mayor certeza como corrientes de origen urbano, ya que ese departamento figura con una importante atracción rural, siendo en lo urbano un departamento de débil crecimiento. Respecto de las corrientes migratorias que vienen de Santa Bárbara, Comayagua, Choluteca y Copán puede aventurarse, sin mayor riesgo, que se originan en las zonas rurales de estos departamentos. Por lo tanto, las corrientes consideradas pueden ser tanto rural-rurales, como rural-urbanas, y como urbana-urbanas, siendo difícil su determinación al no contarse con datos adecuados.

En segundo lugar tenemos el campo migratorio que se define en torno a Francisco Morazán. Las seis principales corrientes migratorias constituyen el 72.04% del volumen migratorio total que recibe este departamento. Los cuatro departamentos que quedan hacia el Sur de Francisco Morazán le aportan el 51.17% de la migración total, por lo que podemos considerar a este campo como al campo migratorio del Sur. La corriente más importante le viene de El Paraíso (16.93%), seguida de la proveniente de Choluteca (14.12%). Desde el Norte procede otra, desde Atlántida, que es bastante significativa, siendo las restantes de Valle y La Paz, en el Sur, y de Comayagua, hacia el Occidente del departamento. El campo migratorio del Sur muestra, por lo tanto, dos brazos que vienen uno del Oeste y otro del Norte.

El destino de las corrientes migratorias que se dirigen hacia Francisco Morazán puede ser considerado como urbano, ya que el departamento muestra, según los métodos indirectos, una considerable expulsión rural. Estas corrientes deben generarse en las zonas rurales de los departamentos proveedores que, salvo Atlántida, poseen un porcentaje muy alto de población rural. El caso de Choluteca puede ser más discutible, ya que exhibe, hasta 1961, un crecimiento de la población de las zonas rurales mayor que el crecimiento de la población rural del país, lo que puede inducir a postular una corriente urbano-urbana procedente de allí. La corriente originada en Atlántida sí puede ser entendida como una corriente urbana-urbana, proveniente posiblemente del puerto de La Ceiba con destino a Tegucigalpa. Allí el porcentaje de población rural es el más bajo de la república en 1950 (52.86%) y el departamento muestra hasta 1961 una impresionante expansión de la población rural. Por lo tanto, salvo el caso de Atlántida y probablemente el de Choluteca, las corrientes orientadas hacia Francisco Morazán deben ser rural-urbanas.

El campo migratorio que ocupa el tercer lugar en volumen es el que se orienta hacia el departamento de Yoro. Este departamento se nutre de otros que lo circundan y que se sitúa en el centro-Norte del país. Participan también como proveedores de población los departamentos de Valle, situado en el Sur, y de Francisco Morazán, en el centro del país. Las seis corrientes consideradas le aportan casi el 70% de la migración total al departamento, quedando al margen de este análisis corrientes de poca monta.

El departamento de Olancho es el principal proveedor de población de Yoro, con una corriente migratoria equivalente al 17.86%. Le sigue Atlántida, otro importante departamento receptor ubicado en la Costa Norte, que en conjunto con su vecino Cortés, le aportan el 23.19% de la migración. El otro departamento de la costa norte, Colón le hace dejar una corriente, también significativa, del orden del 8.58%. Por último, de Valle y Morazán le vienen la corriente del sur equivalente al 19.54% de la migración recibida por Yoro. En síntesis, este campo migratorio puede ser considerado como del centro norte del país aunque muestre una corriente importante proveniente del Sur.

La migración a Yoro puede ser considerada como destino rural ya que el departamento tiene, a la fecha del censo de 1950, una población rural equivalente a los tres cuartos de su población total. Es bastante probable que las corrientes que lo nutren se originen en las zonas rurales, con lo que podría hipotetizarse que este campo migratorio es fundamentalmente rural-rural.

El campo migratorio de Atlántida resulta muy similar al anterior, los departamentos que lo nutren en un 71.89% son exactamente los mismos que aportan población a Yoro más la participación de este último. Solamente se podría señalar que la participación de Olancho, en el centro, es algo menor, compensada por Colón que muestra una corriente algo más intensa. Los departamentos del Sur, más Francisco Morazán y Olancho, le envían corrientes algo menores que las que de esos departamentos llegan a Yoro. Por lo tanto, diríamos que se trata de un campo migratorio similar, aunque desde el punto de vista de la intensidad de corrientes estaría algo más desplazado hacia el norte del país.

El departamento de Atlántida tiene un intenso dinamismo rural aunque su población urbana, como ya se señaló, es muy importante y se encuentra nucleada principalmente en el puerto de La Ceiba. Esto lleva a pensar que las corrientes que se dirigen al departamento son tanto de destino urbano como rural. Desde el punto de vista del origen se puede hipotetizar que las corrientes procedentes de Cortés y de Francisco Morazán deben ser principalmente urbanas, mientras que las que se generan en otros departamentos han de ser de origen rural.

Este último campo migratorio que se puede analizar, el que se organiza alrededor de Copán es de naturaleza bastante diferente a los ya descritos. Es claramente el campo migratorio del Occidente, salvo por los aportes de población recibidos de Santa Bárbara y de Cortés que en conjunto es de 8.96% de la migración. Solamente Ocotepeque provee a este departamento de una corriente equivalente al 68.79%, siendo la contribución de Lempira, Intibucá y La Paz del orden del 18.96%. Probablemente estas corrientes del occidente del país son principalmente rurales, tanto desde el punto de vista de su origen como de su destino.

Concluyendo, se podría observar que los campos migratorios principales se localizan en el Norte (Cortés, Yoro y Atlántida), existiendo otros de menor importancia en el Centro-Sur (Francisco Morazán) y en el Occidente (Copán). Sin embargo, llama la atención que los departamentos expulsores por excelencia, los del Occidente, tengan una escasa participación en los campos migratorios organizados alrededor de los principales departamentos receptores. Esto debería conducir a pensar que la migración que se origina en los departamentos limítrofes con El Salvador, avanza por etapas hacia su más probable destino final, los departamentos del Norte del país; de allí que no se perciba una vinculación directa, en términos de corrientes migratorias, entre los principales departamentos expulsores y los principales departamentos receptores de población.

Si nos detenemos ahora en el cuadro No. 7 podemos observar que los campos migratorios considerados como los más importantes en 1950 son prácticamente los mismos de 1961, con la sola aparición de Santa Bárbara en lugar de Copán.

Respecto de la composición de los campos migratorios encontramos algunas diferencias dignas de notarse con respecto al censo anterior. Por ejemplo, el campo migratorio de Cortés se refuerza aún más en tanto nutrido por los departamentos del occidente. El aporte que antes recibía de Comayagua, Francisco Morazán y Choluteca se disminuye ante la contribución mayor que le llega en 1961 de departamentos tales como Santa Bárbara (que persiste como principal proveedor pero pasando del 16.37% al 19.69%), Copán (que pasa del 8.51% al 11.93%) y Lempira (que no figuraba en 1950 y ahora lo hace con el 9.26%). Otro departamento que surge en 1961 como proveedor importante es Yoro, situado hacia el Este de Cortés.

En cuanto al destino de las corrientes migratorias del campo de Cortés se puede suponer que sea más acentuadamente urbano, ya que el departamento pasa de una población urbana de 35.21% a una de 46.39% durante el período considerado. Este proceso de urbanización podría ser explicado en buena parte por las migraciones procedentes de los otros departamentos.

El campo migratorio de Francisco Morazán no presenta modificaciones sensibles, salvo por la incorporación de Cortés y Olancho en lugar de La Paz y Atlántida. Permanece como un departamento nutrido en buena parte por los departamentos del Sur. El Paraíso, Choluteca y Valle que le envían el 43.13% de la migración total recibida.

Los campos migratorios de Yoro y de Atlántida no presentan modificaciones dignas de señalarse, salvo que resulta presumible que las corrientes migratorias dirigidas al departamento de Atlántida pueden ser consideradas con mayor seguridad como corrientes de destino rural. Este departamento, que en 1950 es el más "urbano" del país (47.14% de población urbana), muestra un crecimiento porcentual de su población rural, que pasa del 52.86% al 57.33% durante el período. Esto resulta congruente con la información obtenida por el método de las tasas de crecimiento intercensal para el período 1950-1961, que lo colocan como el departamento de crecimiento rural más importante del país.

El nuevo campo migratorio que se incorpora a los más importantes, el de Santa Bárbara, posee una composición similar a la que el campo migratorio de Copán mostraba en 1950. Esto nos lleva a suponer que el papel que este último departamento jugaba en 1950, es ocupado ahora por Santa Bárbara. La migración del occidente, antes recogida principalmente por Copán, es recibida, según el censo de 1961, por Santa Bárbara.

2.— LAS MIGRACIONES INTERNAS EN EL PERIODO 1961-1974

2.1.— El crecimiento intercensal de los departamentos

Al observar el Cuadro No. 8, que nos reúne la información acerca del crecimiento intercensal de los departamentos de Honduras en el período 1961-1974, llama la atención la desproporción entre la tasa de crecimiento urbana y la tasa de crecimiento rural. Ya notamos que Honduras inicia el período con una situación de predominio notable de la población rural sobre la urbana. La población rural equivale al 76.47% de la población total, descendiendo del 50%

CUADRO No. 7

HONDURAS: Principales corrientes migratorias a los principales departamentos de atracción de población. Año 1961

DEPARTAMENTO	DEPTOS DE ORIGEN	Inmigrantes	%
CORTES	Sta. Bárbara	13308	19.69
	Copán	8061	11.93
	Lempira	6261	9.26
	Atlántida	5989	8.86
	Yoro	5466	8.09
	Fco. Morazán	5173	7.65
	Otros	23338	34.53
	TOTAL	67596	100.00
FCO. MORAZAN	El Paraíso	7906	17.96
	Choluteca	7109	16.15
	Cortés	4161	9.45
	Valle	3974	9.03
	Comayagua	3319	8.90
	Olancho	3684	8.37
	Otros	13268	30.14
	TOTAL	44021	100.00
YORO	Cortés	5149	14.72
	Olancho	4702	13.44
	Atlántida	4458	12.75
	Valle	4329	12.38
	Comayagua	3498	10.00
	Fco. Morazán	2084	5.96
	Otros	10751	30.74
	TOTAL	34977	100.00

(Continuación de Cuadro 7)

ATLANTIDA	Yoro	5382	15.98
	Colón	5037	14.95
	Cortés	4887	14.51
	Olancho	4725	14.03
	Fco. Morazán	2207	6.55
	Valle	2194	6.51
	Otros	9253	27.47
	TOTAL	33685	100.00
STA. BARBARA	Copán	6347	29.64
	Lempira	4336	20.25
	Ocotepequez	3262	15.23
	Cortés	3091	14.44
	Intibucá	1382	6.45
	Fco. Morazán	952	4.45
	Otros	2043	9.54
	TOTAL	21413	100.00

FUENTE: Censo de población de 1961, Dirección General de Estadísticas y Censos, Tegucigalpa, 1961.

solamente en Francisco Morazán, el departamento de la ciudad capital, en donde alcanza el nivel de 47.79%. En 1974 la situación de todo el país desciende al 69.12% de población rural. Francisco Morazán llega a tener una población rural del 35.69% y se le suma Cortés como el otro departamento que baja la marca de 50% a este respecto. El proceso de urbanización no es algo espectacular, sin embargo es un fenómeno por considerar.

Esto se refleja en las tasas de crecimiento urbano, que alcanza en el período el 4.58%, algo más alta que la del período anterior (4.27%) descendiendo la tasa de crecimiento de la población rural del 2.49% al 1.85%. Esto podría denotar un dinamismo de urbanización muy intenso. Sin embargo, la realidad no es así: la población urbana pasa de 443.413 habitantes a 819.408 (se incrementa en 375.995) mientras la población rural asciende de 1.441.352 habitantes a 1.824.449 (se incrementa en 393.097). En términos de tasas las diferencias son impresionantes pues las bases son muy distintas.

Al diferenciar el crecimiento intercensal según los departamentos se aprecian diferencias bastante importantes, más aún si consideramos esas diferencias en las zonas urbanas y las zonas rurales.

Seis departamentos aparecen como departamentos de atracción de población según este procedimiento. Son departamentos diferentes de los que, según el mismo procedimiento, figuraban en el período anterior como de atracción. Dado que según este procedimiento no podemos considerar volúmenes migratorios, nuestro único recurso es ordenar las diferentes tasas de crecimiento. De esta manera, Gracias a Dios, un departamento muy extenso y escasamente poblado, se coloca en el primer lugar del crecimiento, con una tasa de 4.89, que se forma enteramente en los sectores rurales, pues este departamento no posee zonas urbanas. Luego, el departamento de Cortés, que ocupaba el primer lugar en el período anterior, muestra una alta tasa de crecimiento (4.65%), siendo ésta especialmente elevada en la zona urbana. La zona rural del departamento de Cortés también aparece como de atracción de población, revelándose en términos rurales como el cuarto departamento de atracción. El caso de Colón, que es el departamento que le sigue a nivel global ocupando el tercer lugar, era según este método un departamento de intensa expulsión en el período anterior. Colón experimenta, al igual que Cortés, un alto crecimiento de su población tanto urbana como rural, y ocupando el segundo lugar en la atracción de población rural. Atlántida también aparece con crecimiento de población similar en ambas zonas, aunque respecto a este departamento habría que señalar que el crecimiento rural de éste es sensiblemente superior al urbano (la población rural en 1950 es el 52.86%, siendo en el momento el departamento más urbano del país, en 1961 asciende al 57.33%, y en 1974 llega al 60.12%).

En el departamento de Francisco Morazán acontece el fenómeno inverso con mucha intensidad; el crecimiento urbano es muy intenso, mientras el crecimiento rural se encuentra por debajo del crecimiento rural del país. Por último, el caso de Yoro, una situación de crecimiento urbano similar al del país y de intenso crecimiento rural, lo que lo hace ser en conjunto un departamento de atracción.

Al observar ahora los departamentos de expulsión de población aparecen los seis departamentos del occidente,

CUADRO No. 8

HONDURAS: Clasificación de los departamentos según el carácter Migratorio de acuerdo a la tasa de crecimiento intercensal, período 1961-1974.

DEPARTAMENTOS	TASA DE CRECIMIENTO (x 100)		
	Total	Urbano	rural
TOTAL	2.61	4.58	1.85
ATRACCION			
Gracias a Dios	4.89		4.89
Cortés	4.65	5.72	3.52
Colón	4.56	5.20	4.48
Atlántida	3.54	3.04	3.88
Fco. Morazán	3.50	5.11	1.15
Yoro	3.04	4.64	2.58
RECHAZO			
Ocotepeque	0.20	1.15	0.39
La Paz	0.58	2.79	0.26
Intibuca	0.85	2.34	0.70
Valle	0.90	4.36	0.24
Lempira	1.02	2.52	1.00
Copán	1.39	3.64	0.96
Sta. Bárbara	1.77	0.47	1.91
Choluteca	1.94	4.85	1.41
El Paraíso	2.11	3.39	1.90
EQUILIBRIO			
Islas de la Bahía	2.96	2.39	3.21
Comayagua	2.59	3.62	2.25
Olancho	2.41	3.63	2.19

FUENTE: Censos de población de 1961 y 1974, Dirección General de Estadísticas y Censos, Tegucigalpa.

limítrofes con El Salvador y con Guatemala (Copán), ordenados claramente en los seis primeros lugares: Ocotepeque, La Paz, Intibucá y Valle presentan un crecimiento inferior al 1% para el período intercensal. Lempira apenas supera esta marca y Copán se alza al 1.39%. Si el bajo crecimiento de población, diferenciado en zonas urbanas y rurales, nos indica la expulsión de población, veremos que esta situación se da en forma muy marcada en las zonas rurales; desde este punto de vista sólo Lempira llega al 1%, no alcanzando esta cifra los cinco restantes. Es probable, entonces, que la expulsión de población en estos departamentos, ya observada en el período anterior, se vea intensificada entre 1961 y 1974. Desde el punto de vista urbano, solamente el departamento de Valle muestra un crecimiento que se acerca al crecimiento urbano general del país. Ocotepeque se destaca por su bajo crecimiento urbano, el cual es superado solamente por Santa Bárbara, departamento que compensa ese bajo crecimiento con un crecimiento rural algo levemente superior al crecimiento rural del país.

Santa Bárbara, Choluteca y El Paraíso, son los otros departamentos de expulsión más moderada. Ya nos referimos a Santa Bárbara que muestra un estancamiento urbano muy acentuado y que presenta una situación equilibrada en su área rural. Choluteca es el caso opuesto; posee un crecimiento urbano algo superior al del país junto a uno rural bastante bajo. Por último, El Paraíso presenta un nivel de expulsión significativo en las zonas urbanas, mientras en lo rural se muestra como departamento de equilibrio.

Los tres departamentos que pueden ser considerados propiamente de equilibrio tienen un comportamiento bastante similar. Islas de La Bahía muestra una intensa atracción en sus áreas rurales, mientras su zona urbana expulsa población. En Comayagua y Olancho el fenómeno es más mitigado, tanto en términos de una menor expulsión urbana, como de una menor atracción rural.

La caracterización de los departamentos según el método de las relaciones globales de supervivencia no fue posible realizarla debido a que, para el censo de 1974, sólo contamos con información de una muestra. Los errores que se pueden cometer con este tipo de información se deben al hecho de que la muestra se subdivide en tantas categorías que las desviaciones resultan demasiado elevadas. Encontramos muchas incoherencias, respecto a los demás métodos, por lo que consideramos saludable no incluirlo en el análisis descriptivo.

2.2.— La medición directa del proceso migratorio

El estudio de las migraciones en base a la pregunta censal del lugar de nacimiento del empadronado nos permite una medición más precisa que da cuenta, en Honduras, de tendencias nuevas respecto del análisis efectuado a partir de los censos anteriores. La información resultante del cálculo se halla contenida en el cuadro No. 9.

Respecto de las características generales del movimiento migratorio de este período, puede observarse que éste afecta a un 19.08% de la población hondureña, lo que significa una intensificación más que apreciable de la migración, que según el mismo procedimiento representaba un 15.23% en 1961, y un 8.30% en 1950.

De este movimiento, un 25.12% se dirige hacia Cortés, que se mantiene en el primer lugar como departamento de absorción de población. Hacia el departamento de la capital, Francisco Morazán, llega un 16.89% del mismo. Volúmenes menores, aunque de importancia, llegan a Yoro (el 11.24%), a Atlántida (el 11.13%) y a Colón (el 7.34%). Estos cinco departamentos, de los cuales cuatro, excluyendo a Francisco Morazán, se localizan en el norte del país, absorben el 71.72% del movimiento migratorio. Esto significa un intenso proceso de concentración de la población en pocos departamentos, de los cuales, aunque muestran también importantes salidas de población, se convierten en los polos de atracción por excelencia.

Tal como se ha venido haciendo en capítulos anteriores, los departamentos se ordenan de acuerdo a sus tasas de migración neta. Según esta ordenación, encontramos algunos cambios en los rangos. Cortés se confirma como el principal departamento de atracción, tanto en términos absolutos, es decir, según el saldo migratorio cuyo valor casi dobla al departamento que le sigue, como en términos relativos. Su tasa de migración neta aumenta algo con respecto a la mostrada en 1961 que ya era elevado. El cambio quizás más sustantivo se observa en el departamento de Colón, que pasa a ocupar un segundo lugar, casi alcanzando a Cortés. Colón casi ha triplicado su población desde 1950. Según el censo de ese año era un departamento expulsor con una tasa de migración neta negativa de -5.65%. Ya en 1961 pasa a ser un departamento de equilibrio con un saldo positivo al que le correspondía una tasa neta de 3.76%. En 1974 muestra esa misma tasa un valor de 23.90%. De esta manera, el proceso que se insinuaba a comienzos de la década del sesenta se confirma y fortalece trece años después.

CUADRO No. 9

HONDURAS: Migraciones según lugar de nacimiento. 1974 (*)

DEPARTAMENTOS	NUMERO INMI-GRACION	NUMERO EMIGRA CION	SALDO M.	INMIG.	TASAS EMIG.	MIG. NETA
TOTAL	525.090	525.090				
ATRACCION						
Cortés	131.910	41.800	90.110	37.67	11.93	25.74
Colón	38.590	14.880	23.710	38.90	15.00	23.90
Atlántida	58.490	34.270	24.220	40.93	23.98	16.95
Yoro	59.040	35.560	23.480	31.32	18.86	12.46
Fco. Morazán	88.710	39.080	49.630	20.41	8.99	11.42
Islas Bahía	2.720	1.740	980	20.54	13.14	7.40
EXPULSION						
Ocotepeque	3.190	30.640	-27.450	4.48	43.06	-38.58
La Paz	4.420	26.860	-22.440	5.67	34.48	-28.81
Valle	7.500	36.530	-29.030	7.15	34.86	-27.71
Lempira	6.750	36.000	-29.250	4.59	24.49	-19.90
Copán	17.920	38.070	-20.150	12.10	25.72	-13.62
Choluteca	12.210	38.260	-26.050	6.31	19.77	-13.46
Comayagua	18.640	31.430	-12.790	14.45	24.37	- 9.92
Olandro	17.410	29.830	-12.420	11.50	19.70	- 8.20
El Paraíso	12.770	23.390	-10.620	9.45	17.31	- 7.86
Sta. Bárbara	32.000	47.040	-15.040	16.10	23.66	- 7.56
Intibucá	12.210	18.860	- 6.650	9.80	15.15	- 5.35
EQUILIBRIO						
Gracias a Dios	610	850	- 240	1.44	2.00	- 0.56

*) Estos datos proceden de una muestra del 10% extraída del censo de 1974.

Fuente: Censo de población de 1974. Dirección General de Estadísticas y Censos, Tegucigalpa 1974.

Otros departamentos de atracción son los que han venido figurando como tales en los años anteriores. Nos referimos a Atlántida, Yoro y Francisco Morazán. De estos tres departamentos, el último muestra un carácter absorbente que aumenta lentamente, pasando de una tasa de migración neta de 4.95% en 1950, a 7.99 en 1961 y finalmente a 11.42% en 1974. No acontece lo mismo con Yoro, que desciende paulatinamente, ni con Atlántida, que después de haber mostrado un dinamismo absorbente muy marcado entre 1950 y 1961, al pasar de 4.47% a 18.56%, desciende en 1974 al 16.95%.

El último departamento de atracción viene a ser otro departamento que se incorpora recientemente a este grupo. Se trata de Islas de la Bahía, que había mostrado altas tasas de migración neta negativa en los censos anteriores (15.30 y 17.97) y que ahora muestra una de 7.40%. Ya observábamos, según el método del crecimiento intercensal, una importante atracción en las áreas rurales del departamento. Este movimiento se ve confirmado con el análisis presente.

Si tomamos ahora los departamentos de expulsión veremos que los cambios no son muy aparentes, sin embargo existen algunos interesantes de mencionar.

Los cuatro primeros departamentos de expulsión son los que aparecen como tales en el análisis realizado con el mismo procedimiento en 1961. Estos departamentos intensifican aún más su carácter expulsor de población. Ocotepeque eleva la alta tasa negativa que poseía en 1961 (pasa de 36.32 a 38.58). Pero más interesante es la intensificación producida en La Paz (de 20.41 a 28.81) y sobre todo en Valle (de 19.73 a 27.21). Lempira, que había intensificado mucho en 1961 su carácter expulsor lo eleva también en 1974 al pasar de 12.97 a 19.00%.

Fuera de esta notoria intensificación del carácter repelente de población de estos cuatro departamentos occidentales, tenemos el caso de Copán, que pasa del décimo lugar, según el censo anterior, al quinto, según el de 1974. Este departamento también ha venido deteriorando su capacidad de retener la población pues, en 1950, tenía un saldo positivo.

Los departamentos de Choluteca, El Paraíso y Olancho se mantienen como departamentos de expulsión moderada de población, sin manifestar cambios significativos en el período 1961-1974.

El caso de Santa Bárbara es digno de destacarse. En 1950 y 1961 figuró como un departamento de equilibrio, pasando en 1974 a ser un departamento expulsor. Sin embargo, este departamento se mantiene absorbiendo corrientes de población bastante importantes que proceden de los departamentos occidentales. A pesar de esto, sus propios nativos emigran en cantidades aún más grandes, lo que se refleja en su saldo migratorio negativo que en términos de volumen es alto. El volumen de emigrantes de Santa Bárbara que según este método son nacidos en este departamento, constituye el más elevado de todos los observados en el país, alcanza a la cifra de 47.040 emigrantes.

Tenemos en último lugar el caso del departamento de Intibucá, en la zona occidental del país, que registra un decrecimiento muy importante de su carácter expulsor. Este departamento figura en 1974 con una tasa de migración neta negativa del orden del -5.35%, en tanto que en 1961 mostraba una de -12.50%. Es un caso no habitual de un departamento situado en la zona de mayor expulsión del país, que como zona refuerza su carácter, y que revela una capacidad mayor de retener a su población que la mostrada anteriormente.

En cuanto a los departamentos de equilibrio, el cuadro realizado nos muestra solamente a Gracias a Dios, el extenso departamento del oriente, que posee la más baja densidad de población del país. Este departamento exhibe las tasas más bajas de inmigración y de emigración, lo que lo sitúa como un departamento relativamente desconectado del movimiento migratorio nacional.

Al fin de facilitar análisis posteriores y más detenidos por parte del lector, hemos incluido un cuadro resumen del proceso migratorio según los tres censos considerados. El cuadro No. 10 no proporciona información nueva respecto de otros ya presentados, sino que la reúne para posibilitar una comparación más exhaustiva de la evolución de los departamentos en términos de su carácter migratorio.

Dado que el censo de 1974, al igual que en los otros países centroamericanos, nos permite un estudio de la migración más reciente, a saber, la ocurrida durante los últimos cinco años anteriores al censo, presentamos los resultados obtenidos de este cálculo en el cuadro No. 11.

Esta información nos posibilita confirmar las tendencias más recientes observadas en el análisis anterior. De esta

CUADRO No. 10 HONDURAS: Comparación de las tasas de migración en **1950-1974 según lugar de nacimiento.**

DEPARTAMENTOS	TASAS INMIGRACION			EMIGRACION			T.M.N.		
ATRACCION	1950	1961	1974	1950	1961	1974	1950	1961	1974
Cortés	22.20	36.07	37.67	5.83	11.34	11.93	16.37	24.75	25.74
Yoro	19.78	27.95	31.32	5.05	13.65	18.86	14.73	14.30	12.46
Fco. Morazán	11.13	15.90	20.41	6.18	7.81	8.99	4.95	7.99	11.42
Atlántida	18.99	38.15	40.93	14.53	19.59	23.98	4.47	18.56	16.95
EXPULSION 1950									
Ocotepeque	0.45	1.63	4.48	19.25	37.95	43.06	-18.80	-36.62	-38.58
Islas de la Bahía	2.97	10.66	20.59	18.27	28.63	13.14	-15.30	-17.97	
La Paz	1.22	3.07	5.67	12.16	23.68	34.84	-10.94	-2041	-28.81
Valle	2.38	5.40	7.15	12.48	25.14	34.86	-10.10	-19.73	-27.21
Colón	8.14	29.41	38.80	13.79	25.63	15.00	- 5.65	3.76	23.90
Olancho	4.88	7.30	11.50	10.26	17.52	19.70	- 5.38	-10.21	- 8.10
El Paraíso	3.01	6.48	9.45	7.81	12.78	17.31	- 4.80	- 6.30	- 7.86
Intibucá	1.22	3.05	9.80	5.77	15.55	15.15	- 4.55	-12.50	- 5.35
Lempira	1.69	3.27	4.59	7.00	16.24	24.49	- 4.45	-12.97	-19.90
Choluteca	2.93	4.62	6.31	6.14	11.19	19.77	- 4.15	- 6.57	-13.46
Comayagua	5.51	14.07	14.45	9.59	16.48	24.37	- 4.03	- 2.41	- 9.92
EQLILIBRIO 1950									
Copán	9.19	12.80	12.10	7.00	16.83	25.72	2.19	- 4.03	-13.62
Santa Bárbara	6.17	14.90	16.10	7.52	14.86	23.66	-1.35	0.04	7.56
Gracias a Dios		4.49	1.44		3.12	2.00		1.37	- 0.56

FUENTE: Censos de población de 1950, 1961 y 1974, Dirección General de Estadísticas y censos, Tegucigalpa.

manera vemos que lo que afirmábamos respecto del departamento de Colón corresponde a una migración que está en proceso de desarrollo. Este departamento, ubicado en la Costa Norte, es el que muestra en los últimos cinco años el mayor dinamismo absorbente. Se constata que, durante los últimos años, el polo de atracción localizado anteriormente en los departamentos costeros del norte, situados hacia el occidente, se viene ampliando y localizando más bien hacia el Este del país.

Existe un claro proceso de poblamiento de las regiones más orientales del norte. El departamento de Colón presenta una tasa de migración neta, durante los últimos cinco años, del orden del 25.16%, lo que significa que el ascenso registrado según el procedimiento del cálculo de la migración acumulativa, se ha efectuado en la última fase del período intercensal.

Es curioso constatar que el departamento de Yoro, que en términos acumulativos es un departamento de atracción, con una tasa de migración neta positiva de 12.46%, se convierte en los últimos cinco años en un departamento de equilibrio, con saldo migratorio negativo. Esto significa claramente una saturación poblacional de este departamento. Algo similar, aunque en términos mucho menos evidentes, es lo que acontece con el departamento de Islas de la Bahía. Contrariamente, Cortés, Atlántida y Francisco Morazán mantienen inalterada su capacidad de atracción de población, sin mostrar cambios de mucha relevancia.

En cuanto a los departamentos de expulsión, notamos un incremento reciente de la expulsión en el departamento de Valle, que desplaza del primer lugar a Ocotepeque. Sin embargo, cuatro departamentos occidentales ocupan las primeras posiciones como repelentes de población. Respecto de Copán se confirma la tendencia expulsora de este departamento, ya visualizada en la migración acumulativa hasta 1974; en efecto, presenta una tasa de migración neta negativa bastante alta, aconteciendo algo similar, aunque en grado menor, en Santa Bárbara. Con esto se constata el desplazamiento de la población hacia el Este del país, ya que estos departamentos fueron anteriormente los que recogían la población expulsada de los departamentos occidentales. Ahora son manifiestamente departamentos expulsores de su propia población.

CUADRO No. 11

HONDURAS: Migraciones según lugar de residencia en 1969. Censo de 1974 (*)

	Inmigrantes	Emigrantes	Saldo Migratorio	Tasa Inmig.	Tasa Emigr.	T.N.M.
TOTAL	170.880	170.880				
ATRACCION						
Colón	20.230	4.000	16.230	31.36	6.20	25.16
Cortés	37.480	21.610	15.870	13.50	7.78	5.72
Atlántida	19.440	13.680	5.760	17.25	12.14	5.11
Fco. Morazán	31.770	15.090	16.680	9.15	4.35	4.80
EXPULSION						
Valle	2.310	9.630	-7.320	2.46	10.25	-7.79
Ocotepeque	2.590	7.450	-4.860	4.09	11.75	-7.66
La Paz	1.460	5.510	-4.050	2.15	8.11	-5.96
Lempira	2.230	9.680	-7.450	1.74	7.56	-5.82
Copán	5.360	12.160	-6.800	4.19	9.51	-5.32
Sa. Bárbara	8.710	17.000	8.290	5.15	10.05	-4.90
Comayagua	4.620	9.380	-4.760	4.23	8.59	-4.36
Choluteca	5.050	11.450	-6.400	3.08	6.98	-3.90
EQUILIBRIO						
Intibucá	7.170	4.250	2.920	7.29	4.32	2.97
Islas de la Bahía	910	620	290	8.52	5.80	2.72
Gracias a Dios	270	230	40	0.79	0.67	0.12
El Paraíso	4.280	6.260	-1.980	3.78	5.53	-1.75
Yoro	12.660	15.540	-2.880	8.11	9.95	-1.84
Olandro	4.340	7.340	-3.000	3.49	5.90	-2.41

*) Estos datos proceden de una muestra del 10% extraída del censo de 1974.

FUENTE: Censo de población de 1974, Dirección General de Estadísticas y censos, Tegucigalpa, 1974.

Comayagua y Choluteca son departamentos que se mantienen como expulsores moderados de población, aunque una tasa de migración neta negativa del -4.36% en un período de cinco años es bastante alta para Comayagua, lo que puede estar manifestando un proceso de expulsión que se inicia.

Los departamentos de equilibrio son los que muestran cambios más significativos después de Colón. El departamento occidental de Intibucá presenta una tasa de migración neta positiva de 2.97%. Es prácticamente un departamento de atracción pues esa tasa en cinco años no es despreciable. Según la migración acumulativa hasta 1974, este departamento figuraba como de expulsión moderada, después de haber sido en los períodos anteriores un departamento de intensa expulsión de población. El cambio de tendencia ya percibido en páginas anteriores se muestra con particular énfasis en los últimos cinco años.

Los casos de El Paraíso y Olancho son también dignos de destacarse en términos de una disminución en la tendencia expulsora de población. Siendo departamentos de una tradicional expulsión moderada, figuran ahora como departamentos de expulsión con saldos migratorios negativos de monto menor.

2.3.— **Las corrientes migratorias**

Analizamos las corrientes migratorias más importantes que han transcurrido en el último período de cinco años antes del censo.

A los cuatro departamentos que figuran siempre como los mayores absorbentes de población, Cortés, Francisco Morazán, Atlántida y Yoro, y que organizan en torno a sí los campos migratorios más importantes numéricamente, se agrega ahora Colón, que ocupa según la migración a corto plazo el tercer lugar en términos absorbentes. El departamento de Yoro, que tiene un saldo migratorio negativo, es importante como absorbente de población ya que recibe 12.660 inmigrantes aunque expulsa 15.540 emigrantes. Dado que consideramos aquí los volúmenes más grandes de migrantes lo consideramos en este análisis de las corrientes.

El campo migratorio de Cortés es el que muestra un mayor volúmen de migrantes. Recibe el 21.93% del total de migrantes durante el período analizado, de los cuales el 73.72% se incluyen en las seis corrientes más numerosas que consideramos en este análisis. La corriente más importante le viene de Santa Bárbara, departamento que recibe población de los departamentos occidentales y que envía 9.080 emigrantes a Cortés. De Yoro y Atlántida recibe un 25.72% del aporte total al departamento, y los restantes departamentos, Francisco Morazán, Copán y Comayagua, los nutren con un 23.97% en conjunto. La composición de los departamentos que contribuyen con las corrientes de población más importantes revela, a este campo migratorio como el campo del Nor-Oeste del país, confirmándose las tendencias mostradas por los análisis anteriores. Por otra parte, el análisis de las tasas de crecimiento intercensal del departamento de Cortés muestran que este departamento crece intensamente, tanto en sus áreas urbanas como en sus áreas rurales por lo que debería postularse que las corrientes migratorias son de destino urbano y rural. Respecto del origen, y considerando el crecimiento diferencial de las zonas rurales y urbanas de los departamentos aportantes, puede considerarse que la corriente proveniente de Santa Bárbara sea de origen urbano principalmente, lo mismo que la originada en Comayagua y en Atlántida, puesto que estos departamentos pueden ser considerados de atracción rural pero de expulsión urbana. Difícilmente puede adelantarse alguna hipótesis sobre las corrientes procedentes de Francisco Morazán, Yoro y Copán, que deben ser en parte urbanas y en parte rurales.

El segundo campo migratorio en términos de volumen es el que se configura alrededor de Francisco Morazán. Al observar los departamentos que lo nutren en más de un 70%, vemos que ellos se sitúan, salvo Cortés, en el Centro-Sur del país, siendo este campo migratorio similar al que hemos analizado más arriba. El departamento del sur, Choluteca, es el principal aportante de Francisco Morazán. Los otros departamentos proveedores son los que lo circundan por el Este, Olancho y El Paraíso, por el Oeste, Comayagua, y por el Sur, Valle. La otra corriente considerada es la procedente de Cortés, que le aporta el 14.95%, siendo la segunda en importancia. El destino de estas corrientes es claramente urbano, ya que la población urbana de Francisco Morazán tiene un alto crecimiento intercensal. El origen de las mismas puede ser urbano en mayor grado en El Paraíso, Olancho y Comayagua; dado el nivel de absorción rural de Cortés, la corriente migratoria que viene a Francisco Morazán procedente de este departamento debería ser también urbana-urbana. La que le llega de Valle debe ser fundamentalmente de origen rural como asimismo la de Choluteca.

El departamento de Colón, en el Este de la Costa Norte del país, presenta un campo de atracción que se extiende por Norte hasta los departamentos occidentales. Más del 80% de la migración que recibe le viene de Atlántida, Cortés y Yoro, en el Norte pero en dirección hacia el Occidente, y de Santa Bárbara, Copán y Lempira, claramente en el Occidente del país.

La atracción de Colón es principalmente rural, aunque también en parte urbana. Llama la atención que esta atracción opera sobre departamentos proveedores bastante lejanos como los occidentales, en donde se originan corrientes presumiblemente urbanas en el caso de Santa Bárbara y preponderantemente rural en Copán y Lempira. En los departamentos del Norte se pueden postular corrientes principalmente de origen urbano en Atlántida, que atrae en sus sectores rurales pero expulsa en los urbanos, siendo difícil adelantar un origen probable en Yoro y Cortés.

El campo migratorio que se constituye en torno a Atlántida presenta, en el corto período analizado, modificaciones significativas respecto al que se había caracterizado para los períodos anteriores. Llama la atención que extiende su acción absorbente de población hacia los departamentos occidentales que quedan bastante distanciados de él. Atrae población de Copán, Lempira y Santa Bárbara, departamentos que en conjunto le aportan un 34.20% de la migración total que recibe. De Cortés y Yoro, departamentos que le son colindantes hacia el Oeste, recibe un 36.01%, y de Colón un 7.15%. El campo migratorio de Atlántida resulta, por lo tanto, muy similar al observado en Colón, abarcando también la zona norte y la occidental del país. Aquí se confirma la existencia del recorrido migratorio más significativo, el que se genera en los departamentos occidentales y se dirige por el Norte hacia el Oriente. El destino de esta migración parece ser claramente rural, pues Atlántida presenta un crecimiento urbano en el período intercensal 1961-1974 sensiblemente más bajo que el del conjunto de las zonas urbanas del país, mientras su crecimiento rural es, después de Gracias a Dios (departamento casi deshabitado), el más elevado del país.

Tenemos por último el campo migratorio de Yoro que se compone básicamente de los mismos departamentos proveedores que en 1961, más la presencia de dos nuevos: Colón y Santa Bárbara. No figuran ahora dentro de su campo de atracción los departamentos del Centro, tales como Francisco Morazán y Olancho. Curiosamente este campo migratorio es el menos concentrado de los considerados, pues incluye departamentos del sur, como Valle, y departamentos del Nor-Este, como Colón. Sus departamentos vecinos hacia el norte le aportan más del 42% del total recibido, proveniendo de Valle y Santa Bárbara en el oeste, más del 21% del total de inmigrantes del departamento. Dado que Yoro muestra un crecimiento rural bastante superior al crecimiento rural del país, y que su crecimiento urbano se asimila al del total urbano, se puede postular que las corrientes migratorias al departamento son preponderantemente de destino rural.

CUADRO No. 12

HONDURAS: Principales corrientes migratorias a los principales departamentos de atracción de población según lugar de residencia hace 5 años, año 1971.

DEPTOS. RECEPTORES	DEPTOS DE ORIGEN	INMIGRANTES	%
CORTES	Sta. Bárbara	9080	24.04
	Yoro	5470	14.59
	Atlántida	4170	11.13
	Fco. Morazán	3990	10.65
	Copán	2900	7.74
	Comayagua	2090	5.58
	Otros	1187	26.28
	TOTAL	37480	100.00
FCO. MORAZAN	Choluteca	5710	17.97
	Cortés	4750	14.95
	El Paraíso	3910	12.31
	Olancho	3280	10.32
	Valle	2910	9.16
	Comayagua	2790	8.78
	Otros	8420	26.50
	TOTAL	31770	100.00

COLON	Atlántida	4070	20.12
	Yoro	3240	16.02
	Cortés	3130	15.47
	Sta. Bárbara	2140	10.58
	Copán	2000	9.89
	Lempira	1910	9.44
	Otros	3740	18.49
	TOTAL	20230	100.00
ATLANTIDA	Cortés	3590	18.47
	Yoro	3410	17.54
	Copán	2290	11.78
	Lempira	2180	11.21
	Sta. Bárbara	2180	11.21
	Colón	1390	7.15
	Otros	4400	22.63
	TOTAL	19440	100.00
YORO	Cortés	2800	22.12
	Atlántida	2550	20.14
	Valle	1900	15.01
	Comayagua	1200	9.48
	Colón	840	6.63
	Sta. Bárbara	820	6.47
	Otros	2550	20.14
	TOTAL	12660	99.99

FUENTE: Censo de población de 1974, Dirección General de Estadísticas y censos, Tegucigalpa, 1974.

CAPITULO V

NICARAGUA

1.— Las Migraciones Internas en la década 1950-1963

1.1.— Método de la tasa de crecimiento intercensal

Nicaragua continuaba siendo en 1963 un país predominantemente rural, pero la población urbana crecía en importancia al ocupar esta, cada vez más, una mayor proporción en la población total. Así, mientras en 1950 la población urbana representaba un 35.2% del total, en 1963 había ascendido al 40.9%.

En el período intercensal 1950-1963 la población total del país se incrementó en 46.3%, a la vez que la población urbana se incrementó el 69.9% y la rural el 33.4%. La tasa media de crecimiento anual en ese período fue para el país el 2.89%, para la población urbana el 3.98% y para la rural el 2.20%. (ver cuadro No. 1). Con ambos indicadores, la proporción de aumento y la tasa media, se aprecia un acelerado proceso de urbanización de la población.

El aumento sistemático y progresivo de la población urbana no es igual en todos los departamentos del país, pudiendo distinguirse algunos en los que el crecimiento de su población urbana es superior al crecimiento de la población urbana del país. Este último es el caso de los departamentos de Managua, Estelí, Madriz, Chinandega, Jinotega y Nueva Segovia que tienen tasas del 5.54%, 4.66%, 4.36%, 4.35% y 4.27%, respectivamente. Entre estos departamentos, Managua y Chinandega ya tenían, en 1950, una proporción de población urbana superior a la del país. El dinámico crecimiento que mantienen estos departamentos podría explicarse, en el caso de Managua, por comprender a la ciudad capital, el principal centro económico y político del país, y en el caso de Chinandega por comprender a tres centros urbanos de gran actividad económica: Corinto, el principal puerto, Chinandega, la cabecera departamental, y Chichigalpa, sedes de importantes complejos agro-industriales.

Los otros departamentos con altos índices de crecimiento de población urbana, Estelí, Madriz, Jinotega y Nueva Segovia, son departamentos que incluso en 1963 tenían una proporción de población urbana inferior a la del país y que por tanto están recorriendo las primeras etapas del proceso de urbanización.

Hay tres departamentos, Boaco, León y Rivas, en los cuales la población urbana crece a un ritmo semejante a la del país aunque ligeramente inferior. Pero los restantes siete departamentos tienen tasas de crecimiento de la población urbana sensiblemente menores que la nacional.

En el supuesto de que el crecimiento **natural** de la población rural es mayor que el de la población urbana, como parece sostenerse a partir de diversos indicadores y aún en el supuesto más restrictivo de que el crecimiento natural de ambas zonas sea igual, el crecimiento superior de la población urbana, hemos demostrado, es alimentado no solo por el crecimiento natural de la población urbana sino también por el desplazamiento de población de zonas rurales a zonas urbanas.

Hay seis departamentos cuyas tasas de crecimiento demográfico, muy superiores a la del país, los revelan como departamentos de atracción de población. En primer lugar se destaca Managua, al Oeste del país, con una tasa media de crecimiento anual intercensal del 5.03%, superior en un 74.0% a la del país; en el período intercensal (1950-63) la población de Managua se incrementó en 97.4%, siendo este incremento un 110% mayor que el del país. No hay duda de que el crecimiento del departamento de Managua se ha concentrado en la ciudad de Managua, capital del país, que tuvo una tasa de crecimiento del 5.59% superior a la tasa de crecimiento del departamento (5.03%) y de la población urbana del mismo (5.54%).

En segundo lugar tenemos a Nueva Segovia, en el Norte del país, con una tasa de crecimiento poblacional de 4.26%, un incremento del 76.6%. El hecho de que las poblaciones urbanas y rural de este departamento tengan un crecimiento semejante (tasas de 4.27 y 4.25%, respectivamente), hace pensar en una análoga capacidad de atracción de población en ambas áreas.

En tercer lugar está el departamento de Río San Juan, con una tasa del 4.09% y un incremento de la población del 72.5%. En este departamento del Sur del país, el crecimiento de la población se ha concentrado en el sector rural; en efecto, mientras la población rural crecía a una tasa del 4.94% y se incrementaba en 94.8% en el período intercensal, la población urbana creció a una tasa del 1.10% anual y se incrementó en el período en 15.4%. San Juan y Chontales, que estudiaremos adelante, son los únicos departamentos en los cuales la población urbana ha reducido su participación relativa de un modo significativo. La población urbana de Chontales en 1950, representaba un 23.1% pasando en 1963 a un 19.6%; en San Juan pasó del 28.2% al 18.9%. Pero no debe descartarse una posible mayor omisión censal de las zonas rurales en 1950, lo cual estaría afectando, en 1963, los índices de crecimiento urbano-rural de la población.

En cuarto lugar, como departamento de atracción, está Jinotega, también al Norte del país, en el cual el crecimiento de la población urbana es superior al de la población del país. En quinto y sexto lugares están Estelí, al Noroeste, y Chinandega, en el extremo occidental, con tasas medias de crecimiento del 3.47% 3.42%, respectivamente, pero en los que el crecimiento de la población urbana es significativamente superior al de la población rural, no obstante que ésta crece más rápidamente que la población rural del país en su conjunto.

Los departamentos de rechazo o expulsión de población, aquellos que tienen una tasa de crecimiento notoriamente menor que la del país, son Masaya, León, Carazo, Matagalpa, Zelaya y Granada. Entre ellos destaca Masaya, en el centro de la región del Pacífico, con una tasa del 0,42% y con un incremento de la población del 5.7 en 13 años. En Masaya, el departamento de mayor densidad poblacional, la población rural es absorvida por los desplazamientos migratorios. Es poco probable que estos desplazamientos sean preferentemente hacia áreas urbanas del mismo departamento, pues la población urbana también ha tenido una baja tasa de crecimiento (1.98%).

León, ubicado en el occidente del país, es el segundo departamento con más baja tasa de crecimiento, 1.48%, y en

CUADRO No. 1

NICARAGUA: Carácter Migratorio de los departamentos según tasa media anual de crecimiento de la población total, urbana y rural, en el período 1950-1963.

DEPARTAMENTOS	TOTAL	TASAS URBANA	RURAL
NICARAGUA	2.89	3.93	2.20
ATRACCION			
1. Managua	5.03	5.54	3.56
2. Nueva Segovia	4.26	4.27	4.25
3. R. San Juan	4.09	1.10	4.94
4. Jinotega	3.51	4.35	3.37
5. Estelí	3.47	5.34	2.79
6. Chinandega	3.42	4.36	2.72
RECHAZO			
1. Masaya	0.42	1.98	0.90
2. León	1.48	3.42	0.18
3. Carazo	1.79	2.00	1.63
4. Matagalpa	1.80	2.75	1.62
5. Zeleya	2.08	2.76	1.79
6. Granada	2.27	2.18	2.40
EQUILIBRIO			
1. Boaco	2.72	3.49	2.61
2. Rivas	2.67	3.00	2.52
3. Chontales	3.05	1.83	3.38
4. Madriz	3.14	4.66	2.85

FUENTE: Censos de población de 1950 y 1963, Dirección General de Estadísticas y Censos, Managua.

el cual se manifiesta un fenómeno semejante, aunque menos agudo, al de Masaya, pues la población rural creció a la muy baja tasa del 0.18%, pero, a diferencia de Masaya, en León la población urbana creció a una tasa del 3.42%, inferior a la de la población urbana de todo el país (3.98%), pero superior a la del total de la población del país (2.89%), lo que quizá indicaría que las ciudades de León están reteniendo parte de la población rural emigrante del departamento. Otros dos departamentos de rechazo son Carazo, en el Pacífico, y Matagalpa, en el centro del país, con tasas de crecimiento de la población total de 1.79% y 1.80%, respectivamente y con tasas de crecimiento de la población urbana y rural inferiores a las del país.

Finalmente, Granada al sur-oeste y Zelaya, en el Atlántico constituyen los restantes departamentos que, a partir de sus tasas de crecimiento, pueden ser considerados como de expulsión de población.

Boaco, Chontales, Madriz y Rivas constituyen departamento de equilibrio poblacional, con tasas de crecimiento semejantes a la del país. En todos ellos, exceptuando Chontales, la población urbana crece más rápidamente que la rural.

Chontales también en el centro del país, tiene una baja tasa de crecimiento de la población urbana (*) y una alta tasa de crecimiento de la población rural al extremo de que, junto con San Juan y Granada en menor grado, son los únicos departamentos en los que la población rural ha incrementado su participación en la población total departamental.

1.2.— Migración intercensal estimada a partir de la relación global de supervivencia.

En el cuadro No. 2 aparecen siete departamentos con saldos migratorios y tasas netas de migración positivos; el resto, nueve departamentos, tienen ambos índice con signos negativos. De todos los departamentos, Madriz y Chontales tienen tasas de migración cercanas a la unidad, por lo que pueden ser considerados departamentos de equilibrio.

(*) Que se podría explicar por el decaimiento de los centros mineros.

Los resultados en cuanto a los departamentos de atracción y rechazo de población guardan semejanza con los obtenidos por el método de la tasa de crecimiento, salvo la desviación de Boaco y Rivas que en el Apartado 1.1. aparecen como departamentos de equilibrio y según la relación global de supervivencia como departamentos de rechazo, pero en ambos casos situados en el límite que separa a unos y otros.

De acuerdo al mismo cuadro No. 2, los departamentos de atracción son los mismos que fueron clasificados como tales en el Cuadro No. 1, lo que refuerza las tendencias observadas en el apartado anterior, tanto a nivel de los de-

CUADRO No. 2

NICARAGUA: Departamentos de atracción, equilibrio y expulsión de población, obtenidos según la relación global de supervivencia 1950-1963

DEPARTAMENTOS	SALDO MIGRATORIO Hombres	Mujeres	Total	TASAS DE MIGRACION NETA Hombres	Mujeres	Total
ATRACCION						
Managua	23.664	29.309	52.973	28.18	28.55	28.38
Nueva Segovia	2.361	1.897	4.258	18.42	14.69	16.55
Estelí	795	335	1.130	16.78	8.62	13.30
Chinandega	4.344	2.768	7.112	11.39	7.57	9.52
San Juan	1.002	1.166	2.168	5.52	5.77	5.65
Jinotega	1.663	440	2.103	7.78	2.13	5.00
EQUILIBRIO						
Madriz	606	149	758	4.39	1.04	2.69
Chontales	213	- 902	-1.115	- 1.05	- 4.40	- 2.74
EXPULSION						
Masaya	-7.863	-8.148	-16.011	-38.04	-35.14	-36.50
León	-8.183	-8.764	-16.947	-19.88	-19.90	-19.89
Matagalpa	-9.106	8.714	-17.820	-19.54	-18.39	-18.96
Carazo	-2.263	-2.876	- 5.139	-12.59	-14.38	-13.53
Zelaya	-4.313	-2.190	- 6.503	-17.75	- 8.73	-13.17
Granada	- 943	-1.916	- 2.859	- 5.44	- 9.50	- 7.63
Boaco	-1.110	-1.201	- 2.311	- 5.81	- 6.02	- 5.92
Rivas	- 435	-1.363	- 1.798	- 2.55	- 7.34	- 5.04

FUENTE: Cálculos en los censos de población de 1950 y 1963, Dirección General de Estadísticas y Censos, Managua.

partamentos de atracción como a nivel de los de expulsión de población.

Aproximándonos en forma un tanto diferente al camino seguido en los otros países, la determinación de las áreas de atracción y expulsión, fundamentalmente urbana o rural, la hacemos tomando en cuenta el "índice de masculinidad" de los saldos migratorios obtenidos en cada departamento, basándonos en observaciones hechas por otros investigadores y que tienden a mantenerse con cierta regularidad en los países objeto de nuestro de estudio. Tales observaciones nos dicen que en las regiones donde la atracción principal se ubica en áreas urbanas, la proporción de mujeres dentro de los migrantes es muy elevada, dándose la situación inversa cuando la atracción principal se ubica en áreas rurales.

En el cuadro No. 3 encontramos que de los siete departamentos con saldo migratorio positivo, sólo dos presentan un índice de masculinidad inferior a 100, lo que significa que la inmigración es principalmente femenina. Estos departamentos son Managua y Estelí, el primero de los cuales —como ya se ha dicho— incluye la capital del país. Esto nos lleva a plantear que la migración hacia los otros departamentos se da principalmente hacia áreas rurales. Si regresamos a las tasas de crecimiento intercensal de la población, la observación que hemos señalado se confirma de igual manera. El resto de departamentos presentan un índice de masculinidad, en algunos casos, si se quiere, demasiado elevado; sin embargo no nos interesa tanto su magnitud como el orden que ocupan con respecto a Managua y Estelí. Siguiendo nuestro razonamiento, esto significa que estos departamentos serían áreas de atracción fundamentalmente rural, lo cual sólo se confirma con la tasa de crecimiento para los departamentos de Nueva Segovia y San Juan, y en menor medida para Chinandega, Jinotega y Madriz.

Por el lado de los departamentos con saldo migratorio negativo, encontramos sólo dos departamentos, Matagalpa y Zelaya, con un índice de masculinidad mayor a 100. De los restantes, cuatro tienen índices de masculinidad muy cercanos a 100 y tres con un resultado muy inferior a esa misma cifra. Por este lado no se puede afirmar mucho respecto al área que expulsa más población; pero si a esto agregamos la información que nos dan las tasas de crecimiento, podemos concluir que cinco de los departamentos

CUADRO No. 3

NICARAGUA: Indice de masculinidad de los migrantes, por departamento. 1950-1963.

DEPARTAMENTOS	INDICE DE MASCULINIDAD
CON SALDO MIGRATORIO POSITIVO	
Managua	80.7
Nueva Segovia	124.4
San Juan	237.3
Chinandega	156.9
Estelí	85.9
Jinotega	337.9
Madriz	408.7
CON SALDO MIGRATORIO NEGATIVO	
Chontales	23.6
Masaya	96.5
León	93.4
Matagalpa	104.5
Carazo	78.7
Zelaya	196.9
Granada	49.2
Boaco	92.4
Rivas	31.9

FUENTE: Cálculos basados en el cuadro No. 2.

considerados (excluyendo Granada, Rivas y Chontales) estarían expulsando población fundamentalmente del área rural.

1.3.— Caracterización de los departamentos de acuerdo al método directo 1950-1963.

Se aprecia un notable incremento del volumen migratorio entre 1950 y 1963. Mientras en 1950 el volumen de migrantes ascendía a 113.776, equivalente al 10.86% de la población total, en 1963 el volumen ascendió a 212.748, lo que representa un 13.97% de la población total. Dichos porcentajes son más bajos que los observados para otros países latinoamericanos, pero su rápido incremento justifica su análisis. Si consideramos que muchos migrantes de 1950 no sobrevivieron hasta 1963, y que otros migraron y retornaron al lugar de nacimiento entre ambas fechas, es lógico pen-

CUADRO No. 4

NICARAGUA: Caracterización de los departamentos según la información sobre "lugar de nacimiento", año 1950.

Departamentos	VOLUMEN			TASA DE (X 100)		
	Inmi_ gración	Emi_ gración	Saldo Migrat.	Inmi_ gración	Emi_ gración	Migra_ ción Neta
TOTAL	113.776	113.776				
ATRACCION						
San Juan	2460	107	2353	27.64	1.20	26.44
Managua	39777	9105	30672	25.00	5.72	19.28
Zelaya	12810	3195	9615	23.23	5.79	17.44
Chinandega	13053	5554	7499	16.44	6.99	9.44
INTERCAMBIO						
Matagalpa	7742	7568	174	5.72	5.59	0.12
Madriz	1993	2065	- 72	6.21	6.44	-0.22
Nueva Segovia	3108	2441	667	11.73	9.21	-2.54
Jinotega	3182	4413	-1231	6.56	9.10	-2.54
EXPULSION						
Boaco	2335	4646	-2311	4.66	9.29	-4.62
Rivas	3039	5114	-2075	6.74	11.35	-4.60
Masaya	3058	9960	-6902	4.22	13.76	-9.53
León	7881	17117	-9236	6.39	13.89	-7.49
Cabo Gracias	1696	2435	- 739	9.85	1414	-4.29
Chontales	2094	9103	-7009	4.15	18.04	-13.89
Carazo	3184	9490	-6306	6.13	18.27	-12.14
Sstelí	2021	8622	-6421	5.05	19.81	-14.75
Granada	4163	12841	-8678	8.58	26.47	-17.89

FUENTE: Censo de población de 1950, Dirección General de Estadísticas y Censos, Managua, 1950.

sar que el incremento real del volumen migratorio fue más acelerado que lo que revela la variación porcentual anotada antes.

En el apartado 1.1 de este capítulo afirmamos que a primera vista resalta un crecimiento más acelerado de la población urbana respecto de la rural, lo cual daría evidencias de movimientos migratorios de la población rural hacia las ciudades. Pero esa conclusión, válida de un modo general para el conjunto del país, no debe ocultar la existencia de movimientos de carácter rural-rural.

CUADRO No. 5

NICARAGUA: Caracterización de los departamentos según la información sobre "lugar de nacimiento", año 1963.

Departamentos	VOLUMEN			TASA DE (X 100)		
	Inmigración	Emigración	Saldo Migratorio	Inmigración	Emigración	Migración Neta
TOTAL	212.748	212.748				
ATRACCION						
San Juan	4729	695	4034	31.00	4.55	26.45
Managua	87069	15683	71386	27.72	4.99	22.73
Chinandega	23862	9691	14171	18.84	7.65	11.19
Zelaya	16409	5556	10853	18.68	6.32	12.36
Nueva Segovia	6686	4260	2426	14.84	9.46	5.38
Jinotega	9377	6503	2874	12.23	8.48	3.75
INTERCAMBIO						
Madriz	4175	4205	- 30	8.48	8.54	-0.06
Matagalpa	12716	16757	- 4041	7.42	9.78	-2.36
EXPULSION						
Rivas	4969	10334	- 5365	7.78	16.18	-8.40
León	11365	28460	-17095	7.59	19.02	-11.43
Boaco	3761	13749	- 9988	5.25	19.21	-13.96
Estelí	5034	14923	- 9889	7.30	21.64	-14.34
Masaya	4343	18977	-14634	5.68	24.83	-19.15
Chontales	4338	19318	-14980	5.74	25.58	-19.84
Granada	8974	21089	-12124	13.76	32.36	-18.60
Carazo	4941	22539	-17598	7.53	34.36	-26.83

FUENTE: Censo de población de 1963, Dirección General de Estadísticas y Censos, Managua, 1963.

Lamentablemente el estudio de las migraciones rural-rural encuentra una limitación en la información censal, que no informa sobre movimientos migratorios entre unidades administrativas menores que el departamento, por ejemplo municipios y comarcas, y que presenta una definición de población urbana muy amplia, que afecta a la verdadera distribución urbano-rural de la población.

Pero la limitación señalada no impide que, a través de los resultados del método directo, distingamos cual es la orientación de los flujos migratorios entre departamentos. Otros elementos, como los examinados en los apartados anteriores, nos permiten una mayor aproximación en el problema de localizar, al interior de cada departamento, los puntos de origen y destino de las corrientes migratorias.

Departamentos de Atracción

Igual que en los párrafos anteriores, el principal departamento de atracción es Managua, que tanto en 1950 como en 1963 absorbía una enorme proporción de la migración interna.

El saldo migratorio positivo de Managua creció más del 100% en el período 1950-1963, lo que determinó que la población nacida en otros departamentos y censada en Managua (inmigrantes) aumentará su participación relativa en la población total de Managua al pasar del 25.03% al 27.72%.

La mayor parte de los inmigrantes llegan al sector urbano del departamento, en especial a la ciudad de Managua. Para 1950 disponemos de información al respecto, la cual revela que el 88.8% de los inmigrantes llegan al sector urbano. Para 1963 carecemos de esa información en forma directa pero por otras fuentes se establece que esa tendencia se ha mantenido y quizá aumentado.

El segundo departamento de atracción es Chinandega, en el extremo occidental del país y sobre la costa del Pacífico. Chinandega incrementó su saldo positivo migratorio entre 1950 y 1963 en un 88.9% habiendo pasado su tasa neta de migración de un 9.44% a un 11.19%. Los inmigrantes, que en 1950 representaban el 16.44% de la población del departamento, en 1963 representaron el 18.84%.

A diferencia de Managua, en donde la población urbana representaba el 76.3% en 1963, en Chinandega la población urbana representaba el 44.6%. Pero como en Chinandega se encuentran tres de las ciudades que más rápidamente crecen en Nicaragua, es lógico pensar que buena parte del flujo migratorio se ha dirigido hacia esos puntos.

Zelaya es otro departamento de atracción, pero en éste el saldo migratorio positivo no ha crecido significativamente (sólo un 12%, mientras en Managua creció 132% y en Chinandega 88.9%) y la tasa neta de migración incluso ha disminuido. Esto explica una aparente contradicción: en los dos apartados anteriores de este capítulo, Zelaya es presentado como departamento de **rechazo** de población y en este lo presentamos como departamento de **atracción** de población. La contradicción es aparente pues todo depende de la naturaleza de los métodos empleados; mientras en los dos primeros apartados empleamos métodos que se apoyan fundamentalmente en el crecimiento intercensal, y que por tanto sólo revelan el comportamiento del saldo migratorio en el período, en este apartado hemos empleado un método que revela el saldo migratorio acumulado, no en un período determinado, sino durante todo el tiempo (función de la vida del migrante). Es posible entonces que Zelaya tenga un saldo migratorio positivo, acumulado principalmente antes de 1950, y que sea departamento de atración según el presente método. Es posible que el flujo migratorio hacia Zelaya se haya reducido en el período intercensal (1950-63) que estamos analizando, lo que determina que en función de los otros métodos, que se apoyan en ese crecimiento intercensal, aparezca como departamento de rechazo.

Río San Juan constituye otro departamento de atracción de población. Desde el punto de vista de la tasa de migración neta es el principal punto de atracción de los migrantes (26.44% y 26.45% en 1950 y 1963), pero en términos absolutos su saldo migratorio es mucho menos importante que el de otros departamentos. San Juan está ubicado en el extremo sur de la Costa Atlántica de Nicaragua y aún carece de comunicación terrestre con el resto del país. Constituye, en esencia, una región de frontera.

Los últimos departamentos de atracción en 1963 son Nueva Segovia y Jinotega ubicados en el norte del país. Ambos deben ser considerados en 1950 como departamentos de equilibrio, pues tenían pequeños saldos migratorios (positivos para Nueva Segovia y negativo para Jinotega) y un volumen migratorio bastante reducido. Lo que nos ha inducido a considerarlos departamentos de atracción en 1963 no es tanto la magnitud del saldo migratorio que para entonces tuvieron, ni la tasa de migración neta, indicadores que pueden ser considerados bajos en relación al de los otros departamentos de atracción, sino la forma acelerada en que han crecido ambos indicadores en el período intercensal. Esto último explica que los métodos empleados anteriormente hayan definido en forma pronunciada a ambos departamentos como áreas de atracción. Configuran, pues, el caso opuesto a Zelaya.

Departamentos de Expulsión

En primer lugar debe destacarse al departamento de León sobre la costa del Pacífico y ubicado entre Managua y Chinandega. El saldo migratorio negativo de León creció en 85% entre 1950 y 1963, pasando de -9.236 migrantes en el primer año a -17.095 migrantes en el segundo año. Esto, desde el punto de vista del volumen real de la emigración, significó un aumento de 17 mil a 28 mil emigrantes en trece años. Tratándose de un departamento cuya población rural tuvo el escaso crecimiento medio anual de 0.90% entre esos años, es de suponer que el grueso de los emigrantes de León procede más bien de las zonas rurales del departamento que de sus zonas urbanas.

Carazo es otro departamento característicamente de **rechazo.** Entre 1950 y 1963 el saldo migratorio negativo casi se triplicó, en tanto que la tasa neta de migración —negativa— se duplicaba. Para 1963 la tasa neta de migración fue la más alta del país: -26.83%.

Granada, limítrofe con Carazo, Masaya, Managua y Rivas, es otro característico departamento de rechazo. Su saldo migratorio negativo creció durante el período, pero no en forma tan drástica como las de Carazo y León, aunque su tasa de emigración fue la segunda más alta del país (32.36%) en 1963.

Masaya —el departamento de mayor densidad poblacional— es típicamente departamento de **rechazo.** Su saldo migratorio negativo creció más del doble en el período intercensal, crecimiento que obedece al saldo que deja un lento incremento de la corriente de inmigrantes con un rápido crecimiento de la corriente de emigrantes.

Antes de continuar debemos señalar que los departamentos analizados: León, Carazo, Granada y Masaya, son departamentos con proporciones de población urbana superiores a la del país y junto con Managua, los mejor dotados en términos de servicios públicos e infraestructura. También, y como veremos más adelante, tienen una proporción de población económicamente activa ubicada en los sectores secundarios y terciarios más alta que el resto de departamentos —con excepción de Managua— en los cuales es el sector agropecuario el lugar donde se ubica gran parte de la PEA.

Los restantes departamentos de rechazo, Chontales, Boaco, Estelí y Rivas, configuran casos diferentes a los anteriores. Todos ellos son departamentos esencialmente rurales y de baja densidad poblacional. El saldo migratorio negativo de Chontales casi se duplicó en el período y su tasa de migración neta subió de -13.86 a -19.84.

El saldo migratorio negativo de Boaco creció dramáticamente en el período, se incrementó un 332.1%, a la vez que la tasa de migración neta pasó de -4.62 a -13.96%.

Estelí, enclavado en la región noroccidental del país, constituye departamento expulsor de población desde el punto de vista del cálculo de la migración por el método directo. El saldo migratorio negativo creció un 54.0% en el período 1950-1963, aunque la tasa de migración neta bajó un poco al pasar de -14.75 a -14.34%. Esto último es consistente con un crecimiento de la población total del departamento más acelerado que el crecimiento del saldo migratorio negativo. En efecto, Estelí resultó ser departamento de atracción de población en virtud de métodos que se apoyan en el crecimiento intercensal; ahora, en virtud del saldo migratorio, resulta ser departamento de rechazo o expulsión de población. Se podría pensar, aunque sujeto a investigaciones posteriores, que en el caso de Estelí se han combinado un proceso de expulsión de población con un más acelerado proceso de crecimiento **natural** de la población. Haciendo abstracción de los errores censales y de los que introducen los supuestos del método de las relaciones globales de supervivencia, esta es la única solución consistente.

Departamentos de Equilibrio

Finalmente, Madriz y Matagalpa constituyen departamentos de **equilibrio.** El volumen del intercambio migratorio de Madriz es bajo, pudiendo destacarse únicamente su intercambio positivo con Estelí y negativo con Nueva Segovia. No obstante debe apreciarse que aunque en 1963 el volumen migratorio continúa siendo bajo, éste se ha incrementado sensiblemente en relación al de 1950.

Aunque desde el punto de vista del saldo migratorio Matagalpa se considera departamento de equilibrio, llama la atención el alto volumen del intercambio migratorio, uno de los más altos del país.

1.4.— LAS CORRIENTES MIGRATORIAS EN EL PERIODO 1950-1963

Aunque se podría sostener, como gran generalidad, que todos los departamentos nicaragüenses conforman un sólo campo migratorio en torno al departamento de Managua, que recibió el 35.90% del total del movimiento migratorio registrado hasta 1950 y el 41% del registrado hasta 1963, es necesario particularizar en las principales corrientes migratorias que se dirigen a los departamentos de mayor atracción de población, ya que solo así podremos llegar a constituir los límites precisos dentro de los que se definen los más importantes campos migratorios.

Si reducimos el campo migratorio que se forma en torno al departamento de Managua hasta sus límites más evidentes, tendremos que sólo seis departamentos contribuyeron en 1950 con el 82.4% del total de la población inmigrante de Managua. Estos mismos seis departamentos (Chinandega, León, Masaya, Carazo, Granada y Rivas), que junto con Managua conforman la llamada región del Pacífico, continuaban siendo en 1963 los que vertían la mayor parte de la emigración hacia Managua, aunque su participación para ese año se había visto reducida a 74.7% del total de la inmigración recibida allí. Esto, a pesar de esa reducción, significó, en términos absolutos, un aumento del volumen de la inmigración de Managua, originada en estos departamentos del Pacífico, de casi el 100%, al pasar de 32.811 migrantes, en 1950, a 65.104 migrantes en 1963.

La principal corriente migratoria recibida por Managua procede del departamento de León (20.23% y 16.62% del total de la emigración a Managua, en 1950 y 1963, respectivamente), que para 1963 significaba un volumen de 14734 inmigrantes. Si consideramos las tasas de crecimiento de las poblaciones urbana y rural de León entre 1950 y 1963 (3.42% y 0.18%, respectivamente) tendremos suficientes elementos para creer que el grueso de estos emigrantes proceden del área rural de este departamento.

La segunda corriente importante de migración que recibe el departamento de Managua se origina en el departamento de Granada. Esta corriente, aumentada en 86.6% entre 1950 y 1963, representa el 18.83% y el 16.0% del total de la población inmigrante de Managua en esos mismos años. De acuerdo con el escaso crecimiento de la población total de Granada, esta corriente migratoria tiene un doble origen urbano y rural indiferenciado.

Otras dos corrientes migratorias importantes que se dirigen a Managua son aquellas que nacen en los departamentos de Carazo y Masaya. Sin lugar a dudas, la más importante de estas dos corrientes es la de Carazo ya que para 1963 representaba 13.928 migrantes —volumen migratorio superado sólo por Granada (13.917) y León (14.734) en ese mismo año— y había experimentado en el período 1950-1963 un incremento de 146.8% en tanto que la corriente de Masaya solo aumentó en 87.4%. En todo caso, esas dos corrientes contribuyeron, tanto en 1950 como en 1963, a la formación del 29% de la población inmigrante total de Managua. Dado el lento ritmo de crecimiento de la población de estos dos departamentos, especialmente de la población rural (0.90% Masaya y 1.63% Carazo), es fácil suponer que una buena parte de estas corrientes migratorias se originan en las zonas rurales, aunque no se puede dejar de hacer mención de un posible porcentaje importante que procede de las áreas urbanas de estos departamentos, especialmente de Carazo, pero que en ninguno de los dos casos sobrepasa a la de origen rural.

Las otras dos corrientes migratorias que provienen de los restantes departamentos de la Región del Pacífico, Rivas y Chinandega, sólo se asemejan entre sí por los volúmenes y porcentajes de migrantes con que contribuyen a formar la población inmigrante de Managua. Tratándose Rivas de un departamento de expulsión de población que ha visto crecer su corriente migratoria hacia Managua en 124.8% entre 1950 y 1963, en tanto que la de Chinandega, departamento de gran atracción en 1963, se incrementó solamente en 84.7%, se puede pensar en una mayor importancia de la primera corriente en relación a la segunda. En cuanto al origen de estas corrientes, debido al alto desarrollo y rápido crecimiento de las zonas urbanas de Chinandega, es acertado

CUADRO No. 6

NICARAGUA: Principales corrientes migratorias a los departamentos de atracción, año 1950. *

DEPARTAMENTOS DE ATRACCION	Departamentos de Origen	Inmigrantes	%
SAN JUAN		2460	100.00%
	Rivas	731	29.71
	Granada	663	26.95
	Chontales	481	19.55
	Zelaya	143	5.81
	Managua	106	4.31
	Otros	336	13.66
MANAGUA		38813	100.00%
	León	8055	20.23
	Granada	7497	18.83
	Masaya	6348	15.94
	Carazo	5441	13.67
	Chinandega	2916	7.32
	Rivas	2554	6.41
	Matagalpa	1740	4.37
	Chontales	1735	4.36
	Otros	3527	8.86
ZELAYA		12810	100.00%
	Chontales	4062	31.71
	Gracias a Dios	2411	18.82
	Matagalpa	1506	11.76
	Estelí	837	6.53
	Boaco	760	5.93
	Otros	3234	25.25
CHINANDEGA		13053	100.00%
	León	6324	48.45
	Managua	2337	17.90
	Carazo	859	6.58
	Granada	769	5.89
	Masaya	675	5.17
	Otros	2089	16.00

*) Migrantes definido según "lugar de nacimiento" y empadronamiento.

FUENTE: Censo de Población de 1950, Dirección General y Censos.

CUADRO No. 7

NICARAGUA: Principales corrientes migratorias a los departamentos de atracción, año 1963.*

DEPARTAMENTO DE ATRACCION	Departa- mento de Origen	Inmi- grantes	%
SAN JUAN		4729	100.00%
	Chontales	2036	43.05
	Rivas	1081	22.86
	Granada 6	561	11.86
	Zelaya	216	4.57
	León	182	3.85
	Otros	653	13.81
MANAGUA		87061	100.00%
	León	14734	16.92
	Granada	13917	16.00
	Carazo	13428	15.42
	Masaya	11897	13.66
	Chontales 4	6078	6.98
	Rivas	5743	6.60
	Chinandega	5385	6.18
	Matagalpa	5054	5.80
	Otros	10833	12.44
CHINANDEGA		23862	100.00%
	León	9828	41.19
	Managua	4257	17.84
	Carazo	2095	8.78
	Granada	1759	7.37
	Masaya	1464	6.13
	Otros	4459	18.69
ZELAYA		16409	100.00%
	Chontales	6617	40.33
	Matagalpa	3238	19.73
	Boaco	2820	17.19

*) Migrantes definido según "lugar de nacimiento" y "lugar de empadronamiento".

	Managua	782	4.77
	Estelí	585	3.56
	Otros	2367	14.42
NUEVA SEGOVIA		6686	100.00%
	Estelí	2721	40.70
	Madriz	1820	27.22
	Jinotega	1098	16.42
	León	363	5.43
	Managua	167	2.50
	Otros	517	7.73
JINOTEGA		9377	100.00%
	Matagalpa	4065	43.35
	Estelí	2412	25.72
	Nueva Segovia	879	9.37
	Managua	503	5.36
	Madriz	376	4.01
	Otros	1142	12.18

FUENTE: Censo de población de 1963.

suponer que del total de las migraciones que se originan en este departamento se distinguen especialmente aquellas que proceden de las zonas rurales. Al contrario de la de Chinandega, la población urbana de Rivas ha tenido un lento creciimento en relación al crecimiento de la población urbana del país, sin embargo, la población rural de este mismo departamento no se ha incrementado sino con un ritmo escasamente más rápido que el ritmo con que lo hizo la población rural nacional. Por este hecho creemos que la corriente migratoria que se origina en este departamento costero de Rivas procede, en proporciones semejantes, tanto de las zonas urbanas como de las zonas rurales.

Las corrientes migratorias que parten desde estos departamentos —León, Granada, Carazo, Masaya, Chinandega partamentos —león, Granada, Carazo, Masaya, Chinandega y Rivas— hacia el de Managua conforman el campo migratorio del Pacífico y como dijimos arriba, fueron responsables del 82.4%, en 1950 y del 74.7%, en 1963, del total de la población migrante recibida por este. Solo faltaría aquí resaltar el hecho de que los cambios registrados entre el primero y el segundo de estos años en el campo migratorio en referencia, no serían más que pequeñas variaciones cuantitativas y de ordenamiento de los aportes migratorios de cada uno de estos departamentos, sino fuera por el admirable incremento de la participación poblacional de los departamentos clasificados como "otros" (Ver cuadros 6 y 7): más del 200%, al crecer de 3.527 migrantes en 1950 a 10.823 en 1963. Este significa un mayor dinamismo tendencial en el crecimiento de la población que emigra al departamento de Managua procedente de los demás departamentos, que la que lo hace procedente de los departamentos del Pacífico. Sin embargo como tendencia que es, solo podemos hacer una breve mención de ella aquí ya que si llegaran a formarse corrientes migratorias hacia Managua en 1974 estas tendrían que ser analizadas en el lugar correspondiente del análisis 1963-1974.

Un segundo campo migratorio se define en torno al departamento de Chinandega. Por la importante participación que tuvo este departamento en el fenómeno de atración de la población migrante, tanto en la registrada como tal hasta 1950 como la registrada hasta 1963, el campo migratorio que se forma aquí conservó, en esos mismos dos años, el segundo lugar después del de Managua. En Chinandega confluyeron 13.053 migrantes en 1950, lo que significó el 11.5% de la migración total del país. Este porcentaje prácticamente se conservó en 1963 cuando en Chinandegase registraron 23.862 migrantes, el 11.2%, verificándose con esto un incremento de 82.8% entre esos años. Los mismos departamentos del Pacífico que formaban, según vimos arriba, el campo migratorio de Managua, son los principales aportadores de población de Chinandega: entre León, Managua, Carazo, Granada y Masaya se formó el 84% y el 81.3% de la población inmigrante de este departamento en 1950 y 1963, respectivamente.

La principal corriente migratoria que recibe Chinandega proviene de León. Si bien esta corriente tuvo el lento crecimiento de 55.4% entre 1950 y 1963 y, en términos relativos, su participación se vio reducida de 48%, en el primero de esos años, a 41% en el segundo, su importancia reside en los volúmenes con que contribuyó a incrementar la población de Chinandega: 6.324 migrantes en 1950 y 9.828 migrantes en 1963. Debido al lento crecimiento experimentado por la población rural de este departamento, es de esperar que una muy significativa proporción de emigrantes de León proceden de las zonas rurales del mismo.

Las demás corrientes migratorias importantes que desembocan en Chinandega se ordenan, por su participación relativa, de la siguiente manera, tanto en el año 1950 como en 1963: Managua, 17.9% y 17.8% Carazo, 6.6% y 8.8 o/o Granada, 5.9% y 7.4%; Masaya, 5.2% y 6.1 o/o. De todas estas corrientes, la que tuvo el crecimiento más notorio es la que se originó en Carazo, que fue de 143.9% al incrementarse de 859 migrantes a 2.095 migrantes en el período 1950-1963.

Los dos campos migratorios que hemos revisado hasta aquí, el de Managua y el de Chinandega, deben ser considerados como uno solo por el hecho de que las principales corrientes migratorias que los alimentan provienen de los mismos departamentos que forman la llamada región del Pacífico: Chinandega, León, Managua, Masaya, Carazo, Granada y Rivas. Es importante hacer resaltar el dato de que en esta región del Pacífico se concentra el mayor porcentaje de infraestructura urbana y vial del país, lo que la constituye en la región mejor comunicada en su interior y, hasta cierto punto, en la más desarrollada de todas.

Los otros dos campos migratorios que pueden definirse de acuerdo a la información censal de 1950 son el que se forma alrededor del departamento de Río San Juan y el que se forma alrededor del departamento de Zelaya.

Las principales corrientes migratorias que recibió Zelaya hasta 1950 fueron las provenientes de los departamentos de Chontales, Matagalpa, Estelí, y Boaco y de la comarca del cabo de Gracias a Dios, que en conjunto significaron el 75% de la población que emigró a ese departamento. La corriente migratoria que se origina en Chontales es, sin duda, la más importantes en cuanto a volumen (4.062 migrantes en 1950 y 6.617 en 1963), sin embargo, la que ha evidenciado el más acelerado crocimiento (271.1%) en 1950 y 1963 es la que proviene de Boaco, que se incrementó de 760 a 2.820 migrantes, ritmo que conservará, como se verá más adelante, todavía en 1971.

Estas cinco principales corrientes migratorias hacia Zelaya tienen en común, considerando el escaso desarrollo urbano de los departamentos que provienen, un origen casi totalmente rural y, considerando la condición de frontera agrícola imperante en Zelaya, un destino exclusivamente rural.

Se trata, pues, de una migración rural-rural que puede explicarse perfectamente por el doble proceso de colonización espontánea y ruptura de frontera agrícola.

En 1963 la situación cambia un poco al aparecer entre las principales corrientes migratorias que recibe Zelaya una que proviene del departamento de Managua, a la que no sin dificultades se le puede determinar su porcentaje de origen urbano y rural, puesto que se trata del departamento de la ciudad capital, el de mayor desarrollo urbano y con una población rural de rápido crecimiento.

El campo migratorio que se forma con la inmigración que recibe el departamento de Río San Juan es de menor importancia que los campos migratorios analizados hasta ahora, ya que en este se recibió solamente el 2.16% y el 2.22% de la migración total registrada en los censos de población de 1950 y 1963, respectivamente.

Por la ubicación geográfica costera y colindantes entre sí, los departamentos de Río San Juan y Zelaya forman el campo migratorio que denominamos con el nombre de central - Atlántico. Los puntos de mayor atracción de población de este campo migratorio (San Juan y Zelaya) deben ser consideradas como zonas de reserva con amplia frontera agrícola y con una densidad de población muy próxima a un habitante por Km2. En cambio, los departamentos de mayor expulsión de población de este campo migratorio se ubican hacia el centro del territorio nacional y poseen un alto porcentaje de población rural. Por lo tanto, la afirmación que se particulariza arriba para la migración que se recibe en el departamento de Zelaya, en relación a su casi exclusivo carácter rural-rural, es generalizable para todo el campo migratorio central - Atlántico.

En 1963, la lista de principales corrientes migratorias de Nicaragua se ve ampliada al cobrar importancia las migraciones que se reciben en los departamentos de Nueva Segovia y Jinotega, los que según el censo de población de 1950 tuvieron que ser considerados como departamentos de equilibrio (ver cuadro No. 4) y que según el de 1963 considerados departamentos de atracción de población (ver cuadro No. 5).

La importancia que han tomado las corrientes que vierten sus migrantes en Nueva Segovia y Jinotega se hace notoria si consideramos que entre 1950 y 1963 la del primer departamento se incrementó en 115.1% y la del segundo casi se triplica al alcanzar 394.7%. Sin embargo, la participación relativa de estas migraciones en la migración total de país continuó siendo insignificante: 3.1% Nueva Segovia y 4.4% Jinotega.

Jinotega recibió de seis departamentos, en 1963, casi el 90% del total de inmigrantes registrados hasta ese año. De éstos, 43% y 26% (el 69%) vinieron de Matagalpa y Estelí, respectivamente. Del resto, 18.8% procedían de Nueva Segovia (9.4%), Managua (5.4%) y Madriz (4.0%) y 12.2 o/o provenían de diez departamentos distintos (con porcentajes inferiores al 2%).

Con las migraciones que se reciben en Jinotega y Nueva Segovia se forma el campo migratorio que llamaremos Central-Norte.

Con esto, los tres campos migratorios y los departamentos que los constituyen son los siguientes:

1.— Campo Migratorio del Pacífico: Managua y Chinandega (departamentos de atracción) y León, Masaya, Carazo, Granada y Rivas (departamentos de expulsión).

2.— Campo Migratorio Central-Atlántico: Zelaya y Río San Juan (atracción) y Boaco, Chontales y Matagalpa (expulsión).

3.— Campo Migratorio Central-Norte: Jinotega y Nueva Segovia (atracción) y Estelí, Madriz y Matagalpa (expulsión).

La distinción de cada uno de esos campos migratorios en virtud del movimiento migratorio interdepartamental que se produce al interior de ellos, no excluye, desde luego, el movimiento migratorio entre los tres campos. Sin embargo, estos son de menor importancia. Matagalpa, departamento de intercambio equilibrado de población pero de gran volumen migratorio, se ubica en dos campos distintos al mismo tiempo en virtud de que su intercambio migratorio con uno y otro es de semejante importancia.

2.— EL MOVIMIENTO MIGRATORIO EN EL PERIODO 1963-1971

Antes de intentar la caracterización migratoria de los departamentos de Nicaragua es conveniente tener nuevamente en cuenta una limitación muy importante que adolece el censo de población de 1971 de esa República. Esta limitación se refiere a la omisión censal, omisión que en un grado u otro ha estado presente en todos los censos de población que hemos utilizado hasta aquí, pero que en el caso del censo de población de 1971 de la República de Nicaragua adquiere dimensiones sobresalientes en la medida en que existe evidencia de que tal omisión fue excesivamente mayor en unos departamentos que en otros y, al interior de ellos, mayor en las áreas rurales y entre la población mayor de 18 años (*). No nos detendríamos a hacer estas observaciones si hubieran indicios de que la omisión fue uniforme en todo el país, pero, no siendo así, estas consideraciones tienen validez en la medida en que son los resultados del censo de población de 1971 los que utilizamos en la construcción de los indicadores necesarios para la caracterización migratoria de los departamentos.

2.1.— Caracterización de los departamentos de acuerdo con la tasa de crecimiento intercensal (Período 1963-1971)

El hecho de que la información tenga fuertes limitaciones a nivel departamental no quiere decir que no la utili-

---

*) Al respecto de las omisiones del censo de población de 1971 de la República de Nicaragua ver: Nieto Terán B., y Ortega G., A. *Evaluación de la Cobertura geográfica del censo de población de 1971 de la República de Nicaragua.* CELADE, Serie A/12, San José, 1971: "La mayor parte del problema se concentra en los municipios de los departamentos de Boaco, Chontales Matagalpa y, en menor grado en el departamento de León". Morales de Díaz, T., *Nicaragua: Estimación de los niveles de mortalidad urbana y rural y por departamentos,* CELADE, San José, 1973: se estima la posible omisión censal así: Chontales, 34.6%; Boaco, 25.1%; Matagalpa, 20.9%; Madriz, 11.6%; León, 8.9%; demás departamentos, 1.7%. En Sermeño L., José A., y Primante, Domingo A., *Migraciones internas en la República de Nicaragua en el período 1966-1971,* CELADE, San José, 1975, se sostiene que al interior de los departamentos más afectados por la omisión en los municipios más rurales se dan omisiones superiores al 40%, llegando hasta un 54% en el caso del municipio de Santo Domingo de Chontales.

cemos de alguna manera. En el Cuadro No. 8 se presentan las tasas de crecimiento intercensal observadas y corregidas para el total de la población, con el objeto de tener un criterior más o menos adecuado para decidir respecto al carácter migratorio de los departamentos.

Con respecto a los departamentos de atracción, que eventualmente podrían ser cinco si se incluye a Madriz, son los departamentos donde la omisión es menos significativa (excluyendo Río San Juan y Madriz). Se observa que sólo dos de los departamentos, Zelaya y Nueva Segovia, presentan fuerte atracción rural, aunque en el caso del último la atracción urbana es aún más fuerte. En Managua y San Juan la atracción sería fundamentalmente urbana, sin embargo, es posible que el crecimiento del área rural del departamento de Río San Juan sea superior a lo que nos dan las cifras censales por las razonas ya mencionadas.

En lo que se refiere a los departamentos de expulsión, la comparación de la tasa observada con la corregida nos muestra que, aunque siguen siendo de expulsión, la magnitud de tal expulsión no es tanto como parece ser. Lo que si es cierto, suponiendo que la omisión en las áreas urbanas es poco significativa, es que la expulsión puede ser en gran parte de las áreas rurales por lo menos en ocho de los once departamentos, quedando como departamentos que expulsan tanto del área urbana como de la rural Carazo, Granada y León, todos ubicados en la región del Pacífico. Por último el único departamento que parecía ser de Equilibrio es Chinandega, aunque más bien tendería a ser de Expulsión, y principalmente del área rural.

2.2.— Caracterización de los departamentos de acuerdo con la tasa de migración neta obtenida a partir de la relación global de supervivencia.

La tasa de migración neta (TMN) obtenida a través de la relación global de supervivencia, está influída de dos formas por la omisión censal. Por un lado la omisión a nivel de regiones determinadas y, por otro, los errores a nivel de ciertos grupos de edades; ambas cosas pueden influir en el mismo sentido al saldo migratorio y a la TMN, dependiendo, principalmente, de la distribución de la omisión por grupos de edades.

CUADRO No. 8

NICARAGUA: Caracterización de los departamentos de acuerdo con la tasa de crecimiento intercensal 1963-1971

DEPARTAMENTOS	TASA DE CRECIMIENTO (x100)			
	TOTAL		URBANO	RURAL
	Observada	Corregida*	Observada	Corregida
ATRACCION				
Zelaya	6.03	6.03	2.23	7.35
Managua	5.19	5.19	5.97	2.12
Nueva Segovia	4.45	4.45	6.04	3.94
San Juan	3.53	3.53	7.06	2.50
EXPULSION				
Boaco	-1.72	2.50	5.67	-1.77
Chontales	-1.17	2.50	3.73	-2.73
Matagalpa	-0.25	2.20	4.30	-1.40
Madriz	0.77	3.20	3.58	0.08
Carazo	0.96	2.00	1.71	0.35
Granada	1.00	2.00	2.39	-1.30
León	1.32	2.50	2.34	0.41
Estelí	1.67	2.20	4.90	-0.01
Rivas	1.76	2.00	3.14	1.79
Jinotega	2.05	2.20	3.51	1.79
Masaya	2.31	2.31	3.62	0.76
EQUILIBRIO				
Chinandega	2.35	2.50	3.31	1.50

FUENTE: Censo de Población de 1963 y 1971.
*) Calculada tomando en cuenta la probable omisión censal. Tomando de Diva Elizalde: Migraciones interiores de Nicaragua, Período 1950-1963, CELADE, San José, 1973, pág. 6.

Los datos del Cuadro No. 9 nos muestran nuevamente cuatro departamentos de atracción que mantienen el mismo orden observado cuando el indicado empleado era la tasa de crecimiento intercensal de la población. Un sólo departamento, Zelaya, muestra una atracción fundamentalmente rural; el saldo migratorio de este departamento representa más de un 20% de la suma de los saldos de los departamentos de atracción. En términos de la TMN, tanto Zelaya como Managua presentan un valor un poco superior al 26%, pero, como ya señalamos para el primero es el resultado de una atracción fundamentalmente rural y para el segundo es fundamentalmente urbana, además de ser este último el departamento que concentra casi tres cuartas partes de los saldos de los saldos de los departamentos de atracción. En términos del volumen del saldo migratorio se puede decir que Nueva Segovia atrae población tanto en el área urbana como en el área rural, pero nos damos cuenta que según la TMN por área, es más significativa la atracción urbana en términos relativos.

Por el lado de los departamentos de expulsión, lo primero que llama la atención son las TMN rurales de cuatro de los diez departamentos incluídos en dicha categoría. Estos departamentos son los siguientes:

Departamentos	TMN RURAL
Chontales	-80.62
Boaco	-60.26
Matagalpa	-55.41
Granada	-53.81

Realmente es difícil imaginar una región donde el 80% o más de la población (recordemos que estamos trabajando con saldos migratorios) haya salido del departamento durante el período considerado, ya que sería la expresión o el reflejo de un violento proceso de transformaciones económicas y sociales, lo cual —adelantamos— no se ha dado, al menos en las proporciones que sería de esperar teniendo en cuenta la magnitud de las cifras de los indicadores presentados. Nuevamente encontramos que los tres departamentos que más población omitieron del Censo de 1971, presentan tasas de migración neta totalmente distorsionadas.

CUADRO No. 9

NICARAGUA: Caracterización de los departamentos de acuerdo con la tasa de migración neta obtenida a partir de la relación global de supervivencia, 1963-1971.

	SALDO MIGRATORIO (*)			TASA DE MIGRACION NETA (*)		
DEPARTAMENTOS	TOTAL	URBANO	RURAL	TOTAL	URBANO	RURAL
ATRACCION						
Zelaya	28051	- 428	†28479	†26.93	- 1.84	†35.17
Managua	-96886	98426	- 1540	- 26.21	32.10	·10.09
Nva. Segovia	7322	3896	3426	15.71	30.83	- 2.44
Río San Juan	857	· 1689	- 832	6.01	40.04	- 8.28
EXPULSION						
Chontales	-21644	1552	- 23196	- 50.31	10.89	-80.62
Boaco	-16624	3256	19888	- 37.23	27.92	-60.26
Matagalpa	-38230	5369	- 43559	- 35.24	18.01	-55.41
Madriz	- 7156	804	- 7960	- 19.98	9.80	-28.82
Carazo	- 7424	- 840	- 6584	- 15.16	3.58	-25.86
Granada	- 7343	781	- 8124	- 15.04	2.32	-53.81
León	-15015	951	- 15966	- 13.24	1.62	-29.14
Estelí	- 5730	4896	- 10626	- 10.70	21.91	-34.08
Jinotega	- 6305	1338	- 7643	- 10.59	12.66	-15.61
Rivas	- 4602	1541	- 6143	- 9.12	8.40	-19.13
EQUILIBRIO						
Chinandega	- 1801	† 4890	- 6691	- 1.66	† 9.06	-12.32
Masaya	- 1242	- 5162	- 6404	- 1.93	† 13.44	124.74

(*) AL FINAL DEL PERIODO.

FUENTE: Censos de población de 1963 y 1971, Dirección General de Estadísticas y censos, Managua.

Revisando el saldo migratorio y la TMN del área urbana de los departamentos de expulsión, encontramos que tres de ellos presentan valores negativo y los otros con signo positivo. En el resto de departamentos la TMN es igual o superior al 10%, no llegando en ningún caso a más del 30%. Si observamos el saldo migratorio urbano, nos damos cuenta que aunque las cifras del saldo migratorio Rural se reduzcan a la mitad —pensando en alguna forma de reponer la omisión censal— los departamentos de expulsión (excepto Carazo, Granada y León) seguirían dentro de esta clasificación migratoria.

Seis de los departamentos claramente de expulsión se encuentran ubicados en las regiones Central-Atlántico y Central-Norte (Chontales, Boaco, Matagalpa, Madriz, Estelí y Jinotega). El resto de departamentos, cuatro en total, se ubican en la región del Pacífico (Carazo, Granada, León y Rivas).

2.3.— Caracterización de los departamentos de acuerdo con la tasa de migración neta obtenida a partir de la información del Censo de 1971.

Para caracterizar los departamentos según la condición migratoria, el censo de 1971 nos provee de dos tipos de información: a) la ya tradicional y utilizada en los censos de 1950 y 1963, esto es "lugar de nacimiento y de empadronamiento de la población" y b) la información sobre "lugar de residencia 5 años antes y el de empadronamiento". Utilizaremos ambas informaciones con el propósito de intentar conocer cual es la tendencia migratoria de los departamentos en el período 1963-1971.

En primer lugar es conveniente señalar que el volumen de migrantes, definidos según lugar de nacimiento, en 1971 era de 341.086; esto significa que 18% de la población en el momento del censo se encontraba en un lugar distinto al de su nacimiento; lo que significa un aumento bastante importante respecto a los resultados de 1950 y 1963, cuando solamente el 11% y 14% de la población se encontraba fuera del lugar de nacimiento, lo que equivale a un volumen de 113.776 y 212.748 respectivamente. En lo que se refiere a los migrantes según lugar de residencia hace 5 años, sólo podemos señalar que (en 1971) representaba el 6.3% de la población de 5 y más años, con un volumen de 98.994 personas.

De acuerdo con la información "según lugar de nacimiento" (largo plazo), existirían cinco departamentos de **atracción:** Managua, Río San Juan, Zelaya, Nueva Segovia

CUADRO No. 10

NICARAGUA: Carácter migratorio de los departamentos de acuerdo con la información sobre lugar de nacimiento y lugar de empadronamiento, Censo de 1971.

DEPARTAMENTOS	VOLUMEN Inmi_ grantes	Emi_ grantes	Saldo Migra_ torio	TASAS DE (X100) Inmi_ grantes	Emi_ gración	Migra_ ción neta
TOTAL	341.086	341.086				
ATRACCION						
Managua	143702	25822	117880	29.58	5.31	24.26
Río San Juan	6975	2002	4973	33.48	9.61	23.87
Zelaya	42314	11453	30861	29.08	7.87	·21.08
Nva. Segovia	15646	5626	10020	23.78	8.55	·15.23
Chinandega	27280	20084	7196	17.57	12.93	4.63
EXPULSION						
Chontales	6420	31292	-24872	9.33	45.48	- 36.15
Carazo	7341	27499	-20158	10.32	38.66	-28.33
Boaco	6385	25748	-19363	9.23	37.22	- 27.98
Granada	9187	28704	-19517	12.92	40.37	- 27.44
Estelí	8203	24210	-16007	10.36	30.58	- 20.22
Masaya	9361	26021	-16660	10.16	28.24	- 18.07
León	16238	44410	-28172	9.73	26.62	- 16.88
Rivas	6901	17204	-10303	9.31	23.21	- 13.89
Matagalpa	16752	29835	-13083	9.96	17.74	- 7.78
Madriz	5797	9900	- 4103	10.85	18.53	- 7.68
INTERCAMBIO						
Jinotega	12584	11276	1308	13.88	12.44	1.44

FUENTE: Banco de Datos de CELADE. Censo de población de la República de Nicaragua, año 1971.

y Chinandega; en cambio cuando se trata del "lugar de residencia hace 5 años" (corto plazo), Chinandega queda excluído de este grupo y pasa a ser de **intercambio** con tendencias a **la expulsión.** En términos absolutos Managua ocupa el primer lugar tanto en la migración a "largo plazo" como en la de "corto plazo": el 42% de la población migrante a "largo plazo" y el 32% de los migrantes a "corto plazo" se encontraban en Managua al momento del censo de 1971. En segundo lugar está Zelaya con 12 y 15% para cada una de las definiciones; le siguen en orden de importancia Nueva Segovia y Río San Juan. En términos de la TMN a "largo plazo" Managua se ubica en primer lugar dentro de los departamentos de atracción, en cambio a "corto plazo" pasa a ocupar el último lugar; los demás departamentos conservan el mismo orden, sólo que, obviamente, suben un lugar respectivamente.

Mientras los departamentos de atracción, a "largo plazo" (excluído Chinandega), concentran el 61% de los inmigrantes y el 13% de los emigrantes, por el lado de la migración a "corto plazo" concentran el 55% de los inmigrantes y el 21% de los emigrantes.

El único cambio de clasificación, el departamento de Chinandega, que pasa de atracción (leve) a ser uno de **intercambio** con tendencias a expulsar, nos estaría señalando que —aunque a nivel del saldo migratorio no se manifieste— se estaría dando durante el período 1963-71 una expulsión de población bastante marcada.

En lo que se refiere a los departamentos de expulsión (diez en total), el saldo migratorio en ningún caso supera los 25 mil migrantes, a "largo plazo", cuando dos de los departamentos de atracción superan las 30 mil personas. En otros términos, por cada departamento de atracción hay en promedio dos y medio departamentos de expulsión, es decir que existe una distribución muy desigual de los intercambios.

Por otra parte, en lo que se refiere a la migración a "corto plazo", la situación es similar sólo que el volumen absoluto es bastante menor.

Si nos detenemos un poco en las tasas de emigración de los departamentos de expulsión encontramos que, en los cinco departamentos en los que la TMN (a "largo plazo") es superior a 20% (como valor absoluto), entre el 30 y 45% de la población es emigrante. Es importante también señalar que el resto de departamentos de expulsión tienen tasas de emigración que oscilan entre 18 y 28%, porcentajes lo suficientemente grandes para ser significativos.

Por otro lado, los departamentos de atracción no presentan tan altas tasas de inmigración —entre 17 y 33%— lo cual es otro elemento que nos ayuda a mostrar la polarización entre una atracción concentrada en pocos departamentos y una expulsión dispersa en muchos departamentos, claro está, en términos relativos.

Por el lado de la migración a "corto plazo" la situación es menos acentuada, ya que el límite de variación de las tasas de emigración de los departamentos de "expulsión" se da entre 5.59 y 12.40%, y en los departamentos de **atracción** el límite de variación se da entre 6.55 y 12.37; las diferencias relativas son mucho menos acentuadas.

Por último, el departamento de intercambio que se conserva como tal, tanto a largo como a corto plazo, es Jinotega, con un volumen de intercambio a largo plazo de 12 mil migrantes y a corto plazo de cerca de 4 mil; esto es muy importante en la medida en que muestra una cierta tendencia hacia la estabilidad de un intercambio equilibrado permanente, en la medida en que la migración según lugar de nacimiento abarca un período mucho más amplio.

2.4.— LAS CORRIENTES MIGRATORIAS EN LOS PERIODOS 1963-1971 y 1966-1971.

Las corrientes migratorias las podemos definir de acuerdo a los mismos métodos de medición directa del fenómeno migratorio a través del uso de la información censal, es decir, se pueden estudiar tanto como movimientos a largo plazo y acumulados —según las tabulaciones censales del cruce de las variables lugar de nacimiento y lugar del empadronamiento de la población— y como movimientos a corto plazo según el cruce de las variables lugar de residencia cinco años antes de la fecha del censo y lugar del empadronamiento.

2.4.1.— Corrientes migratorias según "lugar de nacimiento y de empadronamiento" de la población.

Igual que en 1963, Managua, San Juan, Nueva Segovia y Zelaya continuaron siendo departamentos de atracción e

CUADRO No. 11

NICARAGUA: Carácter migratorio de los departamentos de acuerdo con la información sobre lugar de residencia hace 5 años y lugar de empadronamiento. Censo de 1971.

DEPARTAMENTOS	VOLUMEN			TASAS DE (X100)		
	Inmi-grantes	Emi-grantes	Saldo Migra-torio	Inmi-gración	Emi-gración	Migra-ción neta
TOTAL	98.994	98.994				
ATRACCION						
Río San Juan	2577	722	1855	12.37	3.46	·8.91
Zelaya	14466	4894	9552	9.94	3.36	·6.58
Nueva Segovia	5816	2140	3676	8.84	3.25	5.59
Managua	32011	12701	·19310	6.58	2.61	·3.97
EXPULSION						
Chontales	2605	8532	- 5927	3.78	12.40	-8.62
Boaco	2324	6921	- 4597	3.35	10.00	-6.65
León	5288	12462	- 7147	3.16	7.47	-4.31
Carazo	2696	5709	- 3013	3.79	8.02	-4.23
Estelí	3477	6502	- 3025	4.39	8.21	-3.82
Granada	2776	5393	- 2617	3.90	7.58	-3.68
Rivas	2206	4581	- 2375	2.97	6.17	-3.20
Madriz	2137	3683	- 1546	4.00	6.89	-2.89
Matagalpa	5958	8749	- 2791	3.54	5.20	-1.66
Masaya	3674	5160	- 1486	3.98	5.59	-1.60
INTERCAMBIO						
Jinotega	4137	3362	775	4.56	3.70	·0.86
Chinandega	6846	7483	- 663	4.40	4.81	-0.41

FUENTE: Banco de Datos de CELADE. Censo de población de la República de Nicaragua, año 1971.

incluso se reforzó esa tendencia. Pero, a diferencia de lo que ocurrió en 1963 y en 1950, Chinandega dejó de ser un polo de atracción de población importante y aunque para 1971 aún conserva un saldo migratorio positivo, éste más bien parece explicarse a partir del saldo migratorio positivo acumulado entre 1950 y 1963. Esta última conclusión se refuerza al examinar la tasa de crecimiento intercensal de la población. De ahí que clasifiquemos a Chinandega como departamento de equilibrio en 1971. Algo semejante, aunque menos pronunciado, ocurrió con Jinotega, que también pasó a ser departamento de equilibrio.

Managua es el principal departamento de atracción. En 1971 el 29.57% de la población de Managua había nacido en otros departamentos y ese departamento absorbió el 42% de los migrantes de todo el país. Además, la atracción de población por parte de Managua se ha venido incrementando. Así, mientras en el período 1950-63 los inmigrantes crecieron a una tasa media anual del 5.78%, en el período siguiente (1963-71) esa tasa había ascendido al 6.1%. En 1971, los departamentos de la región del Pacífico, igual que en 1963 y 1950, siguen siendo los principales surtidores de la población migrante de Managua. Si bien la contribución relativa que hacen estos departamentos al de Managua, en relación al total de la migración que recibe éste, se redujo de 74.78%, que significó en 1963, a 69.4% que registró en 1971, en cifras absolutas hubo un incremento de casi 35 mil migrantes, aumento de solo el 53.2%, en tanto que la migración proveniente de los demás departamentos sufrió un crecimiento mayor al 100% en esos mismos ocho años. Esto, sin embargo, no debe entenderse como el inicio de posibles cambios en la conformación del campo migratorio de Managua, sino, más bien, como una profundización de las tendencias migratorias con que concluimos nuestro análisis de las corrientes migratorias del período 1950-1963. Managua es, respecto de todos los departamentos del Pacífico, el principal polo de atracción de población, y hacia esos departamentos del Pacífico se dirigen la mayor parte de los migrantes que salen de Managua, que aunque representan una proporción muy baja de la población de Managua, para cada uno de estos departamentos constituyen una de las principales corrientes de migrantes que a ellos llegan.

La principal corriente de migrantes hacia Managua se registra, en 1971, procedente también del departamento de

León, corriente que ha conservado esa posición a lo largo de los tres censos de población, 1950, 1963 y 1971. Sin embargo, en el último período intercensal el crecimiento de esta migración apenas alcanzó el 57%, cuando en 1950-1963 el incremento registrado fue de 83%. Desde el punto de vista del origen urbano o rural de esta emigración de León, si consideramos el lento crecimiento que experimentó la población rural de este departamento entre 1963 y 1971, podemos creer que la mayor parte de aquella procede del área rural y, de acuerdo con la información del Cuadro No. 12, ésta se ubicó en un 90% en las áreas urbanas de Managua y solamente en un 10% en las rurales. Con esto, estamos frente a una corriente migratoria con sentido predominantemente rural-urbano.

La segunda corriente migratoria de importancia que recibe el departamento de Managua es la procedente de Granada. A pesar de haber reducido su ritmo de crecimiento a 36% entre 1963 y 1971 (cuando su crecimiento entre 1950 y 1963 fue de 85.6%) esta corriente significó para Managua el 13.2% de su inmigración. Tal como se ve en el Cuadro No. 8, la tasa de crecimiento anual medio negativa de la población rural de Granada es argumento suficiente para tener la certeza de que un alto porcentaje de esa migración tiene un origen rural. Esto último significa que, según el desarrollo de esa tendencia, hemos podido encontrar una diferenciación clara entre la migración de origen rural y la de origen urbana, diferenciación que no fue posible detectar en el análisis 1950-1963. Por otra parte, la migración de Granada hacia Managua se distribuye dentro de éste en proporciones similares a como se distribuye la procedente de León: 89.6% tiene destino urbano y 10.4% tiene destino rural. Este hecho le da a esta corriente migratoria un predominante sentido rural-urbano.

La importancia que le dimos a la corriente migratoria de Carazo a Managua en el análisis de las migraciones del período 1950-1963, se ve reducida aquí al verificar que entre 1963 y 1971 el ritmo de crecimiento del volumen de migrantes de dicha corriente disminuyó a 34%, cuando en el período censal anterior (1950-1963) ese crecimiento fue 146.8%. Con esto también disminuyó su participación relativa en la inmigración de Managua: 1963, 15.4%, y 1971, 12.5%. Sin embargo, pese a estos dos hechos, esta emigración de Carazo conservó su tercer lugar en importancia

CUADRO No. 12

NICARAGUA: Principales corrientes migratorias a los departamentos de atracción, información sobre lugar de nacimiento. 1971.

Deptos. de Atracción	Deptos. de Origen	INMIGRANTES Total	%	Urbano	Rural
MANAGUA		143702	100.0	125613	18089
	León	23135	16.10	20934	2201
	Granada	18972	13.20	17009	1963
	Carazo	18050	12.56	14803	3247
	Masaya	17900	12.46	14766	3134
	Matagalpa	11530	8.02	9594	1936
	Chinandega	11201	7.79	10190	1011
	Rivas	10478	7.29	9510	968
	Chontales	8371	5.83	7707	664
	Otros	24065	16.75	21100	2965
RIO SAN JUAN		6975	100.00	1764	5211
	Chontales	2199	31.53	346	1853
	Rivas	1480	21.22	406	1074
	León	623	8.93	70	553
	Zelaya	609	8.73	214	395
	Boaco	355	5.09	69	286
	Otros	1709	24.50	659	1050
ZELAYA		42314	100.00	3273	39041
	Chontales	15978	37.76	514	15464
	Boaco	10452	24.70	194	10258
	Matagalpa	6922	16.36	327	6595
	León	2003	4.73	189	1814
	Managua	1674	3.96	869	805
	Estelí	1104	2.61	233	871
	Otros	4181	9.88	947	3234
NUEVA SEGOVIA		15646	100.00	4235	11411
	Estelí	5598	35.78	1344	4254
	Madriz	5059	32.33	1249	3810
	Jinotega	1591	10.17	294	1297
	León	1212	7.75	303	909
	Managua	532	3.40	311	221
	Otros	1654	10.57	734	920

FUENTE: CELADE. Banco de Datos: Censo de población de la República de Nicaragua, Año 1971.

como inmigración de Managua al participar con 18 mil migrantes. También aquí nos encontramos ante una corriente migratoria campo-ciudad ya que la mayor parte de esa migración procede de las zonas rurales de Carazo (a juzgar por la baja tasa de crecimiento intercensal de 0.35% de su población rural) y se dirige en una proporción de 82% a las zonas urbanas.

La corriente migratoria procedente de Masaya registró en 1971 las mismas características y tendencias generales que apuntamos para 1963. Aunque su ritmo de crecimiento disminuyó de 87% (en 1950-1963) a 50% (1963-1971) su contribución relativa a la inmigración de Managua pasó solamente de 13.6% al 12.5% entre 1963 y 1971. Por lo demás, esta corriente no sólo conservó sino que acentuó su tendencia rural-urbana.

Al contrario de la de Masaya, la corriente migratoria que se origina en Chinandega y se dirige a Managua, sí manifiesta en 1971 algunos cambios importantes, entre los que destaca el acelerado ritmo de crecimiento del volumen de los migrantes. Si entre 1950 y 1963 este crecimiento fue de 84.7%, en el período que nos ocupa ahora ese crecimiento fue de 108%, con lo que se convierte en la única corriente migratoria de los departamentos del Pacífico hacia el departamento de Managua que acelera su ritmo de crecimiento. Por otro lado, aunque cada vez más el origen de esta migración es urbano, aun es predominante el grupo de emigrantes con origen rural, lo que le da a esta corriente migratoria un sentido fundamentalmente del campo hacia la ciudad en la medida en que el 90.1% de esa población se dirige a las zonas urbanas de Managua.

Por su parte, las migraciones que parten del departamento de Rivas hacia el de Managua conserva las mismas características generales que observamos en 1963, aunque profundiza su tendencia rural-urbana en 1971.

Si el análisis de las corrientes migratorias corespondiente al período 1950-1963 incluía como importante departamento de atracción a Chinandega (que junto a Managua formaban los dos polos de atracción de población del campo migratorio de la región del Pacífico), el rápido crecimiento del volumen de emigrantes (107.2%) comparado con el lento crecimiento del volumen de inmigrantes (14.3%) en el período 1963-1971, así como los correspondientes decrecimientos del saldo migratorio (de 14.171 a 7.196 personas) y de la tasa de migración neta (de 11.2% a 4.6%) de Chinandega (confrontar los cuadros 5 y 10), nos hace considerarlo como departamento de equilibrio migratorio. Con esto, el campo migratorio de la Región del Pacífico reduce a uno sólo sus polos importantes de atracción de población: Managua, tendencia que venía acentuándose lentamente y que se manifiesta visiblemente en el porcentaje de concentración de la inmigración total de este campo migratorio que venía realizando Managua a lo largo de los tres años censales 1950, 1963 y 1971, 53.6% 59.8% y 65.3%, respectivamente.

Como conclusión a todo lo anterior tenemos que, en la medida en que el departamento de Managua se convierte en el gran polo de atracción de las migraciones que se realizan dentro del campo migratorio de la región del Pacífico, y que la población que emigra a ese departamento tiene un destino urbano en una proporción media de 86.5%, en la medida en que eso es así, la ciudad de Managua es el punto más importante de atracción de población de todo ese campo migratorio, lo que a la vez sirve para confirmar el carácter rural-urbano predominante en las corrientes migratorias de ese universo.

Por su parte, el campo migratorio de la región Central-Atlántica continuó acentuando su tendencia migratoria rural-rural, la que en conjunto, en 1971, significó el 90% del volumen de las corrientes migratorias. Del total de las migraciones que se registraron en 1971 dentro de este campo migratorio, el 62.52% tuvo como destino final a los departamentos de San Juan y Zelaya, los que no solo conservan su capacidad de absorción de población, sino que incrementaron su concentración de la inmigración ya que en 1963 esta fue de solamente el 50.4% del total de las migraciones del interior del campo migratorio de la región Central-Atlántica.

Las corrientes migratorias que recibió el departamento de Río San Juan no tienen la importancia en cuanto a volumen que tienen las que recibe el departamento de Zelaya. Sin embargo, los inmigrantes de Río San Juan representan una proporción altísima, el 33.5% del total de la población del departamento, aunque en términos absolutos no constituyen un gran volumen; en efecto, esto se comprueba por el hecho de que este departamento sólo absorbió el 2% del total de migrantes del país.

Al contrario del departamento de Managua en donde la mayoría de los migrantes se ubican en el sector urbano, en el caso de Río San Juan la mayor parte de la inmigración, el 75%, se dirigió a las zonas rurales del departamento, como se ve en el cuadro No. 12.

En el mismo cuadro No. 12 se destaca que igual que en 1950-63, son Rivas y Chontales los principales departamentos de origen de los migrantes que llegan a San Juan. Esos dos departamentos proporcionaron el 52.7% de los inmigrantes registrados en 1971. En este mismo año también se registra una corriente de migrantes procedentes de León, que aunque de poca significación, en términos absolutos (623 migrantes) tiene una participación importante en la composición relativa (9%) del total de inmigrantes; en los censos anteriores los migrantes procedentes de León nunca llegaron a representar más del 4% sobre el total.

La información disponible no permite obtener conclusiones seguras sobre el origen urbano o rural de las corrientes migratorias que llegan a San Juan. No obstante la limitación de la información, se puede deducir que es probable que la corriente migratoria que procede de Chontales y tiene por destino San Juan sea de naturaleza RURAL-RURAL. En efecto, eso parece sostenerse en base a los siguientes hechos: primero, la inmensa mayoría de los migrantes que proceden de Chontales llegan al sector rural de San Juan; segundo, la población rural de Chontales tuvo una tasa de crecimiento negativa, lo que permite señalar que fue ese sector el que expulsó población y no el sector urbano del departamento. Conclusiones semejantes, aunque menos seguras, pueden obtenerse para el caso de las corrientes de migrantes procedentes de León, Rivas y Granada.

Finalmente, al examinar comparativamente los períodos 1950-63 y 1963-71, surge la apreciación de que ha habido un estancamiento en el efecto de atracción por parte del departamento de San Juan. En efecto, los migrantes crecieron en ambos períodos a una tasa media anual semejante, 4.8% y 4.7% respectivamente, y la tasa de migración neta ha bajado.

Las corrientes migratorias que se dirigen al departamento de Zelaya son las más importantes que se registran al interior del campo migratorio de la Región Central-Atlántica, tanto por su volumen de migrantes y la importancia relativa de estos dentro de la población del departamento, como por la proporción que significó esta migración en relación al total de la migración del país y la capacidad de absorber más del 50% de las migraciones de la región Central-Atlántica. Así tenemos que, en 1971, los inmigrantes representaban el 29% de la población total del departamento, en cambio, en 1963, representaron el 18.6% y en 1950 el 23.2%. Así mismo, mientras en 1971 Zelaya absorbió el 12.4% de la migración total del país, en 1963 ese porcentaje fue del 7.7% y en 1950 del 11.2%. La presentación comparativa para el período 1950-63 y 1963-71 de ambos indicadores, muestra que el porcentaje de inmigrantes sobre la población del departamento y sobre la migración total del país, tiene por objeto destacar que, en el segundo período, Zelaya reforzó substancialmente su efecto de atracción de población el cual había declinado en el período 1950-1963. Es decir, históricamente puede distinguirse tres períodos en cuanto a la naturaleza migratoria del departamento de Zelaya: antes de 1950, fuerte atracción de población; entre 1950 y 1963, amortiguación de la atracción de población; finalmente, entre 1963 y 1971, incremento de la atracción de población. La anterior conclusión se refuerza con la siguiente información: en el período 1950-63 la tasa media anual de crecimiento de los inmigrantes fue del 1.8%, en cambio en el período 1963-71 esa tasa se incrementó al 11%.

El Cuadro No. 12 revela que en 1971 el 92.3% de inmigrantes se ubicaron en el sector rural del departamento de Zelaya configurando nítidamente que el sector rural de ese departamento es el punto de destino de las corrientes migratorias que al mismo llegan.

Siguiendo ese mismo cuadro tenemos que tres departamentos, Chontales, Boaco y Matagalpa, proporcionaron casi el 80% del total de inmigrantes, los mismos departamentos que en 1963 aportaron el 77% de ese total y que en 1950 solo lo hicieron en 49%. Hay otras dos corrientes migratorias de menor importancia cuantitativa, pero que deben ser consideradas por separado: una es la que proviene de León y que ha incrementado notoriamente su volumen de migrantes entre 1963 y 1971; la otra es la que procede del departamento de Managua y cuya particularidad es la forma como se distribuyen sus migrantes dentro del departamento de Zelaya.

La corriente de migrantes procedentes de León hacia Zelaya sólo significó un 4.7% de la inmigración total registrada allí en 1971. Sin embargo, mientras en 1963 habían en Zelaya 349 migrantes procedentes de León, en 1971 estos sumaron 2.003 personas, es decir que, entre esos dos años, experimentaron un incremento del 474%.

Por su parte, el departamento de Managua proporcionó una corriente migratoria de poca importancia cuantitativa a Zelaya ya que solamente representa un 3.96% de la población inmigrante total de este departamento. Sin embargo, en el período 1963-1971, el volumen de migrantes de esta corriente se incrementó en 114%, pasando de 782 a 1674 migrantes. A pesar de ese detalle, lo que en verdad constituye una característica propia de esta corriente migratoria es la manera como se distribuye dentro del departamento de Zelaya; en efecto, el 52% de los migrantes de Managua hacia Zelaya, se establecieron en la zona urbana de éste, en tanto que el 48% restante se distribuyó por las zonas rurales. Con este hecho, la corriente migratoria procedente de Managua alcanza su particularidad ya que la demás corrientes migratorias que recibe Zelaya tienen un destino rural en proporciones que van desde el 98% (Boaco) hasta el 79% (Estelí), todo esto medido en 1971.

Con el fin de obtener algunas conclusiones sobre la naturaleza de las corrientes migratorias que se dirigen a Zelaya vamos a anotar otras referencias. En el cuadro No. 12 se aprecia que los departamentos de Chontales, Boaco y Matagalpa, que constituyen los puntos de origen de las principales corrientes migratorias hacia Zelaya, tuvieron una tasa de crecimiento negativa de su población rural. Aún teniendo e ncuenta los comentarios hechos sobre omisión censal, esas tasas revelan que ha sido el sector rural de esos departamentos el que más ha expulsado población, y no tanto el urbano, que tuvo tasas de crecimiento semejantes a las del país. El departamento de León, del cual procede otra corriente de migrantes hacia Zelaya, también tuvo una tasa bajísima de crecimiento de su población rural. Por otro lado, la información revela que la principal corriente de migrantes de Boaco y Chontales se dirigió hacia Zelaya y que la segunda corriente migratoria en importancia cuantitativa que salió de Matagalpa también se dirigió hacia Zelaya. A su vez, la tercera corriente en importancia que salió de León se dirigió al mismo departamento.

Pues bien, de toda la información presentada se desprenden las siguientes conclusiones:

Hay, con certeza, una fuerte corriente migratoria rural-rural que procediendo de los sectores rurales de Boaco, Chontales y Matagalpa se dirige al sector rural de Zelaya.

Es probable (los datos no permiten discenir con certeza) que la corriente de migrantes de León hacia Zelaya también sea de naturaleza rural-rural.

Finalmente, y teniendo como base la información proporcionada sobre Zelaya y Río San Juan por el Censo de población de 1971, podemos concluir que esos departamentos, junto con los de Boaco, Chontales y Matagalpa, constituyen un solo campo migratorio en la Región Central-Atlántica.

Nuestro tercer campo migratorio, el de la Región Central-Norte, al igual que como ocurrió con el campo migratorio de la Región del Pacífico, presenta en 1971 solamente un polo importante de atracción de población; en efecto, con el cambio que sufre Jinotega, que pasó de departamento de atracción de población a departamento de intercambio equilibrado de población entre 1963 y 1971, el campo migratorio central-norte define ahora toda su atracción en torno al departamento de Nueva Segovia, ubicado al norte de Nicaragua y en la frontera con la República de Honduras.

La población migrante que fue registrada como tal en 1971 en nueva Segovia representaba un 4.6% de la población migrante total del país, lo que expresa el 23.8% de la población total de ese departamento. Para entender la creciente importancia que como polo de atracción de población ha venido tomando Nueva Segovia tenemos que en 1950 la inmigración a ese departamento significó un 2.7% del total de la migración del país y en 1963 aumentó al 3.1%; la población inmigrante del departamento formaba el 11.7%, en 1950 y el 14.8%, en 1963, en relación al total de la población de ese departamento en los años respectivos; por último, la población inmigrante de Nueva Segovia experimentó en los períodos censales de 1950-1963 y de 1963-1971 un crecimiento de 115.1% y 134%, respectivamente.

Las principales corrientes de migrantes que llegaron a Nueva Segovia, procedían de tres departamentos, Estelí, Madriz y Jinotega, en una proporción del 78.2% del total de los inmigrantes. Aunque esa misma migración significó en 1963 el 84.3% de los inmigrantes de Nueva Segovia, el incremento real de volumen de estas tres corrientes entre

1963 y 1971 fue de 117.2%.

De esas corrientes, la de mayor importancia cuantitativa, es la que proviene de Estelí, que en 1963 significó el 40.7% y en 1971 el 35.8% del total de la inmigración de Nueva Segovia. Pero cualitativamente, las tres tienen características similares; tanto la que procede de Estelí como las que vienen de Madriz y Jinotega hacia Nueva Segovia constituyen migraciones de naturaleza preferiblemente rural-rural. Por una parte, si aceptamos la información del cuadro No. 12, tenemos que del total de emigrantes de estos tres departamentos que se dirigen al departamento de Nueva Segovia, sólo el 23.6% se localizaba en 1971 en las zonas urbanas de este departamento y el resto, 76.4%, se ubicó en las zonas rurales; por otra parte, si regresamos al cuadro No. 8, tenemos que, especialmente las de Estelí y Madriz y un poco menos la de Jinotega, las poblaciones rurales de estos tres departamentos han experimentado muy bajo crecimiento entre 1963 y 1971, de modo que, y aun tomando en cuenta la discreción del caso por la población omitida del censo en el sector rural, es probable que el grueso de los migrantes procede de los sectores rurales de esos departamentos.

Por el intercambio de población existente entre estos cuatro departamentos, tenemos que el campo migratorio de la Región Central-Norte desarrolla las tendencias migratorias que definimos en nuestro análisis de las corrientes migratorias del período 1950-1963. En efecto, mientras un 23.1% de la emigración total de Estelí se dirigió a Nueva Segovia y un 56.5% de la emigración total de Madriz se dirigió a Nueva Segovia y un 14.1% de la emigración total de Jinotega se dirigió a Nueva Segovia, para este departamento esas tres corrientes migratorias significaron, en el mismo orden, el 35.78%, el 32.33% y el 10.17% de la inmigración total recibida, lo que a su vez significa las tres importantes corrientes de inmigración de Nueva Segovia. Por su parte, la segunda, tercera y cuarta corrientes de emigrantes, en orden de importancia, de Nueva Segovia se dirigieron a Jinotega, Madriz y Estelí, respectivamente.

Como conclusiones tenemos que, en general, los tres campos migratorios —el de la Región del Pacífico, el de la Región Central-Atlántica y el de la Región Central-Norte— conservan las características y desarrollan las tendencias que habíamos observado en el análisis de las migraciones de 1963.

En el campo migratorio del Pacífico encontramos cómo el departamento de Managua termina por desplazar totalmente a Chinandega convirtiéndose en un poderoso polo de atracción de población que no solo atrae el 65.3%, del total, de las migraciones que se realizan dentro de la región del Pacífico, sino que también concentra el 42.1% del total de los migrantes del país. De lo que se expuso más arriba tomamos, como última conclusión, que las corrientes migratorias de este campo migratorio son preferentemente rural-urbanas y, secundariamente, urbano-urbanas.

Al contrario, las corrientes que se realizan al interior de los campos migratorios Central-Atlántico y Central-Norte son preferentemente rural-rurales y sólo secundariamente urbano-rurales.

2.4.2.— Las corrientes migratorias en los últimos cinco años anteriores al censo de población de 1971.

El análisis que sigue a continuación necesariamente tendrá que mostrarse contradictorio hasta cierto punto con las conclusiones a que hemos llegado arriba, especialmente con las del análisis del período 1963-1971. Sin embargo, estas supuestas contradicciones no son más que aparentes. Las posibles diferencias que encontraremos no se deben más que al tipo de información que usaremos en el siguiente análisis. En efecto, toda la información censal sobre las migraciones que hemos utilizado hasta este momento, es decir, la información que se deriva del cruce de las variables "lugar de nacimiento" y "lugar de empadronamiento" de la población, presupone abordar el fenómeno migratorio en cuanto a población migrante acumulada en el tiempo, o, más fácilmente, en cuanto a migraciones o tendencias migratorias a largo plazo, lo que no quiere decir otra cosa que muchos de los migrantes que fueron computados como tales en el censo de población de 1950 fueron nuevamente computados en el censo de 1963 y en el censo de 1971; esto permite que, si acaso existe éste, un departamento que presentara una gran capacidad de atracción de población en 1950, al que, por lo tanto, se le calculara un saldo migratorio positivo, y que, como último supuesto, antes del censo de 1963 redujera a cero aquel potencial de absorción de población pero conservara la capacidad de retenerla, es decir, sin convertirse en departamento de expulsión ni de intercambio equilibrado de población, un departamento que cumpliera con estas condiciones necesariamente tendría que continuar pareciéndonos en 1963 y en 1971 como un departamento de atracción de población aunque de hecho ya no absorbiera población; este error se cometería incluso cuando, sin dejar de tener signo positivo, el saldo migratorio de 1971 del departamento fuese menor que el de 1963, y este menor que el de 1950. Este es el error que se cometería al intentar analizar el carácter migratorio de un departamento con estas condiciones, este no es más que un caso ideal y extremo; sin embargo, los casos reales y moderados, de acuerdo a la información censal a la que nos referimos, recoger este mismo error en menor medida, distorsionando menos la realidad, pero sin embargo, con cierta dosis de más. Sin duda que en esta distorsión de los hechos juegan su papel dos variables: por un lado, el crecimiento natural de la población y, por otro, la expectativa o probabilidad de vida del migrante.

Para superar esos errores, y para rescatar con mayor fidelidad el fenómeno migratorio, se hace necesario utilizar la información censal derivada del cruce de las variables "lugar de residencia cinco años antes" y "lugar de empadronamiento" de la población. Esta nos permite conocer las tendencias migratorias más recientes, a corto plazo, de la población, aislándolas de las migraciones acumuladas. Sin embargo, esta información no está siempre disponible en los censos de población. De todos los que se han realizado en la República de Nicaragua, sólo el de 1971 la incluye.

A.— El volumen migratorio del período 1966-1971.

En los cinco años anteriores al censo de población de 1971, 98.994 nicaragüenses migraron de un departamento a otro. Esa cantidad representa el 5% de la población mayor de 5 años (población que ya existía en 1966).

Pero la relación entre la migración ocurrida en los cinco años anteriores al censo de 1971 con la migración a largo plazo (la ocurrida en todo el período anterior a 1971 y definida en función del lugar de nacimiento y lugar de residencia) revela más claramente el acelerado crecimiento del volumen migratorio. El total de migrantes que se habían acumulado hasta 1971, como migración a largo plazo, sumaban en el censo de población de ese año 341.086 personas, entre 1963 y 1971 la población migrante del país se había incrementado en 128.338 migrantes (incremento de 60.3%). De estos, sólo el 22.9%, 29.334 migrantes, migraron entre 1963 y 1966; el 77.1%, 98.994 migrantes, migraron en los cinco años comprendidos entre 1966 y 1971. Este hecho debe servir para entender la creciente y cada vez mayor importancia que juega el movimiento migratorio dentro de la población de Nicaragua.

B.— Corrientes migratorias según "lugar de residencia cinco años antes y lugar de empadronamiento" de la población.

El cuadro No. 13 revela que la distribución urbano-rural de las corrientes migratorias hacia los departamentos de atracción en los cinco años anteriores al censo es semejante a lo que acaba de ser expuesto. Así, mientras en el caso de Managua es en el sector urbano donde se localizan la inmensa mayoría de los migrantes (80.4%), tenemos que San Juan, Zelaya y Nueva Segovia configuran el caso contrario pues en ellos es el sector rural el que atrae la mayor cantidad de migrantes siendo el caso extremo Zelaya en que el 92.9% de los inmigrantes llegan al sector rural.

Respecto a las corrientes migratorias más importantes, el Cuadro No. 13 nos revela lo siguiente:

La mayor intensidad en el intercambio migratorio de Managua es con los departamentos del Pacífico, que proporcionaron el 64.2% del total de inmigrantes de Managua. El hecho anterior, que se repite en el caso de la migración a "largo plazo", no excluye que desde todos los departamentos proceda una corriente de migrantes hacia Managua.

En el departamento de Río San Juan se repite en ocasión de las migraciones de los cinco años anteriores al censo el mismo caso que al analizar la migración total: Chontales en primer lugar, y Rivas en segundo, son el punto de origen de las principales corrientes que llegan al departamento.

CUADRO No. 13
NICARAGUA: Principales corrientes migratorias hacia los Departamentos de Atracción, de acuerdo a la residencia de los migrantes cinco años antes del Censo de Población de 1971.

DEPARTA-MENTOS	Depar-tamentos de origen	No. de Inmigra-grantes	%	Urbanos	%	Rura-les	%
RIO SAN JUAN		2.577	100.00	851	33.0	1.726	67.0
	Chontales	643	24.9				
	Rivas	452	17.5				
	Zelaya	313	12.1				
	León	293	11.4				
	Managua	221	8.6				
	Granada	187	7.3				
	Otros	468	18.2				
ZELAYA		14.466	100.0	1.026	7.1	13.440	92.9
	Chontales	4.984	34.5				
	Boaco	3.079	21.3				
	Matagalpa	2.111	14.6				
	León	1.355	9.4				
	Managua	1.028	7.1				
	Otros	1.909	13.1				
NVA. SEGOVIA		5.816	100.0	1.897	32.6	3.919	67.4
	Madriz	2.084	35.8				
	Estelí	1.604	27.6				
	Managua	501	8.6				
	Jinotega	395	6.8				
	León	387	6.7				
	Otros	845	14.5				
MANAGUA		32.011	100.0	25.736	80.4	6.275	19.6
	León	5.158	16.1				
	Chinandega	3.682	11.5				
	Carazo	3.289	10.3				
	Matagalpa	3.163	9.9				
	Masaya	3.107	9.7				
	Granada	2.897	9.0				
	Rivas	2.424	7.6				
	Otros	8.291	25.9				

FUENTE: Censo de Población de 1971 de la República de Nicaragua, Dirección General de Estadísticas, Managua, 1971.

Lo anterior también es válido en relación a Zelaya. Chontales, Boaco y Matagalpa, y en menor medida León, son los departamentos de origen de las principales corrientes que a Zelaya llegan. Pero hay un hecho significativo: del total de migrantes que de León han llegado a Zelaya, la gran mayoría (67.8%), se trasladó en los últimoos cinco años revelando la estrecha correlación de esos movimientos de población con los proyectos de colonización agrícola.

En el caso de Nueva Segovia tampoco varían las tendencias anotadas en relación a la migración total: Estelí, Madriz y Jinotega son los departamentos con los cuales es mayor la intensidad del intercambio migratorio. Lo único diferente es que en los últimos cinco años se nota la presencia de una creciente corriente de migrantes desde Managua hacia Nueva Segovia.

Finalmente, en relación a los departamentos de atracción, queda por señalar que la información sobre las migraciones en el período 1966-71, también da fundamento para establecer en alguna medida la naturaleza rural-rural o rural-urbana de algunas corrientes migratoria. En efecto, el análisis combinado de los cuadros transcritos, teniendo presente lo indicado sobre las corrientes migratorias, permite establecer la fundada posibilidad de que entre Chontales, Boaco y Matagalpa por un lado, y Zelaya por otro existe una corriente de migrantes rural-rural. En efecto:

a) Esos departamentos proporcionan el 70.3% del total de inmigrantes de Zelaya;

b) El 92.9% de los inmigrantes que llegan a Zelaya se ubican en el sector rural;

c) El 74% de los migrantes de Chontales, el 77% de los de Boaco y el 56% de los de Matagalpa fueron hacia el sector rural de otros departamentos;

d) Atando esas informaciones, y aunque el censo no proporciona información sobre el **origen** urbano o rural de los migrantes puede deducirse la naturaleza rural-rural de las corrientes que hemos analizado.

El anterior análisis puede aplicarse a San Juan y Nueva Segovia, departamentos respecto de los cuales también puede configurarse, aunque menos claramente en el caso de Nueva Segovia, la existencia de corrientes migratorias de naturaleza rural-rural. u

Los departamentos de rechazo en el período 1966-71 son exactamente los mismos, que en el caso de la migración total: Chontales, Carazo, Boaco, Granada, Estelí, Masaya, León, Rivas, Matagalpa, Madriz. Los cambios ocurridos en las posiciones relativas de los departamentos dentro de la categoría de rechazo revelan, tal como ya lo anotamos, que Chontales y Boaco han reforzado su carácter de expulsores de población en los últimos años. Boaco pasó al segundo lugar de importancia desplazando a Carazo. Un caso seme-

CUADRO No. 14

INMIGRANTES, SEGUN AREA DE DESTINO, POR DEPARTAMENTO PERIODO 1966 - 1971

	INMIGRANTES				
DEPARTAMENTOS		URBANOS		RURALES	
	TOTAL	TOTAL	%	TOTAL	%
TOTAL	98.994	50.598	51.1	48.396	48.9
Chinandega	6.846	3.064	44.8	3.782	52.2
León	5.288	2.760	52.2	2.528	47.8
Managua	32.011	25.736	80.4	6.275	19.6
Masaya	3.674	1.844	50.2	1.830	49.8
Granada	2.776	1.687	60.8	1.089	39.2
Carazo	2.696	1.319	48.9	1.377	51.1
	2.206	1.085	49.2	1.121	50.8
Chontales	2.605	1.252	48.1	1.353	51.9
Boaco	2.324	1.091	46.9	1.233	53.1
Matagalpa	5.958	3.016	50.6	2.992	49.4
Jinotega	4.137	848	20.5	3.289	79.5
Estelí	3.477	2.307	66.4	1.170	33.6
Madriz	2.137	815	38.1	1.322	61.9
Nnueva Segovia	5.816	1.897	32.6	3.919	67.4
Río San Juan	2.577	851	33.0	1.726	67.0
Zelaya	14.466	1.026	7.1	13.440	92.9

jante ocurre con León. En efecto, en el caso de esos tres departamentos, los emigrantes en el período 1966-71 representan entre el 26% y el 28% del total de emigrantes que cada uno de ellos registró en 1971.

En el caso de los departamentos de equilibrio, se corrobora lo que habíamos señalado antes: Chinandega desde el punto de vista de la migración total aún tiene un saldo migratorio positivo; ese saldo positivo se debe más a migrantes acumulados en el período 1950-63, pues las tendencias más recientes indican que ese departamento se encuentra en rápido tránsito para convertirse en departamento de rechazo. En efecto, en el período 1966-71 Chinandega ya tuvo un saldo migratorio negativo, que si bien es muy bajo y permite mantenerlo en la categoría de equilibrio corrobora a la vez la tendencia que referimos.

Jinotega, en cambio, no manifiesta ninguna alteración en su condición de departamento de equilibrio.

Si hacemos caso omiso de que todos los departamentos tienen comunicación migratoria con Managua, pueden distinguirse las tres mismas grandes regiones migratorias que reveló el estudio de las migraciones en el período 1950-63.

Ellas son:

Región del Pacífico:

Chinandega, León, Managua, Carazo, Masaya, Granada y Rivas.

Región Central-Norte

Nueva Segovia, Jinotega, Estelí, Madriz y Matagalpa.

Región Central-Atlántico:

Matagalpa, Chontales, Boaco, Zelaya y Río San Juan.

Matagalpa, igual que en 1950-63 reparte su intercambio migratorio entre la región Central-Norte y la Central-Atlántico.

En cada región hay un polo de atracción de población claramente definido: Managua en el del Pacífico, Nueva Segovia en la Central-Norte y Zelaya-San Juan en la Central Atlántico.

El movimiento migratorio se ha definido más nítidamente entre departamentos de atracción y departamentos de rechazo.

A pesar de las limitaciones de la información censal es posible determinar, en algunos casos, la naturaleza de las corrientes migratorias en el sentido de saber si su orientación es rural-rural o rural-urbana. Así, por ejemplo, se pudo configurar claramente la existencia de una corriente rural-rural entre Boaco, Chontales y Matagalpa por un lado (origen) y Zelaya por otro (destino).

CAPITULO VI

COSTA RICA

1.— EL MOVIMIENTO MIGRATORIO EN EL PERIODO 1950-1963.

1.1.— El crecimiento inter-censal de la población

La población de Costa Rica creció en forma muy rápida en el período 1950-1963. El censo de 1950 dio una población de 800.875 habitantes, mientras que el de 1963 mostró 1.336.274.Este aumento presupone una tasa de crecimiento anual de casi 4.1% en promedio. Sin embargo, debe recordarse que el censo de 1950 presenta una omisión mayor que el de 1963. Por lo tanto, se ha decidido, como primer paso, efectuar una corrección de la población del país con la finalidad de eliminar el efecto de la subenumeración sobre la tasa de crecimiento. En el caso de 1950 se ha acordado elevar la población mostrada por el censo de un 7%, en tanto que en 1963 se ha usado un valor de 3%. Estos porcentajes son muy similares a los estimados en los estudios que han evaluado la cobertura de esos censos.

Una vez corregida la población censal se llega a cifras de 856.936 habitantes en 1950 y de 1.376.362 en 1963. Con base en estos totales se han calculado los aumentos porcentuales intercensales y las tasas de crecimiento geométrico que aparecen en el cuadro No. 1. Debe hacerse la observación de que los porcentajes de 7% y 3% se aplicaron no sólo a la población total sino también a la urbana y a la rural. Esto no es lo más adecuado ya que existe una subenumeración diferencial por zona. Sin embargo, la falta de conocimiento acerca de la calidad de los censos en las distintas áreas del país impidió hacer ajustes más adecuados.

CUADRO No. 1

COSTA RICA: Población corregida por subenumeración, porcentajes de aumento y tasas de crecimiento intercensales de la población total, urbana y rural en el período 1950-63.

ZONA	Población 1950	corregida 1963	Porcentaje de aumento 1950-1963	Tasa de crecimiento 1950-1963
Costa Rica	856.936	1.376.362	60.61	3.75
Urbana	287.066	474.359	65.24	3.98
Rural	569.870	902.003	58.28	3.64

FUENTE: Censos de población de 1950 y 1963 de la República de Costa Rica.

En el cuadro anterior puede notarse que una vez hechas las correcciones, se llega a un aumento de población de un 60.61% entre 1950 y 1963. Este aumento es muy elevado y equivale a una tasa anual de un 3.75%. Se observa además que las tasas correspondientes a la zona urbana y a la rural son bastante cercanas entre sí. Esto pareciera indicar que el ritmo de urbanización en el período intercensal considerado no fue muy rápido. Debe recordarse, sin embargo, que la definición de área urbana utilizada en Costa Rica tiende a subestimar el nivel y el ritmo de urbanización del país.

El Crecimiento de la Población Cantonal

Como ya se dijo, el presente trabajo utilizará al cantón como unidad de análisis. El utilizar el cantón en lugar de la provincia permite trabajar con áreas más homogéneas (1) pero origina un número mayor de observaciones. Aunque el número total de cantones (65 en 1950) podría ser considerado

---

1) Existen algunos casos de cantones muy heterogéneos, y varios de ellos, hasta sin continuidad geográfica.

como excesivamente elevado, debe tomarse en cuenta que no todos ellos serán utilizados; posteriormente se eliminarán todos aquellos cantones que, por diversas razones, no se consideren adecuados para el estudio que se quiere llevar a cabo.

Como primera etapa, y con la finalidad de tener una idea general acerca de la influencia de la migración sobre el crecimiento de la población, se han calculado los porcentajes de aumento poblacional para todos los cantones del país en el período 1950-1963. Se presupone que todos aquellos cantones que muestran un crecimiento muy elevado de población podrían ser catalogados como de inmigración, en tanto que los que aparecen con aumentos reducidos podrían considerarse como de emigración. Al utilizar el crecimiento de la población como un indicador de la población se parte de los supuestos de que: 1) no existen diferencias muy elevadas entre los cantones en lo que se refiere a mortalidad y natalidad; 2) no han ocurrido modificaciones de importancia en los límites cantonales. La suposición de que no existen diferencias importantes en los niveles de las tasas vitales no es totalmente válida. Sin embargo, las tasas de natalidad y mortalidad observadas en los cantones de Costa Rica durante el período considerado, son comparativamente poco variables.

Las modificaciones en los límites cantonales son, a su vez, muy importantes. Esto ha obligado a efectuar algunos ajustes que tienen como fin minimizar el efecto de esos cambios. Las correcciones hechas fueron las siguientes:

a) En 1963, la población del cantón de León Cortés fue agregado a la de Tarrazú, ya que el primero de esos cantones fue segregado del segundo durante ei período intercensal. Por la misma razón, el cantón de San Pablo fue considerado como parte del de Heredia y el de Nandayure como parte de Nicoya.

b) El distrito de San Pedro de Buenos Aires (provincia de Puntarenas) fue considerado como parte del cantón de Pérez Zeledón (provincia de San José) en 1950, puesto que, poco tiempo después, fue segregado del primero de esos cantones y agregado al último.

c) En 1950 el distrito de San Jerónimo (ahora parte del cantón de Naranjo) formaba parte de Grecia. Para hacer el ajuste correspondiente fue necesario estimar su población en 1950 (ya que en esa época incluía algunas áreas que le fueron segregadas después) y agregarle el valor obtenido a la población de Naranjo.

d) El hecho de que en 1950 los actuales distritos de La Fortuna y La Tigra de San Carlos eran parte del distrito de Los Angeles de San Ramón, obligó a estimar su población para ese año y agregarle la cifra obtenida a la del cantón de San Carlos.

Los ajustes anteriores no son los únicos que se requerían: hubo algunos otros cambios en los límites cantonales que aunque se conocían, fueron imposible de corregir. Ahora bien, los ajustes descritos anteriormente eliminan varios de los errores que habrían afectado las estimaciones de la migración a partir del crecimiento de la población.

Los datos acerca del crecimiento de la población (tasas medias anuales de crecimiento geométrica) en el período 1950-1963, se incluyen en el cuadro No. 2. Este cuadro muestra perfectamente las grandes diferencias que se dieron en el crecimiento de la población y podrían ser debidas a las migraciones internas.

Puede verse que mientras la población de algunos cantones (Turrubares y San Mateo) disminuyó en forma absoluta, hubo otros en donde la tasa de crecimiento fue extraordinariamente elevada. (Golfito, por ejemplo, 9.95%). Variaciones tan enormes no podrían haber sido originadas por distintos niveles de crecimiento natural (natalidad menos mortalidad), sino que deben ser achacadas al efecto de las corrientes migratorias intercantonales. Las migraciones externas, aunque parecen haber jugado un papel importante en el crecimiento de la población de unos pocos cantones (Grecia, Golfito, etc.), no tuvieron mucha importancia durante el período que se está analizando.

El cuadro No. 2 da tasas que varían entre 0.91% anual de disminución y casi 10% de aumento. En lo que se refiere al crecimiento de los sectores urbano y rural de cada cantón, se encuentra que, con unas pocas excepciones, la tasa correspondiente a la parte urbana resulta mayor que la del área rural [1]. Es más, existen algunos casos en los que el crecimiento de la parte urbana parece ser responsable de todo o casi todo el aumento observado en la población cantonal (Mora, Orotina, y Alfaro Ruiz por ejemplo). Estos resultados sugieren que, aún dentro de los mismos cantones, se dan flujos migratorios de las áreas rurales hacia las urbanas. En lo que respecta a aquellos cantones cuya población urbana parece haber crecido más lentamente que la rural, pueden hacerse las siguientes observaciones: i) algunos de ellos incluyen áreas de colonización expontánea durante el período bajo consideración (Grecia, San Carlos, Bagaces, Heredia, Puntarenas y Golfito) y por lo tanto, las tasas obtenidas pueden ser reales; ii) en unos cuantos los cambios ocurridos en la delimitación del área urbana de un censo a otro, subestiman el aumento de la población urbana (Alajuela, Naranjo, etc.); iii) en algunos otros, la parte urbana se ha extendido fuera de los límites del distrito primero, pero la inflexibilidad de la definición de área urbana no permite medir ese hecho (Santo Domingo, por ejemplo).

La poca flexibilidad de la definición de área urbana limita mucho el análisis que se puede hacer de las cifras del cuadro No. 2 Es claro que cualquier conclusión acerca de las tendencias y niveles de la migración en las áreas urbanas y rurales de cantones específicos, deberá ser hecha con mucho cuidado.

Aunque la interpretación de las tasas de crecimiento urbano y rural es difícil y se presta a graves errores, sí es posible utilizar las tasas correspondientes a la población total cantonal para determinar, en forma aproximada, el comportamiento migratorio de esos cantones. Puede suponerse que las tasas muy superiores a la nacional están indicando saldos migratorios netos positivos, en tanto que las tasas inferiores corresponden a cantones de emigración. Considerando que la tasa de crecimiento de la población total del país (cuadro No. 1) fue de 3.76% anual y que las

1) Algunas de las tasas más elevadas no parecen ser reales. Aparentemente podría haber casos en los que el censo de 1950 subestimó el área urbana cantonal en mayor grado que el de 1963.

CUADRO No. 2
Tasas medias anuales de crecimiento geométrico de la población durante el período 1950-1963, por cantones y zona urbana y rural.

		POBLACION		
	CANTON	Total	Urbana	Rural
PROVINCIA DE SAN JOSE				
	San José	2.96	3.03	-2.34
	Escazú	5.21	4.67	5.34
	Desamparados	5.89	12.61	4.92
	Puriscal	2.43	9.65	2.10
	Tarrazú	2.82	10.41	2.48
	Aserrí	2.85	3.49	2.84
	Mora	0.83	5.96	0.53
	Goicoechea	5.59	5.70	5.10
	Santa Ana	3.18	10.10	2.45
	Alajuelita	7.92	11.14	7.16
	Coronado	4.06	7.61	3.44
	Acosta	1.69	0.29	1.73
	Tibás	6.22	6.66	5.41
	Moravia	5.36	8.29	3.12
	Montes de Oca	6.81	7.27	5.90
	Turrubares	-0.91	—	-1.05
	Dota	1.93	7.22	1.54
	Curridabat	5.67	13.01	3.10
	Pérez Zeledón	5.93	15.15	5.27
PROVINCIA DE ALAJUELA				
	San Ramón	2.47	4.00	3.03
	Grecia	4.86	4.01	4.98
	Alajuela	4.01	2.41	4.84
	San Mateo	-0.79	-1.92	-0.63
	Atenas	1.02	2.94	0.86
	Naranjo	2.53	0.67	2.90
	Palmares	3.15	6.30	2.79
	Poás	3.38	2.62	3.49
	Orotina	1.07	2.12	0.76
	San Carlos	5.41	5.03	5.45
	Alfaro Ruiz	0.10	3.97	-0.45
	Valverde Vega	2.99	7.06	2.67

	CANTON	POBLACION Total	Urbana	Rural
PROVINCIA DE CARTAGO				
	Cartago	3.00	2.33	3.45
	Paraíso	3.46	7.12	2.60
	La Unión	4.40	4.83	4.25
	Jiménez	2.06	7.51	1.63
	Turrialba	3.10	3.33	3.03
	Alvarado	2.38	4.34	2.28
	Oreamuno	3.37	8.07	2.49
	El Guarco	2.99	-2.88	3.66
PROVINCIA DE HEREDIA				
	Heredia	4.18	3.46	5.17
	Barba	3.50	7.28	2.73
	Sto. Domingo	3.13	3.11	3.14
	Sta. Bárbara	3.47	2.94	3.58
	San Rafael	4.03	8.94	3.64
	San Isidro	2.49	3.25	2.38
	Belén	2.80	5.43	2.12
	Flores	2.60	7.96	1.62
PROVINCIA DE GUANACASTE				
	Liberia	4.18	4.35	4.10
	Nicoya	3.49	5.09	3.39
	Santa Cruz	4.05	4.97	3.89
	Bagaces	6.77	3.72	7.29
	Carrillo	3.55	4.26	3.45
	Cañas	3.10	5.43	2.18
	Abangares	1.27	-0.06	1.39
	Tilarán	1.97	2.83	1.85
PROVINCIA DE PUNTARENAS				
	Puntarenas	4.32	2.77	5.32
	Esparta	1.94	2.82	1.57
	Buenos Aires	5.53	—	5.53
	Montes de Oro	1.01	1.44	0.93
	Osa	3.03	5.12	2.84
	Aguirre	1.78	-4.48	2.83
	Golfito	9.95	3.48	12.71

(Continuación Cuadro No. 2)

PROVINCIA DE LIMON				
	Limón	4.00	3.99	4.01
	Pococí	3.49	—	3.01
	Siquirres	2.90	15.48	1.57

FUENTE: Dirección General de Estadísticas y Censos. Censos de población de 1950 y 1963.

unidades de análisis son más numerosas que en otros países, se decidió trabajar con las siguinetes categorías:

Tasa observada	Comportamiento migratorio
Menos de 2%	Emigración fuerte
De 2% a 3.34%	Emigración moderada
De 3.35% a 4.14%	Saldo migratorio nulo o casi nulo.
De 4.15% a 5.49%	Inmigración moderada
5.50 y más	Inmigración fuerte.

De acuerdo con la anterior clasificación (que es bastante arbitraria) se tienen los siguientes resultados:

CUADRO No. 3

COSTA RICA: Distribución de los cantones de Costa Rica según comportamiento migratorio en el período 1950-1963, (Comportamiento migratorio estimado a partir de la tasa de crecimiento de la población).

Provincia	Muy fuerte emigración	Emigración moderada	Saldo migratorio nulo	Inmigración moderada	Muy fuerte inmigración
San José	Mora Acosta Turrubares Dota	San José Puriscal Tarrazú Aserrí Sta. Ana	Coronado	Escazú Moravia	Desam. Goicoechea Alajuelita Tibás Montes de Oca Curridabat Pérez Zeledón

(Continuación Cuadro No. 2)

Alajuela	San Mateo Atenas Orotina Alfaro Ruiz	San Ramón Naranjo Palmares Valverde Vega	Alajuela Poás	Grecia San Carlos	
Cartago		Cartago Jiménez Turrialba Alvarado El Guarco	Paraíso Oreamuno	La Unión	
Heredia		Sto. Domingo San Isidro Belén Flores	Barba Sta. Bárbara San Rafael	Heredia	
Guanacaste	Abangares Tilarán	Cañas	Nicoya Sta. Cruz Carrillo	Liberia	Bagaces
Puntarenas	Esparta Montes de Oro Aguirre	Osa		Puntarenas	Buenos Aires Golfito
Limón		Siquirres	Limón Pococí		

Puede notarse que, en general, las provincias muestran gran variabilidad en lo que se refiere al crecimiento de la población de sus cantones, por consiguiente, casi todas ellas presentan cartones con comportamiento muy distinto en lo que se refiere a la migración. Llama la atención el hecho de que seis de los diez cantones, clasificados como de inmigración están situados en el Area Metropolitana de San José.

1.2.— Determinación de la migración intercensal mediante las estadísticas vitales

Aunque la determinación de los cantones de inmigración y emigración puede hacerse mediante el uso de un sistema similar al empleado en el párrafo anterior, los resultados obtenidos no son lo suficientemente confiables. Es evidente que un alta tasa de crecimiento poblacional puede deberse a una elevada natalidad —combinada con una baja mortalidad— y no necesariamente a la inmigración. Del mismo modo una baja tasa de crecimiento podría ser originada por una reducida natalidad, una alta mortalidad o por la combinación de ambas. Anteriormente se habló de que el método utilizado descansa en el supuesto de que no existen diferencias apreciables en las tasas de crecimiento natural (natalidad menos mortalidad). Este supuesto no es enteramente válido; aunque es cierto que durante el período considerado Costa Rica no presentó diferencias tan marcadas como otros países en sus tasas de natalidad y mortalidad, no se puede afirmar que el crecimiento natural haya sido unfirme en todo el país. Se sabe, por ejemplo, que Costa Rica presenta (al igual que la mayoría de los demás países del mundo) niveles más bajos de fecundidad y de mortalidad en las regiones más urbanizadas.

Una alternativa es el cálculo de los saldos migratorios netos mediante la diferencia entre la población esperada (a partir de las estadísticas vitales) y la población censada. Este método sólo puede ser utilizado en países o regiones en los que los registros de defunciones y nacimiento son confiables. Ahora bien, se sabe que las estadísticas vitales de Costa Rica son bastantes completas (si se las compara con las de la mayoría de los demás países de América Latina). En lo que se refiere a la natalidad, se da un registro tardío de gran volumen. Sin embargo, el total de inscritos en un año no está muy alejado del número de nacimientos ocurridos durante ese año. Partiendo de este hecho, la Dirección General de Estadísticas y Censos ha podido determinar, con bastante exactitud, el total de nacimientos que cada año ocurren. Las cifras que da la Dirección General de Estadística y Censos y que denomina. "Estimación de ocurridos" pueden, pues, utilizarse con un buen margen de seguridad.

En lo que respecta a la mortalidad, se sabe que existe un subregistro apreciable. Algunos estudios hechos por la Dirección de Estadística y Censos mostraron una omisión de defunciones de alrededor de un 15% a finales del período 1950-1963.

No se sabe qué calidad presentan las cifras de nacimientos y defunciones a nivel cantonal. Los datos que pueden ser utilizados no se refieren al lugar de registro, sino al cantón de residencia de la madre, en el caso de los nacimientos, y de la persona fallecida en el de las defunciones. El hecho de que existe bastante confusión en lo que respecta a los límites cantonales hace pensar, sin embargo, que se dan errores en la información suministrada por las personas que hacen las inscripciones de los hechos vitales.

En el caso de la mortalidad, además del problema de los errores en la declaración del lugar de residencia, se da una concentración del subregistro en determinadas áreas del país. Los estudios efectuados muestran que algunas zonas (la provincia de Guanacaste por ejemplo) presentan un subregistro de defunciones muy elevado.

Pese a los problemas que presentan las estadísticas vitales, se ha considerado conveniente su utilización para estimar los saldos migratorios netos del período 1950-1963 [*].

El procedimiento seguido fue el siguiente:

a) Se tomó como base la población dada por el censo de 1950 y elevada en un 7% para corregir la subenumeración. Dada la falta de información hubo que utilizar el mismo ajuste de 7% en todos los cantones del país.

b) A la población corregida de cada cantón, le fueron agregados los nacimientos y restadas las defunciones que ocurrieron durante el período intercensal (entre el 22 de mayo de 1950 y el 30 de abril de 1963).

c) En 1950 se utilizaron las cifras de defunciones registradas a partir de la fecha del censo. En el caso de los nacimientos, en cambio, se usó el total de registrados en el año, pero aplicándolos el factor 0.62. De esta manera fue posible estimar el número de nacimientos ocurridos después del censo.

d) Entre 1951 y 1962, las cifras de nacimientos y defunciones utilizadas fueron las incluídas en los cuadros de

---

*] Debe indicarse que los saldos estimados se refieren a la migración en general. El método no permite diferenciar entre migración interna y migración externa.

CUADRO No. 4

COSTA RICA: Saldos Migratorios Netos y Tasas de Migración Netas Estimados Mediante el Método de las Estadísticas Vitales, Período de 1950 a 1963.

Cantón	Saldo Migratorio Estimado	Población a mitad del período	Tasa de migración neta
PROVINCIA DE SAN JOSE			
San José	-1.839	146.826	-1.25
Escazú	384	11.159	3.44
Desamparados	6.792	25.784	26.34
Puriscal	3.593	21.158	-16.98
Tarrazú	-2.317	9.664	-23.98
Aserrí	-1.144	11.889	- 9.62
Mora	-2.615	8.742	-29.91
Goicoechea	11.185	34.002	32.90
Santa Ana	- 657	7.758	- 8.47
Alajuelita	4.149	7.684	54.00
Coronado	1.127	8.743	12.89
Acosta	-3.642	12.178	-29.91
Tibás	3.239	17.990	18.00
Moravia	2.207	9.060	24.36
Montes de Oca	6.865	17.687	38.81
Turrubares	-4.174	6.007	-69.49
Dota	- 632	3.414	18.51
Curridabat	2.583	7.294	35.41
Pérez Zeledón	5.811	35.980	16.15
PROVINCIA DE ALAJUELA			
Alajuela	5.157	53.161	9.70
San Ramón	-3.435	23.107	-14.87
Grecia	5.046	34.901	14.46
San Mateo	-1.905	3.607	-51.81
Atenas	-3.056	10.657	-28.68
Naranjo	-2.020	14.582	-13.85

(Continuación Cuadro No. 4)

Cantón	Saldo migratorio Estimado	Población a mital del período	Tasa de migración neta
Palmares	-1.310	10.570	-12.30
Poás	146	6.960	2.10
Orotina	-2.548	6.387	-37.27
San Carlos	2.301	28.416	8.10
Alfaro Ruiz	-2.241	5.036	-44.50
Valverde Vega	- 218	5.678	- 3.84
PROVINCIA DE CARTAGO			
Cartago	-1.610	40.520	- 3.97
Paraíso	- 9.47	15.584	-6.08
La Unión	950	11.415	8.32
Jiménez	-2.218	32.464	- 3.97
Turrialba	-4.265	40.520	-13.14
Alvarado	- 705	5.789	-12.18
Oreamuno	- 171	10.247	- 1.67
El Guarco	-1.260	8.406	-14.99
PROVINCIA DE HEREDIA			
Heredia	1.474	28.676	5.14
Barba	4	7.195	- 0.06
Santo Domingo	669	9.774	6.84
Santa Bárbara	127	6.884	1.84
San Rafael	1.243	7.482	16.61
San Isidro	- 517	3.616	-14.30
Belén	- 95	4.188	- 2.27
Flores	- 233	3.684	- 6.32
PROVINCIA DE GUANACASTE			
Liberia	- 1.328	14.767	-8.99
Nicoya	- 5.684	40.888	-13.90
Santa Cruz	494	19.426	- 2.54
Bagaces	1.495	7.248	20.63
Carrillo	- 504	9.615	- 5.24
Cañas	- 1.063	7.868	-13.51
Abangares	- 3.922	9.712	-40.38
Tilarán	- 4.508	11.076	-70.70

(Continuación Cuadro No. 4)

PROVINCIA DE PUNTARENAS			
Puntarenas	- 2.770	45.254	- 6.12
Esparta	- 1.426	8.418	-16.94
Buenos Aires	1.487	8.532	17.43
Montes de Oro	- 2.801	6.401	-43.76
Osa	- 5.117	15.212	-33.64
Aguirre	- 5.943	18.450	-32.21
Golfito	13.779	24.394	56.94
PROVINCIA DE LIMON			
Limón	2.952	33.158	8.90
Pococí	- 556	14.326	- 3.88
Siquirres	- 967	9.863	- 9.80

FUENTE: Estadísticas Vitales, Años, Dirección General de Estadísticas y Censos, San José.

movimientos de la población que aparecen en las primeras páginas de los Anuarios Estadísticas de la Dirección General de Estadísticas y Censos.

e) En 1963 se tomó el 25% de los nacimientos y defunciones inscritos ya que el censo de ese año se realizó al finalizar el primer trimestre.

f) En general se hizo un ajuste de un 10% a las cifras de defunciones. En lo que se refiere a los nacimientos se hizo un ajuste de 7% a los valores dados por los anuarios, pero únicamente durante el período 1951-1958.

g) Se trabajó con los 65 cantones existentes en 1950 y para eliminar el efecto de los cambios de límites se hicieron los ajustes descritos en páginas anteriores.

h) Al sumar los nacimientos y restar las defunciones ocurridas en el período intercensal a la población corregida de 1950, se obtuvo una estimación de la población en 1963 "si no hubiera habido migraciones" (población esperada).

i) Se obtuvieron estimaciones de los saldos netos migratorios restando la "población esperada" a la "población observada" (la dada por el censo de 1963 y elevada en un 3%).

j) Se calcularon tasas netas de migración dividiendo los saldos netos migratorios por la población promedio del período 1950-1963. Como promedio de población de período se utilizó la semisuma de las poblaciones corregidas de 1950 y 1963. Los resultados obtenidos al aplicar el método antes descrito aparecen en el cuadro No. 4.

En el cuadro número 4 se notan grandes diferencias en lo que respecta al comportamiento migratorio de los distintos cantones. Puede verse que las tasas varían desde -69.49% en el caso de Turrubares, hasta 56.49% en Golfito.

Con la finalidad de comparar los resultados derivados del uso de este método con los mostrados en el cuadro No. 2, se ha decidido construir una tabla resumen similar al cuadro No. 3. Para la construcción de la tabla se han utilizado las siguientes clasificaciones:

Tasa observada	**Comportamiento Migratorio**
Menos de -25%	Emigración fuerte
De -25% a -7.4%	Emigración moderada
De -7.5% a 4.9%	Saldo migratorio nulo o casi nulo
De 5% a 14.9%	Inmigración moderada
15% y más	Inmigración fuerte

Lo primero que se observa es el hecho de que sólo 18 de los 65 cantones hayan sufrido un cambio de categoría. Además en 15 de los 18 casos, el cambio fue a la categoría inmediata anterior o posterior. Lógicamente, si las estadísticas vitales son confiables y si no existen diferencias muy elevadas en los niveles de natalidad y mortalidad a través del país, se debe esperar una gran coincidencia entre los resultados de ambos métodos. En el caso de Costa Rica se sabe que se dan diferencias (no muy fuertes) en los niveles de las tasas vitales y que existen errores y omisiones en los

CUADRO No. 5

Provincia	Muy fuerte emigración	Emigración moderada	Saldo migratorio nulo	Inmigración moderada	Muy fuerte inmigración
San José	Mora Acosta Turrubares	Puriscal Tarrazú Aserrí Sta. Ana Dota	San José Escazú	Coronado	Desamparados Goicoechea Alajuelita Tibás Moravia Montes de Oca Curridabat Pérez Zeledón
Alajuela	San Mateo Atenas Orotina	San Ramón Naranjo Palmares	Poás Valverde Vega	Alajuela Grecia San Carlos	
Cartago		Jiménez Turrialba Alvarado El Guarco	Cartago Paraíso Oreamuno	La Unión	
Heredia		San Isidro	Barba Santa Bárbara Belén Flores	Heredia Santo Domingo	San Rafael
Guanacaste	Abangares Tilarán	Liberia Nicoya Cañas	Santa Cruz Carrillo		Bagaces
Puntarenas	Osa Aguirre Montes de Oro	Esparta	Puntarenas		Buenos Aires Golfito
Limón		Siquirres	Pococí	Limón	

registros de hechos vitales. Por lo tanto, llama mucho la atención la gran concordancia entre los resultados derivados de dos métodos diferentes. Debe indicarse que la mayor parte de los casos de cambio de categoría podrían ser explicados como un resultado de diferencias en las tasas de natalidad y mortalidad. Así al comparar los cuadros 3 y 5 se encuentra que en los cantones de San José, Coronado, Moravia, Dota, Alajuela, Valverde Vega, Cartago, Sto. Domingo, San Rafael, Belén Flores, Esparta y Limón, la tasa de crecimiento natural (la utilizada en el presente apartado) parece ser relativamente baja en comparación con la del país. Es difícil precisar sí ese nivel relativamente bajo es real o si es sólo un resultado de errores en las estadísticas vitales: sin embargo, puede notarse que los cantones del grupo son casi todos bastante urbanos, y, con excepción de 4, están situados en las cercanías de la ciudad capital. Es muy probable, por lo tanto, que presenten niveles comparativamente reducidos de natalidad y mortalidad (*). En los otros cantones que muestran cambios de categoría (Escazú, Liberia, Nicoya, Puntarenas y Osa, las tasas de crecimiento natural parecen ser comparativamente elevadas. Ese nivel podría ser real, pero también puede ser el resultado de un fuerte sobregistro de defunciones o de la inscripción en esos cantones de nacimientos ocurridos en otros. Como conclusión podría afirmarse que en el cuadro 3 tiende a subestimarse o sobreestimarse la inmigración a ciertos cantones. Este error es causado por la no consideración de las diferencias existentes en lo que respecta a las tasas cantonales de crecimiento natural.

1.3.— Determinación de la migración por el método directo

En los párrafos anteriores se trató de determinar cantones de inmigración y de emigración a través de métodos indirectos. La utilización de esos métodos es indispensable cuando no se cuenta con preguntas censales directas acerca

---

*] En el caso de los cantones de Dota y Valverde Vega es más posible que la discrepancia se deba a errores en los registros de nacimientos y defunciones.

CUADRO No. 6

COSTA RICA: Tasas cantonales de migración neta según los censos de 1950 y de 1963

CANTON	CENSO 1950	CENSO 1963
PROVINCIA DE SAN JOSE		
San José	9.49	0.75
Escazú	8.99	7.41
Desamparados	-12.82	26.87
Puriscal	-34.00	-32.09
Tarrazú	-54.68	-31.46
Aserrí	-13.73	-17.02
Mora	-28.57	-28.78
Goicoechea	46.61	31.82
Santa Ana	-19.50	- 6.78
Alajuelita	- 5.01	28.80
Coronado	-15.67	0.66
Acosta	-28.48	-38.05
Tibás	40.62	25.36
Moravia	15.40	17.23
Montes de Oca	31.78	31.31
Turrubares	30.37	-30.71
Dota	-31.13	-43.28
Curridabat	33.52	23.15
Pérez Zeledón	24.67	26.77
PROVINCIA DE ALAJUELA		
Alajuela	-18.46	- 2.73
San Ramón	-33.49	-22.15
Grecia	-23.76	4.45
San Mateo	-28.87	-66.25
Atenas	-48.37	-40.00
Naranjo	-40.40	-28.06
Palmares	-44.76	-17.02
Poás	15.21	- 5.31
Orotina	-16.07	-31.98
San Carlos	36.07	18.20
Alfaro Ruiz	-55.57	-65.41
Valverde Vega	21.95	0.93

(Continuación Cuadro No. 6)

CANTON	CENSO 1950	CENSO 1963
PROVINCIA DE CARTAGO		
Cartago	-37.08	-17.05
Paraíso	-20.35	- 7.87
La Unión	-21.22	2.51
Jiménez	- 6.11	-12.43
Turrialba	6.61	- 9.52
Alvarado	-22.96	-15.84
Oreamuno	-21.82	- 2.03
El Guarco	- 5.31	-16.72
PROVINCIA DE HEREDIA		
Heredia	-23.45	- 5.81
Barba	-13.75	- 8.84
Santo Domingo	-26.80	- 2.87
Santa Bárbara	-23.12	- 6.57
San Rafael	22.36	8.91
San Isidro	-40.53	-17.74
Belén	-34.38	-12.90
Flores	-39.94	-14.80
PROVINCIA DE GUANACASTE		
Liberia	-43.36	-33.99
Nicoya	20.64	- 2.07
Santa Cruz	-25.32	- 5.53
Bagaces	19.13	25.29
Carrillo	-21.39	0.20
Abangares	4.48	-19.14
Cañas	- 9.15	-14.84
Tilarán	6.61	-26.36
PROVINCIA DE PUNTARENAS		
Puntarenas	19.03	- 1.61
Esparta	-26.19	-26.31
Buenos Aires	45.23	23.82
Montes de Oro	- 6.35	-28.79
Osa	40.45	- 6.67
Aguirre	84.71	14.14
Golfito	87.43	41.76

(Continuación Cuadro No. 6)

PROVINCIA DE LIMON		
Limón	22.39	5.07
Pococí	53.24	20.12
Siquirres	42.67	13.98

FUENTE: Los datos correspondientes a 1963 fueron tomados de la publicación correspondiente al censo de ese año. Los de 1950 de la publicación "Movimientos Migratorios Internos en Costa Rica y sus causas", de Wilburg Jiménez C.

de las migraciones. Aunque tanto el censo de 1950 como el de 1963 incluyeron preguntas sobre migración se decidió complementar la información mediante el uso de los métodos indirectos ya analizados.

Al inicio del presente trabajo se dijo que los dos censos de población que se están considerando incluyeron una pregunta acerca del lugar de nacimiento. Esto permitiría, en teoría, el cálculo de los saldos migratorios netos correspondientes al período intercensal. Existe un problema básico, sin embargo, y es que sólo se dispone (a nivel de cantón) de los datos referentes al censo de 1950. Esto elimina la posibilidad de poder determinar los saldos migratorios intercensales y obliga a trabajar con los dos censos por separado. En el caso del censo de 1963, aunque no se cuenta con los datos acerca del cantón de nacimiento, sí se dispone de información acerca del cantón de residencia anterior. En el cuadro No. 6 se han incluído las tasas netas de migración correspondientes a los censos de 1950 y 1963. Debe indicarse, sin embargo, que mientras el dato de 1950 se basa en la pregunta de "lugar de nacimiento", el de 1963 está basado en la de "lugar de residencia anterior". Las tasas se calculan a partir de información acerca de los saldos migratorios al principio y al final del período que se está analizando. La combinación de esos datos, sin embargo, es dudosa ya que existe una diferencia apreciable entre lo que ambos censos consideran como migración. Con la finalidad, pues, de simplificar el trabajo de análisis se ha decidido trabajar básicamente con el censo de 1963, y complementar la información, cuando sea necesario, con los datos del censo de 1950. De acuerdo con las tasas de migración neta del cuadro No. 6, se ha efectuado una clasificación de los

CUADRO No. 7
COSTA RICA: Distribución de los cantones según comportamiento migratorio de acuerdo con el censo de 1963 (Pregunta de lugar de residencia anterior).

Provincia	Muy fuerte emigración	Emigración moderada	Saldo migratorio nulo o casi nulo	Inmigración moderada	Muy fuerte inmigración
San José	Puriscal Tarrazú Mora Acosta Turrubares Dota	Aserrí	San José Santa Ana Coronado	Escazú	Desamparados Goicoechea Alajuelita Tibás Moravia Montes de Oca Curridabat Pérez Zeledón
Alajuela	San Mateo Atenas Naranjo Orotina Alfaro Ruiz	San Ramón Palmares	Alajuela Grecia Poás Valverde Vega		
Cartago		Cartago Paraíso Jiménez Turrialba Alvarado El Guarco	La Unión Oreamuno		
Heredia		Barba San Isidro Belén Flores	Heredia Santo Domingo Santa Bárbara	San Rafael	
Guanacaste	Liberia Tilarán	Cañas Abangares	Nicoya Santa Cruz Carrillo		Bagaces
Puntarenas	Montes de Oro	Esparta	Puntarenas Osa	Aguirre	Buenos Aires Golfito
Limón				Limón Siquirres	Pococí

cantones en 5 categorías. Estas categorías (las mismas usadas anteriormente) son las siguientes:

Tasa observada	Comportamiento Migratorio
Menos de -25%	Emigración fuerte
De -25% a -7.4%	Emigración moderada
De -7.5% a 4.9%	Saldo migratorio nulo o casi nulo
De 5% a 14.9%	Inmigración moderada
15% y más	Inmigración fuerte.

Según la tabla que se ha diseñado se tienen 19 cantones de inmigración y 30 de emigración. Además, otros 17 presentan saldos migratorios proporcionalmente reducidos. Debe tomarse en cuenta, sin embargo, que la información que se está utilizando no corresponde al período intercensal 1950-1963. En realidad las tasas de migración neta que fueron usada para la confección del cuadro No. 7 resumen toda la migración ocurrida antes del censo de 1963 (es decir incluyen los movimientos migratorios anteriores a 1950). Por consiguiente no pueden compararse directamente con los resultados a que se llegó a través de los otros procedimientos. Si se observan el cuadro No. 7 y el cuadro No. 5 se encuentran, no obstante, grandes similitudes, entre el Método de la Estadísticas Vitales y el Método Directo, de tal forma que 39 de los 65 cantones aparecen en la misma categoría en ambos cuadros. Esto se debe a que, en un buen número de cantones la smigraciones más importantes se han dado a partir de 1950. Además debe tomarse en cuenta que, en algunos cantones, las tendencias migratorias durante el período intercensal parecen haber sido similares a las que se dieron antes de 1950.

Las diferencias entre los cuadros 5 y 7 tienden a ser pequeñas ya que, con excepción de 4 casos, los cambios son a la categoría inmediata anterior o siguiente. Con la finalidad de definir cual fue el verdadero comportamiento migratorio de los cantones anteriores durante el período 1950-1963, se ha hecho un análisis de los datos dados por los censos de 1950 y 1963. El análisis ha permitido notar que la gran mayoría de las diferencias entre los cuadros 5 y 7, son causada por cambios en las tendencias migratorias de ciertos cantones. Así, todos los cantones (con la excepción de Dota) en los que el Método de las Estadísticas Vitales mostró saldos migratorios más positivos son áreas en las que se dio una disminución en la emigración durante el período 1950-1963 (*). En el cuadro No. 7 puede notarse que todos esos cantones tuvieron saldos migratorios más negativos en 1950 que en 1963. Los cantones de Nicoya, San Carlos, Osa, Aguirre, Siquirres y Pococí, en cambio, vieron frenadas, total o parcialmente, las fuertes corrientes inmigratorias que recibieron antes de 1950 (**). En el caso de los cantones de Dota, Abangares, Santa Ana y Escazú, es posible que se hayan dado errores graves en los registros de hechos vitales que podrían haber afectado los resultados del Método de las Estadísticas Vitales. En resumen, se ha logrado establecer que, para la determinación del comportamiento migratorio durante el período 1950-1963, es posible utilizar el Método de las Estadísticas Vitales. Por consiguiente, se ha considerado que la clasificación de los cantones de Costa Rica hecha en el cuadro No. 5 es correcta con excepción de los siguientes casos:

Cantón	Observaciones
Dota	Debe considerarse como de Emigración fuerte
Abangares	Debe considerarse como de emigración moderada
Escazú	Debe considerarse como de inmigración moderada
Santa Ana	Debe considerarse en la categoría de saldo nulo

En total se tendría, pues que 12 cantones (7 de ellos incluidos en el Area Metropolitana de San José, presentaron tasas de migración neta muy positivas. Otros cantones quedaron en la categoría de inmigración moderada. Un total de 15 presentaron saldos migratorios nulos o casi nulos. Otros 17 tuvieron tasas negativas moderadas y 12 tasas muy negativas.

Con respecto a los cantones con saldo nulo o casi nulo, deberán ser entendidos como de **intercambio** ya que todos

*] En algunos casos, inclusive, el saldo migratorio neto del período llegó a ser positivo.

**) En Osa, Aguirre, y Siquirres, el cambio fue tan fuerte, que presentan saldos netos negativos durante el período 1950-63.

ellos presentan tasas de inmigración y de emigración no inferiores a 14.8%, lo que se explica por la pequeña dimensión de las unidades administrativas cantonales.

1.4.— Determinación de los cantones que deben ser estudiados

Como el propósito básico del estudio es hacer un análisis de las migraciones rurales ocurridas en Costa Rica durante el período 1950-1963, no nos interesan pues las migraciones de tipo rural-urbano ni urbano-urbano. Resulta conveniente, por lo tanto, una selección de cantones de tal forma que queden eliminados aquellos que no reúnen los requisitos de ruralidad que se consideren necesarios. Dejaremos de lado, los cantones muy urbanos o los que, por su cercanía a las ciudades principales podrían estar recibiendo inmigrantes cuya actividad básica en el lugar de destino no sea la agricultura.

Con la finalidad de poder determinar el grado de ruralidad de los cantones de Costa Rica se ha decidido trabajar con dos variables: el porcentaje de población urbana y el porcentaje de población activa en la rama de actividad "agricultura". Un análisis previo del comportamiento de las dos variables sugirió, sin embargo, que el porcentaje de población urbana no mide adecuadamente el verdadero grado de urbanización de ciertos cantones. Por lo tanto, se ha considerado más confiable el utilizar el porcentaje de población activa en la agricultura. El criterio seguido ha sido el de eliminar todos aquellos cantones con porcentajes de población agrícola que se encuentran por debajo de ciertos niveles fijados arbitrariamente. El cuadro No. 8 incluye los porcentajes de población urbana y las proporciones de población activa agrícola en los diferentes cantones de que formaban parte en 1950 (Tarrazú, Heredia y Nicoya respectivamente). Se puede observar que, como se afirmó anteriormente, existen algunos cantones con bajos porcentajes de población urbana que presentan niveles relativamente elevados de población activa en actividades no agrícolas. Estos resultados son explicados, en varios casos, por la ya indicada inflexibilidad de la definición de área urbana.

Para la determinación de los cantones a excluir, se ha dividido el país en dos partes: por un lado, la "Región Metropolitana" que abarca a todos los cantones que se encuentran entre Paraíso de Cartago por el Este y Mora y Alajuela por el Oeste y que incluye a las ciudades de San José, Alajuela, Cartago, Heredia y otras de menor tamaño; por otro lado, el resto del país.

En el caso de los cantones de la "Región Metropolitana" se han eliminado todos aquellos que presentan porcentajes de población activa agrícola inferiores a 65%, ya que se supone que en todos ellos se ha iniciado un proceso de pérdida de importancia de la agricultura como actividad básica de la población. En lo que respecta al resto del país, se eliminaron los cantones con porcentajes agrícolas inferiores a 60% siempre y cuando constituyen cabecera de provincia o estuvieron más o menos integrados a alguna ciudad importante.

En el caso de la Región Metropolitana se eliminaron los cantones de San José, Escazú, Desamparados, Goicoechea, Santa Ana, Alajuelita, Coronado, Tibás, Moravia, Montes de Oca, Curridabat, Alajuela, Cartago, Paraíso, La Unión, Oreamuno, El Guarco, Heredia, Barba, Sto. Domingo, San Rafael, Belén y Flores por presentar porcentajes de población activa agrícola inferiores al 65%. Además se excluyó el cantón de Aserrí, que, aunque presenta una proporción activa agrícola de 72.86%, se encuentra situado al lado del Area Metropolitana de San José. En total sólo se mantuvo entre los cantones a estudiar a los siguientes tres: Mora (% agrícola de 79.92), Santa Bárbara (%agrícola de 73.47) y San Isidro (% agrícola de 76.29).

En el caso del resto del país sólo Orotina (49.97%), Valverde Vega (59.52), Puntarenas (52.89%), Esparta (49.74%), Liberia (56.56%) y Limón (48.44%) muestran porcentajes de población activa agrícola inferiores al 60%. Tres de esos cantones son cabeceras de provincia (Puntarenas, Liberia y Limón) y uno más ((Esparta) se encuentra al lado de una ciudad importante. Los otros dos (Valverde Vega y Orotina) no fueron eliminados pues no constituyen por sí solos (ni se encuentran en sus cercanías) áreas urbanas importantes.

En total fueron eliminados 28 de los 65 cantones en que se divide el país, con lo que el número de cantones a estu-

CUADRO No. 8

COSTA RICA: Porcentaje de la población urbana y de la población activa en la rama de actividad "agricultura" de los cantones en 1963.

CANTON	% de población urbana	% de población activa agrícola
PROVINCIA DE SAN JOSE		
San José	99.0	3.71
Escazú	18.8	32.84
Desamparados	18.7	30.43
Puriscal	6.7	83.68
Tarrazú	6.8	81.75
Aserrí	2.0	72.86
Mora	7.6	79.92
Goicoechea	82.0	7.83
Santa Ana	14.3	57.46
Alajuelita	23.2	22.51
Coronado	18.5	36.74
Acosta	2.4	87.03
Tibás	67.2	6.09
Moravia	51.7	20.21
Montes de Oca	68.4	7.65
Turrubares	1.9	86.53
Dota	9.5	76.20
Curridabat	39.2	22.97
Pérez Zeledón	11.3	77.29
PROVINCIA DE ALAJUELA		
Alajuela	30.5	43.77
San Ramón	24.9	67.09
Grecia	11.1	74.77
Atenas	8.7	71.01
San Mateo	11.9	76.34
Naranjo	14.5	72.80
Palmares	12.4	69.23
Poás	12.5	74.72

(Continuación Cuadro No. 8)

CANTON	% de población urbana	% de población activa agrícola
Orotina	24.7	49.97
San Carlos	10.1	71.80
Alfaro Ruiz	15.7	74.16
Valverde Vega	9.3	59.52
PROVINCIA DE CARTAGO		
Cartago	38.7	36.22
Paraíso	24.1	59.78
La Unión	26.0	40.12
Jiménez	10.3	81.33
Turrialba	22.9	70.71
Alvarado	5.8	86.32
Oreamuno	21.0	63.18
El Guarco	6.6	60.65
PROVINCIA DE HEREDIA		
Heredia	55.0	28.12
Barba	21.4	53.57
Santo Domingo	29.4	43.17
Santa Bárbara	16.2	73.47
San Rafael	9.9	50.82
San Isidro	13.0	76.29
Belén	24.4	57.06
Flores	21.4	51.39
PROVINCIA DE GUANACASTE		
Liberia	33.8	56.56
Nicoya	6.6	80.90
Santa Cruz	16.3	74.71
Bagaces	11.9	82.97
Carrillo	13.8	73.69
Cañas	32.8	63.50
Abangares	8.1	76.96
Tilarán	13.7	76.82

(Continuación Cuadro No. 8)

CANTON	% de población urbana	% de población activa agrícola
PROVINCIA DE PUNTARENAS		
Puntarenas	35.2	52.89
Esparta	31.2	49.74
Buenos Aires	0.0	89.63
Montes de Oro	17.0	71.72
Osa	10.0	75.00
Aguirre	9.3	82.09
Golfito	18.8	73.09
PROVINCIA DE LIMON		
Limón	48.4	48.44
Pococí	5.8	82.20
Siquirres	19.1	73.18

FUENTE: Censo de población de 1950. Los datos de población urbana fueron tomados de la publicación del Censo. Los de población según rama de actividad, de tabulaciones inéditas existentes en la Dirección General de Estadísticas y Censos.

diar (cantones rurales) se redujo a 37. A continuación se incluye la lista de cantones escogidos:

Provincia de San José: Puriscal, Tarrazú, Mora, Acosta, Turrubares, Dota y Pérez Zeledón.

Provincia de Alajuela: San Ramón, Grecia, San Mateo, Atenas, Naranjo, Palmares, Poás, Orotina, San Carlos, Alfaro Ruiz y Valverde Vega.

Provincia de Cartago: Jiménez, Turribalba y Alvarado

Provincia de Heredia: Santa Bárbara y San Isidro.

Provincia de Guanacaste: Nicoya, Santa Cruz, Bagaces, Carrillo, Cañas, Abangares y Tilarán.

Provincia de Puntarenas: Buenos Aires, Montes de Oro, Osa, Aguirre y Golfito.

Provincia de Limón: Pococí y Siquirres.

15.— **Análisis individual de los cantones escogidos**

En el presente cajítulo se hará una breve descripción acerca de algunos aspectos del comportamiento migratorio de los 37 cantones escogidos.

Cantón de Puriscal

Situado en la parte sur de la provincia de San José y fuera de la Meseta Central. Presentó una tasa neta de migración de -34.0% en 1950 y de -32.1% (10.8% de inmigración y de 42.8% de emigración) en 1963. En el período intercensal parece haber mostrado un saldo neto migratorio menos negativo que en el pasado. Se ha catalogado como de emigración moderada en ese período (*). Presenta saldos negativos con todos los cantones con excepción de Mora. Los inmigrantes al cantón provienen en buena parte de los cantones adyacentes de Mora (19.1% del total) y Turrubares (19.5%) y en menos medida de San José y Acosta. Los emigrantes se dirigen en mayor grado hacia Aguirre (18.1%), Pérez Zeledón (13.3%), San José (13.9%) y Turrubares (10.2%).

Cantón de Tarrazú:

Localizando en la parte sur de la provincia de San José y fuera de la Meseta Central. Muestra una tasa neta de migración de -54.7% en 1950 y de -31.5% (12.0% de inmigración) en 1963. Catalogando como de emigración moderada en el período 1950-1963, parece haber tenido saldos más negativos antes de 1950 que en ese período. Sus saldos migratorios son negativos con todos los cantones, pero en es-

*] Para determinar el carácter migratorio en el período utilizaremos aquí la clasificación obtenida a partir del método de las estadísticas vitales. Ver cuadro 5.

pecial, con Pérez Zeledón. Sus inmigrantes proceden en buena parte de tres cantones vecinos: Desamparados (26.3%), Aserrí (14.3%) y Dota (11.2%). Un 52.7 o/o de los emigrantes, en cambio, se dirigen hacia Pérez Zeledón.

Cantón de Mora:

Situado al oeste del Area Metropolitana en la provincia de San José. Una parte del cantón se encuentra en la Meseta Central. En 1950 presenta una tasa neta de migración de -28.6% y en 1963 de -28.8% (15.8% de inmigración y 44.6 o/o de emigración). Considerado como de emigración fuerte en el período 1950-1963, no ha visto modificado su patrón migratorio en relación con el del período anterior a 1950. Los inmigrantes proceden de dos cantones vecinos: Puriscal (19.5%) y Santa Ana (14.4%) y, en menos grado, de San José y otros cantones de la provincia. Los emigrantes se dirigen en mayor medida hacia San José (17.0%), Puriscal (12.2%) y Pérez Zeledón (7.9%), pero también muchos salen fuera de los límites de la provincia. Sus saldos migratorios son negativos con casi todos los cantones.

Cantón de Acosta:

Se encuentra fuera de la Meseta Central y el sur del Area Metropolitana de San José. Muestra una tasa neta de -28.5% en 1950 y de -38.1% (9.0% de Inmigración y 47.1% de emigración) en 1963. Cantón de fuerte emigración en el período 1950-1963. Los inmigrantes proceden de Aserrí (34.9%) y Desamparados (13.8%), principalmente. Los cantones hacia donde se dirige el mayor número de emigrantes son Pérez Zeledón (35.1%) y Aguirre (15.0%). Sus saldos con cantones específicos son todos negativos, siendo mayor el que se da con Pérez Zeledón.

Cantón de Turrubares

Situado en el extremo occidental de la provincia de San José y fuera de la Meseta Central. Cantón de migración neta de -30.4%, se convierte en una área de fuerte emigración en el período 1950-1963. Así la tasa neta correspondiente a 1963 es de -30.7% (32.3% de inmigración y 63.0 de emigración). Una alta proporción de los inmigrantes (58.8%) provienen de Puriscal que es de los pocos cantones con el que Turrubares muestra un saldo positivo. Los emigrantes se dirigen principalmente hacia Aguirre (25.1%), Puntarenas (20.1%) y Puriscal (14.3%).

Cantón de Dota:

Localizado al sur de la provincia de San José, y fuera de la Meseta Central. Presenta una tasa de migración neta de -31.1% en 1950 y de -43.3% (25.0% de inmigración y 68.3 o/o de emigración) en 1963. Cantón de fuerte emigración en el período 1950-1963. Los inmigrantes proceden de El Guarco (20.0%), Tarrazú (18.7%) Pérez Zeledón (15.5%), etc. Los emigrantes se dirigen, en su gran mayoría (65.5%), hacia Pérez Zeledón. Dota muestra saldos positivos con El Guarco y Tarrazú principalmente y un saldo muy negativo con Pérez Zeledón.

Cantón de Pérez Zeledón

Situado en el extremo Sur de la Provincia de San José y fuera de la Meseta Central. Sus tasas neta migratorias son de 24.7% en 1950 y de 26.8% en 1963. Constituyó una zona de fuerte inmigración, tanto antes de 1950, como durante el período intercensal. Sus inmigrantes proceden de muy diversos cantones, pero, en especial, de aquellos localizados en las áreas más rurales de la provincia de San José: Tarrazú (12.4%), Acosta (10.6%), Dota (8.2%), Desamparados (7.0%) y Puriscal (6.6%). También es importante la migración procedente de San Ramón (7.0%). Más de la mitad de sus emigrantes se dirigen hacia los cantones situados en la parte sur de la provincia de Puntarenas, y entre ellos, principalmente, Buenos Aires (23.3%) y Golfito (15.7%). Pérez Zeledón muestra saldos migratorios positivos con todos los cantones excepto con los localizados al sur de Puntarenas.

Cantón de San Ramón

Localizado en la parte oeste de la provincia de Alajuela y en el límite de la Meseta Central, sus tasas netas de migración son de -33.3% en 1950 y de -22.1% (21.1% de inmigración y 43.2% de emigración) en 1963. Puede ser considerado como de moderada emigración en el período 1950-1963. Antes de 1950 presentó una mayor emigración. Los inmigrantes proceden de San Carlos (14.0%), Palmares (11.7%), Naranjo (11.4%), Puntarenas (9.8%), etc. Los emigrantes se dirigen hacia Pérez Zeledón (12.7%), Nicoya (11.8%), Puntarenas (11.4%), San Carlos (10.9%), San José (8.5%), etc. No presenta saldos migratorios importantes con ningún cantón.

Cantón de Grecia:

Situado en la provincia de Alajuela. Durante el período analizado incluía un sector en la Meseta Central y otros dos en la región norte del país. La tasa de migración neta observada en 1950 fue de -23.8% y la correspondiente a 1963 de 4.4% (27.5% de inmigración y 23.1% de emigración). Antes de 1950 fue área de emigración, pero durante el período 1950-1963 tuvo una inmigración moderada. El cambio parece ser un resultado de la atracción ejercida por la zona norte del cantón. Los cantones de donde provienen más inmigrantes son Tilarán (13.6%), San Carlos (10.4%), Puntarenas (10.2%) y Alajuela (8.0%). Otros cantones de las provincias de Alajuela y Guanacaste complementan casi todo el resto de los inmigrantes. Los emigrantes se dirigen hacia San Carlos (18.1%), San José (13.2%), Alajuela (12.0%), etc. Grecia muestra saldos migratorios positivos con los cantones de la provincia de Guanacaste, con el Central de Puntarenas y con varios de la provincia de Alajuela.

Cantón de San Mateo:

Localizado fuera de la Meseta Central en la parte suroeste de la provincia de Alajuela. Su tasa neta de migración es de -28.9% en 1950 y de -66.2% en 1963 (25.3% de inmigración y 91.5% de emigraci..n). Tanto durante el período 1950-1963 como antes de 1950, el cantón presentó una fuerte emigración. Es uno de los pocos cantones que ha visto disminuir su población a lo largo del tiempo. Los cantones vecinos de Atenas (20.3%), Orotina (12.9%) y Esparta (10.4%) aportan mayor número de inmigrantes. Los emigrantes se dirigen hacia Puntarenas (19.3%), Orotina (12.8%), Nicoya (9.0%), San José (7.6%), etc. Este cantón no muestra saldos migratorios positivos con ningún otro. Su mayor saldo negativo es con Puntarenas.

Cantón de Atenas:

Situado en la Meseta Central y perteneciente a la provincia de Alajuela. Tasa de migración neta de -48.4% en 1950 y de -40% (18.2% de inmigración y 58.2% de emigración) en 1963. Cantón de fuerte emigración durante el período 1950-1963 al igual que antes de 1963. Sus inmigrantes proceden de muchos cantones distintos, correspondiendo los mayores aportes a Palmares (12.0%) y San José (9.7%). Los emigrantes se dirigen a San José (14.0%), Nicoya (10.1%), Alajuela (9.0%), Puntarenas (8.6%), etc. El cantón no presenta saldos migratorios positivos de importancia con ningún otro.

Cantón de Naranjo

Situado en la Meseta Central y perteneciente a la provincia de Alajuela. Su tasa de migración neta es de -40.4% en 1950 y de -28.1 (20.3% de inmigración y 48.4% de emigración) en 1963. Hasta 1950 fue zona de fuerte emigración pero durante el período 1950-1963 tuvo una emigración moderada. Sus inmigrantes proceden de San Ramón (14.4%), San Carlos (16.7%), Alfaro Ruiz (11.9%), etc. Sus emigrantes se dirigen hacia San Carlos (28.6%), Pérez Zeledón (10.2%), San José (9.9%), etc. El cantón no muestra saldos migratorios positivos de importancia con ningún otro. Muestra un saldo muy negativo con San Carlos.

Cantón de Palmares:

De ubicación similar al anterior, presenta una tasa de migración neta de -44.8% en 1950 y de -17.0% (18.1% de inmigración y 35.2% de migración) en 1963. Durante el período 1950-1963 tuvo una moderada emigración, pero antes de 1950 su emigración fue fuerte. Sus inmigrantes proceden principalmente de San Ramón (27.0%), Nicoya (12.9%) y Atenas (9.1%). Sus emigrantes se dirigen en especial hacia Nicoya (12.9%), San Ramón (14.8%), San José (10.6%) y Pérez Zeledón (11.0%) Palmares no muestra saldos positivos de importancia con ningún otro cantón.

Cantón de Poás:

También en la provincia de Alajuela, pertenece a la Meseta Central. Su tasa de migración neta fue de -15.2% en 1950 y de -5.3% (26.6% de inmigración y 31.9% de emigración) en 1963. Muestra un saldo migratorio casi nulo durante el período 1950-1963. Sus inmigrantes proceden principalmente de Grecia (30.5%) y Alajuela (28.1%). Sus emigrantes se dirigen especialmente hacia Alajuela (28.3% y Grecia (17.7%). Su principal saldo migratorio positivo es con el cantón de Grecia.

Cantón de Orotina

Situado fuera de la Meseta Central en la parte sureste de la provincia de Alajuela. Tasa de migración neta -16.1% en 1950 y -32.0% en 1963 (32.6% de inmigración y 64.6% de emigración). Cantón de fuerte emigración durante el período considerado. Sus inmigrantes provienen de San Mateo (14.2%), Puntarenas (13.7%), San José (12.9%), etc. Los emigrantes se dirigen hacia Puntarenas (22.6%), San José (18.5%, etc). El único saldo migratorio positivo importante de Orotina es con San Mateo. Sus mayores saldos negativos son con Puntarenas y San José.

Cantón de San Carlos:

Perteneciente a la provincia de Alajuela y localizado en la región norte del país. Tasa de migración neta de 36.1% en 1950 y de 18.2% (35.2% de inmigración y 17.0% de emigración) en 1963. Cantón de fuerte inmigración hasta 1950 que se ha moderado durante el período 1950-1963. Sus inmigrantes provienen en su mayoría de otros cantones de la provincia de Alajuela, principalmente de: Alfaro Ruiz (18.2%), Naranjo (17.8%), Grecia (13.2%), y San Ramón

(9.6%). Los emigrantes se dirigen hacia Grecia (17.8%), San Ramón (12.4%), San José (10.6%), Naranjo (9.0%), etc. Presentó saldos migratorios positivos con casi todos los cantones.

Cantón de Alfaro Ruiz:

Situado en la parte inicial de la región norte de Costa Rica y perteneciente a Alajuela. Tasa de migración neta de -55.6% en 1950 y de -65.4% (20.1% de inmigración y 85.5 o/o de emigración), en 1963. Cantón de fuerte emigración tanto antes como después de 1950. Sus inmigrantes proceden en especial de Naranjo (30.7%) y San Carlos (25.1% Sus emigrantes se dirigen en su mayor parte (55.1%) hacia San Carlos. Muestra saldos migratorios negativos con todos los cantones, pero, en especial, con el cantón de San Carlos.

Cantón de Valverde Vega:

Pertenece a la provincia de Alajuela y está situado en la Meseta Central. Tasa de migración neta de 22.0% en 1950 y de 0.9% en 1963. Cantón de saldo migratorio casi nulo durante el período 1950-1963. Sus inmigrantes provienen en su mayoría de Naranjo (22.1%), Grecia (20.1%) y San Carlos (11.1%). Sus emigrantes se dirigen especialmente hacia Grecia (23.8%), San Carlos (15.9%) y Naranjo (13.7%). Su saldo migratorio negativo más importante es con el conjunto de cantones de la provincia de San José y San Carlos y Grecia.

Cantón de Jiménez:

Pertenece a la provincia de Cartago y está situado en la Meseta Central. Tasa de migración neta de -6.1% en 1950 y de -12.4% (21.1% de inmigración y 33.6% de emigración en 1963). Cantón de emigración moderada entre 1950 y 1963. Los inmigrantes proceden especialmente de Turrialba (36.0%) y Paraíso (11.1%). Los emigrantes se dirigen en especial hacia Turrialba (35.6%) y San José (15.8%). Sólo presenta pequeños saldos postitivos con algunos cantones de las provincias de Alajuela y Cartago.

Cantón de Turrialba:

Pertenece a la provincia de Cartago y está situado en el límite entre la Meseta Central y la región Atlántica. Tasa de migración neta de 6.6% en 1950 y de -9.5% en 1963 (22.1% de inmigración y 31.6% de emigración). Presenta una emigración moderada entre 1950 y 1963. Antes de 1950 fue área de inmigración. Sus inmigrantes vienen de Jiménez (15.1%), Paraíso (11.2%), San José (10.6%), Cartago (10.2 o/o), etc. Sus emigrantes se dirigen hacia San José (17.6%), Siquirres (13.8%), Pococí (12.6%), Limón (11.2%), etc. Muestra saldos positivos con los cantones de la provincia de Cartago y negativos con los de las provincias de Limón y San José.

Cantón de Alvarado:

Pertenece a la provincia de Cartago y está localizado en la Meseta Central. Tasa de migración neta de -22.9% en 1950 y de -15.8% (16.3% de inmigración y 32.2% de emigración) en 1963. Cantón de emigración moderada en el período 1950-1963. Los inmigrantes proceden especialmente de Oreamuno (25.3%), Turrialba (19.0%) y Paraíso (13.3%). Sus habitantes migran hacia Turrialba (23.4%), Cartago (11.8%), San José (10.2%), Oreamuno (9.7%), etc. Presenta saldos migratorios positivos sólo con Oreamuno y Paraíso.

Cantón de Santa Bárbara:

Perteneciente a la provincia de Heredia y situado en la Meseta Central. Tasa de migración neta de -23.1% en 1950 y de -6.6% en 1963 (21.1% de inmigración y 27.7% de emigración). Saldo migratorio nulo en el período 1950-1963. Antes de 1950 fue zona de emigración. Los inmigrantes vienen de Alajuela (25.4%), Barba (17.8%), etc. Los emigrantes se dirigen hacia Alajuela (28.6%), Heredia (19.8%), Barba (11.4%), etc. Presenta pequeños saldos migratorios positivos con algunos cantones.

Cantón de San Isidro:

Pertenece a la provincia de Guanacaste. Tasa de migración neta de 20.6% en 1950 y de -2.1% (18.9% de inmigración y 21.0% de emigración) en 1963. Area de atracción hasta 1950, presenta una emigración moderada en el período 1950-1963. Los inmigrantes provienen de Puntarenas (14.9%), San Ramón (14.5%), Santa Cruz (7.5%), Montes de Oro (5.5%), Palmares (5.3%), etc. Los emigrantes se dirigen hacia Golfito (18.7%), Puntarenas (17.9%), Santa Cruz (9.0%), etc. Su único saldo migratorio positivo de importancia es con el cantón de San Ramón. El más negativo, a su vez, es con Golfito.

Cantón de Santa Cruz:

Pertenece a la Provincia de Guanacaste. Tasa de migración neta de -25.3% en 1950 y de -5.5% (14.4% de inmigración y 10.9% de emigración) en 1963. Presenta un saldo migratorio casi nulo en el período 1950-1963. Fue zona de emigración antes de 1950. Sus inmigrantes proceden de Nicoya (26.7%), Puntarenas (15.1%), Osa (12.6%) y San José (11.3%), principalmente. Sus emigrantes se dirigen hacia Carrillo (14.1%), San José (13.5%), Golfito (13.1%), Nicoya (14.5%), Osa (10.7%), etc. Sus saldos migratorios son negativos con casi todos los cantones.

Cantón de Bagaces:

Está situado en la provincia de Guanacaste. Tasa de migración de 19.1% en 1950 y de 25.3% en 1963 (48.5% de inmigración y 23.2% de emigración). Cantón de fuerte inmigración en el período 1950-1963. Sus inmigrantes vienen principalmente de Cañas (19.6%), Tilarán (19.1%) Puntarenas (16.2%), y Abangares (14.6%). Sus habitantes migran hacia Grecia (14.1%) y Puntarenas (11.1%). En general muestra saldos migratorios positivos con la mayoría de los cantones, con excepción del de Grecia con el que presenta un saldo bastante negativo.

Cantón de Carrillo:

Está localizado en la provincia de Guanacaste, tasa de migración neta de -21.4% en 1950 y de 0.2% en 1963 (Inmigración de 20.0% y emigración de 10.8%). Zona de emigración hasta 1950, presenta un saldo migratorio casi nulo durante el período 1950-1963. Sus Inmigrantes provienen principalmente de Santa Cruz (29.2%), Liberia (17.5%), San José (13.1%). Los emigrantes migran a Liberia (32.7%), San José (13.3%) Puntarenas (11.6%) y Golfito (9.2%). Su saldo más positivo es con Santa Cruz y el más negativo con Liberia.

Cantón de Cañas:

Forma parte de la provincia de Guanacaste. Tasa de migración neta de -9.2% en 1950 y de -14.8% en 1963 -(32.2% de inmigración y 47.0% de emigración). Cantón de migración moderada en el período 1960-1963. Sus inmigrantes vienen de Tilarán (26.1%), Bagaces (11.2%), Abangares (9.3%), etc. Los habitantes del cantón migran hacia Bagaces (22.2%), Grecia (11.6%), Puntarenas (10.8%) etc. Presenta un saldo migratorio positivo con Tilarán y saldos negativos con la mayoría de los demás cantones del país.

Cantón de Abangares:

Está situado en la provincia de Guanacaste. Tasa de migración neta de 4.5% en 1950 y de -19.1% (28.5% de Inmigración y 47.6% de emigración) en 1963. Cantón de emigración moderada durante el período intercensal. Sus inmigrantes provienen principalmente de Puntarenas (22.0%), Tilarán (11.3%), Cañas (9.8%), y San Ramón (9.4%), Sus emigrantes se dirigen hacia Puntarenas (15.6%), Bagaces (14.4%), Grecia (8.0%), Golfito, Osa, Aguirre, etc. Presenta saldos migratorios negativos con la mayoría de los cantones, especialmente con Bagaces.

Cantón de Tilarán:

Pertenece a la provincia de Guanacaste. Tasa de migración neta de 6.6% en 1950 y de -26.4% en 1963. (21.1% de inmigración y 47.4% de emigración).

Cantón de Inmigración hasta 1950, presenta una fuerte emigración a partir de esa fecha. Sus inmigrantes provienen de Alajuela (12.3%), San Ramón (10.3%), Abangares (8.5%), Puntarenas (7.9%), Cañas (7.6%), etc. Los emigrantes se dirigen en su mayoría a Grecia (23.9%), Bagaces (15.0%), Cañas (13.0%).

En general sus saldos migratorios son negativos con la mayoría de los cantones, pero en especial, con Grecia y Bagaces.

Cantón de Buenos Aires:

Pertenece a la provincia de Puntarenas y está localizada en la región Pacífica Sur del país. Tasa de migración neta de 45.2% en 1950 y de 23.9% (30.8% de inmigración y 6.9 o/o de emigración) en 1963. Cantón de fuerte inmigración antes de 1950 y entre 1950 y 1963. Más de la mitad de sus inmigrantes proceden de Pérez Zeledón (37.7%), Osa (23.1%) y Golfito (21.2%). Sus saldos migratorios son positivos con todos los cantones, especialmente con Pérez Zeledón.

Cantón de Montes de Oro:

Está situado en la parte norte de la provincia de Puntarenas. Tasa de migración neta de -6.4% en 1950 y de -28.8% en 1963 (26.9% de inmigración y 55.7% de emigración). Cantón de fuerte emigración durante el período 1950-1963. Sus inmigrantes provienen especialmente de Puntarenas (24.2%), San Ramón (18.7%), Atenas (11.1%) y Esparta (10.3%). Los emigrantes se dirigen hacia Puntarenas (32.7%), Nicoya (13.7%), Bagaces (7.7%), etc. Su único saldo positivo importante es con el cantón de San Ramón. El más negativo es con Puntarenas.

Cantón de Osa

Pertenece a la provincia de Puntarenas y esta situado en la región Pacífica Sur. Tasa de migración neta de 40.4% en 1950 y de -6.6% (50.8% de inmigración y 57.4% de emigración) en 1963. Durante el período 1950-1963 presentó una fuerte emigración. Antes de 1950, en cambio, había sido una área de gran atracción. Sus inmigrantes provienen de diversos cantones del país, pero en especial de Puntarenas (13.0%), Aguirre (9.5%), Golfito (7.8%), San José (7.0%) y Nicoya (6.9%). Los habitantes del cantón migran hacia Golfito (35.9%), San José (11.1%), Puntarenas (5.9%), etc. Presenta saldos positivos con la mayoría de los cantones y saldos negativos con Golfito y los cantones del Area Metropolitana de San José.

Cantón de Aguirre

Localizado en la región Pacífica Sur, pertenece a la provincia de Puntarenas. Tasa de migración neta de 84.% en 1950 y de 12.8% en 1963 (51.4% de Inmigración y 38.6% de emigración). Antes de 1950 fue un cantón de gran atracción pero durante el período 1950-63, mostró una fuerte emigración. Sus emigrantes proceden de Puriscal (18.0%), Puntarenas (11.1%), Acosta (9.1%), Turrubares (8.5%), etc. Sus emigrantes se dirigen hacia Golfito (20.8%), San José (16.8%), Osa (11.1%), Puntarenas (9.0%), etc. Sus principales saldos negativos son con los cantones de Golfito y San José.
únicos saldos importantes son con Turrialba (positivo) y con
Para estimar el monto de migrantes en el período 1950-
lógico en un área de acentuado desarrollo capitalista indu-
Golfito, Osa y San José.

Cantón de Golfito:

Pertenece a la provincia de Puntarenas y está situado en la región Pacífico Sur. Tasa de migración neta de 87.4% en 1950 y de 41.% (61.0% de inmigrantes y 19.2% de emigración) en 1963. Cantón de fuerte inmigración, tanto antes de 1950, como durante el período 1950-1963. Sus inmigrantes provienen principalmente de Osa (16.9%), Puntarenas (12.9%), Nicoya (9.2%), San José (8.4%) y Aguirre (7.5%). Sus emigrantes se dirigen a San José (26.1%), Puntarenas (11.2%), Osa (10.4%), etc. Muestra saldos migratorios positivos con todos los cantones del país.

Cantón de Pococí:

Pertenece a la provincia de Limón. Tasa de migración neta de 53.2% en 1950 y de 20.1% (43.8% de inmigración y 23.7% de emigración) en 1963. Cantón de inmigración hasta 1950, presentó un saldo migratorio casi nulo entre 1950 y 1963. Sus inmigrantes proceden de Turrialba (20.8%), Limón (9.7%), Siquirres (7.6%), etc. Sus habitantes migran hacia Limón (29.2%), San José (14.4%), Siquirres (13.9%), etc. Sus únicos saldos migratorios negativos son con Limón y San José. El más positivo es con Turrialba.

Cantón de Siquirres

Forma parte de la provincia de Limón. Tasa de migración neta de 42.7% en 1950 y de 14.0% en 1963 (46.1% de inmigración y 32.1% de emigración). Fue un cantón de atracción antes de 1950 pero, durante el período considerado tuvo una emigración moderada. Sus inmigrantes provienen principalmente de Turrialba (32.4%), Limón (19.6%), y Pococí (10.7%). Sus emigrantes se dirigen a Limón (40.5%), San José (11.5%), Pococí (15.5%) y Turrialba (10.6%). Sus únicos saldos importantes son con Turrialba (positivo) y con Limón (negativo).

1.6.— CAMPOS MIGRATORIOS

Para estimar el monto de migrantes en el período 1950-1963 y como consecuencia las tasas de migración neta para uno de los cantones, la comparación entre los distintos métodos permite determinar aquellos casos en que la pregunta censal sobre el lugar de residencia anterior —como indicador de la migración— está captando en gran medida la llegada de migrantes antes de los años 50. Sin embargo para determinar los campos migratorios más significativos tendríamos que basarnos en la información relativa a los cambios de residencia y en seguida eliminar aquellas corrientes que sean muy antiguas a través de otra información que entrega el Censo de Población de 1963: los años de residencia en el cantón de la población inmigrante.

El análisis de las principales corrientes nos permite definir cinco campos migratorios al interior de los cuales producen los intercambios de mayor relieve.

a.— **Campo migratorio Golfito:** este campo migratorio está formado por el cantón de Golfito, que constituye el área de mayor atracción del país, y los otros dos cantones bananeros de la Vertiente del Pacífico (Osa y Aguirre). Como es lógico en un área de acentuado desarrollo capitalista inducido por enorme requerimiento de capital y fuerza de trabajo, el cantón de Golfito recibe importante contingentes demográficos procedentes de cantones bastante alejados (Puntarenas, Nicoya, Pérez Zeledón y San José) y a la vez el declive del banano en Aguirre expulsa población hacia Golfito, Osa y San José,

b.— **Campo Migratorio Pérez Zeledón-Buenos Aires:** está constituido por los cantones que le dan nombre y por tres más situados en la parte sur y oeste de la provincia de San José, pero fuera de la Meseta Central. Los polos de expulsión están formados por estos últimos (Acosta, Puriscal y Dota) mientras que Pérez Zeledón y Buenos Aires constituyen áreas de absorción de población, en que tienen importancia primordial la expansión de la agricultura de subsistencia en las zonas de frontera.

c.— **Campo Migratorio Bagaces:** el cantón de Bagaces junto con los de Cañas, Abangares y Tilarán, constituyen una agrupación bastante bien definida. La atracción ejercida por Bagaces se debió, en forma exclusiva, a la existencia de tierras no utilizadas dentro del latifundio que cubre buena parte del cantón.

d.— **Campo Migratorio San Carlos:** tiene como centro de atracción al cantón de San Carlos y comprende también a Naranjo y Alfaro Ruiz. El poco dinamismo de la agricultura comercial en estos dos cantones hizo que las zonas de frontera agrícola de San Carlos constituyeran un polo de atracción importante.

e.— **Campo Migratorio Frontera con Nicaragua:** está formado básicamente por el sector norte del cantón de Grecia (actuales cantones de Upala, Los Chiles y Guatuso) pero incluye, además, otras áreas fronterizas de menor importancia. El área fue colonizada por nicaragüenses y debido a su aislamiento relativo de la parte central de Costa Rica, provocado por la ausencia de carreteras, ya en 1963 se constata una notable atracción sobre la población de algunos cantones vecinos, la cual se explica por la presencia de tierras desocupadas aptas a la agricultura. Las corrientes principales proceden de los cantones vecinos de Tilarán, San

Carlos y Bagaces y de las áreas rurales del cantón central de Puntarenas. El sector recibe además fuertes corrientes procedentes de los departamentos vecinos de Nicaragua (Rivas, Chontales y Río San Juan).

Las regularidades de interés pueden ser resumidas aquí en dos tendencias más notables, cuya explicación intentaremos más adelante. En primer lugar, se pudo notar que las corrientes migratorias se dirigen hacia cantones vecinos en donde se localizan áreas de colonización expontánea que operan como polos de atracción. En segundo lugar, las corrientes nos muestran que los cantones bananeros tienden a atraer población desde zonas muy distantes e inclusive del exterior (panameños y nicaragüenses).

Además de estimar el total de emigrantes e inmigrantes de cada cantón en el período se intentó una verificación del peso que asumió la emigración a los cantones "urbanos" antes señalados. Esta emigración rural-urbana fue expresada como un porcentaje de la emigración total de cada cantón pudiéndose notar diferencias apreciables en los valores obtenidos.

El aspecto que más llama la atención en los resultados es la poca relevancia de las migraciones rural-urbanas (*) de muchos de los cantones seleccionados. Aquellos casos en que las corrientes rural-urbanas tienen importancia pueden ser clasificados en tres grupos.

— los adyacentes a los centros urbanos más importantes del país.
— los que a raiz de transformaciones importantes en la estructura productiva del país se encuentran en franco proceso de urbanización aún cuando conservan una amplia población dedicada a la agricultura;
— los cantones periféricos en que el predominio de la actividad de plantación generan condiciones de vida más cercanas a los centros urbanos.

*] Como desconocemos el origen y el destino —urbano o rural— de los migrantes tales apreciaciones constituyen más bien una aproximación al fenómeno antes que una medición rigurosa del mismo.

CONCLUSION

El conjunto de indicadores que da cuenta del fenómeno migratorio en el período 1950-1963 tiene ciertas regularidades básicas que deben ser destacadas. En primer lugar, los resultados que arrojan las tasas de migración neta, obtenidas con distintos métodos de estimación, señalan que el crecimiento de los centros urbanos en la parte céntrica del país tendió a absorber un volumen importante de la población originaria de la actividad agrícola o de cantones con predominio rural. En segundo lugar, se pudo notar que la gran mayoría de los cantones con moderada y fuerte inmigración se ubican en las zonas periféricas del país, si hacemos abstracción de los cantones eminentemente urbanos que no fueron seleccionados. Así, la población excedentaria tendió a migrar hacia regiones aptas para la explotación agrícola de la periferia o a apoyar el proceso de urbanización que se acentúa en el período de la posguerra.

En cuanto a las regularidades de mayor interés registradas por las corrientes migratorias podemos resumirlas aquí en dos tendencias más notables, cuya explicación intentaremos más adelante. En primer lugar, se pudo notar que las corrientes migratorias rural-rurales se dirigen hacia cantones vecinos en donde se localizan áreas de colonización expontánea que operan como polos de atracción. En segundo lugar, las corrientes estudiadas nos muestran que nuevas zonas bananeras surgidas en la década del 50 promueven el traslado masivo de población desde regiones muy distantes e inclusive del exterior (panameños y nicaragüenses).

2— MIGRACIONES INTERNAS DURANTE 1963-1973

2.1.— DETERMINACION DE LA MIGRACION POR EL METODO DE LAS ESTADISTICAS VITALES

Siguiendo un procedimiento análogo al que se indicó en el estudio del período 1950-63, hemos estimado las tasas de migración neta entre los años 1963 y 1973, tomando como base para el cálculo de las tasas la población censada en 1973. Esto último introduce una pequeña modificación con respecto al procedimiento anterior, cuando se trató de estimar la población a mitad del período. Sin embargo, para los fines que perseguimos, las pequeñas variaciones entre uno y otro procedimiento no afectan mayormente los resultados.

Se puede observar en el cuadro No. 9 que los cantones seleccionados tienden a ser de expulsión: solamente seis de los treinta y nueve cantones más rurales del país atraen población. A excepción de Pococí y en parte Siquirres y Buenos Aires, la intensidad de la atracción es poco significativa, cuando se toman las tasas de migración neta de los cantones de expulsión. Puede verse que para los 30 cantones analizados las tasas varían desde -63.81% en el caso de Turrubares hasta 34.35% en Pococí.

CUADRO No. 9

COSTA RICA: Saldos Migratorios netos y Tasas de Migración Neta Estimados Mediante el Método de las Estadísticas Vitales, Período de 1963-1973.

CANTON	Saldo migratorio estimado	Población censada en 1973	Tasa de migración neta
Puriscal	-7.777	24.150	-32.20
Tarrazú	- 443	7.542	- 5.87
Mora	-1.128	10.733	-10.51
Acosta	-3.984	14.385	-27.70
Turrubares	-3.005	4.709	-63.81
Dota	593	4.375	-13.55
Pérez Zeledón	-3.383	67.089	- 5.04
León Cortés	- 398	7.521	- 5.29
San Ramón	-2.527	33.155	- 2.36
Grecia	-1.461	61.798	- 2.36
San Mateo	-1.196	2.969	-40.28
Atenas	-1.663	12.610	-13.19
Naranjo	-2.672	19.721	-13.55
Palmares	-1.648	14.495	-11.37
Poás	756	10.191	- 7.42
Orotina	-1.047	8.479	-12.35
San Carlos	-3.080	51.240	- 6.01
Alfaro Ruiz	- 464	6.342	- 7.32
Valverde Vega	- 342	8.707	- 3.93
Jiménez	-2.915	11.523	-25.30
Turrialba	-9.032	43.202	-20.91
Alvarado	-1.162	7.484	-15.53
Santa Bárbara	138	10.738	1.29
San Isidro	635	5.979	10.62
Nicoya	-7.127	45.084	-15.81
Santa Cruz	-3.269	29.739	-10.90
Bagaces	-4.581	9.828	-46.61
Carrillo	- 846	14.893	- 5.68
Cañas	- 433	12.779	- 3.39
Abangares	-2.258	11.633	-19.41

(Continuación Cuadro No. 9)

CANTON	Saldo migratorio estimado	Población censada en 1973	Tasa de migración neta
Tilarán	-4.628	12.563	-36.84
Nandayure	-5.352	12.058	-44.39
Buenos Aires	2.757	20.104	13.71
Montes de Oro	-2.223	6.979	-31.85
Osa	- 559	24.613	- 2.27
Aguirre	-3.102	26.374	-11.76
Golfito	5.748	62.481	9.20
Pococí	13.829	40.260	34.35
Siquirres	2.609	18.133	14.39

FUENTE: Censos de población de 1963 y 1973 y Anuarios Estadísticos de período 1963-1973.

2.2.— DETERMINACION DE LA MIGRACION POR EL METODO DIRECTO

La información disponible en el Censo de 1973 permite estimar la migración a través de dos maneras distintas. La primera de ellas, por el lugar de nacimiento de la población censada, lo que limita la comparación ya que no es posible determinar la migración para un período determinado. La segunda corresponde a la información de los desplazamientos intercantonales de la población de cinco años o más entre los años 1968 y 1973. Desde nuestro punto de vista la segunda manera tiene mayor interés ya que permite complementar la información arrojada por el método de las estadísticas vitales. La comparación entre ambos nos indica hasta que punto el movimiento migratorio estuvo concentrado en determinados momentos, lo que se expresa por las diferencias entre las tasas de migración neta de un solo cantón, medida por el procedimiento de las estadísticas vitales y por el método directo (período 1968-1973). Si por ejemplo un determinado cantón atrae población entre 1963 y 1968 pero cambia el comportamiento en los cinco años que siguen. Esto se reflejará en la comparación de las tasas de migración neta a través de uno y otro procedimiento, permitiendo un análisis más en profundidad del fenómeno migratorio en la década a estudiar. Cabe señalar además

CUADRO No. 10

COSTA RICA: Saldos migratorios netos y tasas de migración neta estimados mediante el método directo,

Período de 1968 a 1973.

CANTON	Saldo migratorio estimado	Población censada en 1973	Tasa de migración neta
Puriscal	-4.582	24.150	-18.97
Tarrazú	- 900	7.542	-11.93
Mora	- 798	10.733	- 7.43
Acosta	-2.091	14.381	-14.53
Turrubares	-1.204	4.709	-25.56
Dota	- 542	4.375	-12.38
Pérez Zeledón	-5.765	67.089	- 8.59
León Cortés	- 590	7.521	- 7.84
San Ramón	-1.739	33.155	- 5.24
Grecia	-1.968	61.798	- 3.38
Atenas	-1.195	12.610	- 9.42
Naranjo	-1.276	19.721	- 6.47
Palmares	-1.188	14.495	- 8.20
Poás	- 346	10.191	- 3.39
Orotina	- 817	8.479	- 9.63
San Carlos	-2.179	51.240	4.26
Alfaro Ruiz	- 352	6.342	- 5.55
Valverde Vega	- 208	8.707	- 2.38
Jiménez	-1.219	11.523	-10.57
Turrialba	-5.217	43.202	-12.07
Alvarado	- 176	7.484	- 2.35
Santa Bárbara	- 347	10.738	- 3.23
San Isidro	- 36	5.979	- 0.67
Nicoya	-5.430	45.084	-12.04
Santa Cruz	-2.085	29.739	- 7.01
Bagaces	-1.474	9.828	-14.99
Carrillo	-1.162	14.893	- 7.80
Cañas	- 68	12.779	- 0.53
Abangares	-1.367	11.633	-11.75
San Mateo	- 580	2.969	-19.54
Tilarán	-2.384	12.565	-18.97

(Continuación Cuadro No. 10)

CANTON	Saldo migratorio estimado	Población censada en 1973	Tasa de migración neta
Nandayure	-1.461	12.058	-12.11
Buenos Aires	1.913	20.104	9.51
Montes de Oro	-1.159	6.979	-16.60
Osa	13	24.613	0.05
Aguirre	-3.130	26.374	-11.87
Golfito	908	62.481	1.45
Pococí	7.945	40.260	19.73
Siquirres	1.647	18.133	9.08

FUENTE: Censo de población de 1973.

que el hecho de que la población migrante indicada en el censo de 1973 no incluye los menores de 5 años trae un pequeño sesgo ya que através de las estadísticas vitales se busca estimar el total de los migrantes. Por otro lado, la comparación de ambos métodos queda facilitada por la base común del cálculo de las tasas de migración neta: la población censada en 1973.

La comparación entre los resultados arrojados por ambos procedimientos señala algunos hechos importantes:

1.— Los cinco cantones de atracción registrados para la la década 1963-73 se reducen a prácticamente tres en el período 1968-73 ya que los saldos positivos de Osa y Golfito son muy poco significativos.

2.— El Cantón de San Isidro que era de atracción moderada entre 1963 y 1968 pasa a ser de intercambio equilibrado en el quinquenio siguiente, mientras que Santa Bárbara pasa de ser de atracción, también moderada, a expulsión (-3.23%).

3.— Los cantones de Pérez Zeledón, León Cortés y Carrillo que fueron de atracción hasta el año 1968, registran tendencias a expulsar población en el quinquenio siguiente que vienen a contrarrestar sus características primitivas.

4.— El cantón de Aguirre y en cierta medida Dota concentran las características de zonas expulsoras de población a partir del año 1968. Hasta entonces se habían caracterizado por ser cantones de intercambio equilibrado.

2.3.— ANALISIS INDIVIDUAL DE LOS CANTONES ESCOGIDOS

En el presente apartado se hará una descripción somera de algunos aspectos del comportamiento migratorio y, en particular, de las principales corrientes migratorias que afectan a los distintos cantones escogidos. Las referencias que se hagan a las tasas de migración neta se basan en el método de la estadísticas vitales ya que la medición del fenómeno cubre toda la década 1963-1973, a diferencia del método directo como explicamos en el párrafo anterior. Por otro lado, la información disponible en el Censo de Población de 1973 para determinar las corrientes migratorias cubre solamente el quinquenio 1968-73 y además se refiere a la población de 5 años y más. Para este análisis consideramos como corrientes más significativas para el total de inmigrantes y emigrantes de cada cantón, a las que contribuyen con un porcentaje superior a los 5%. Cabe señalar también que los cambios administrativos determinaron la creación de dos nuevos cantones, Nandayure y León Cortés, se suman al grupo antes seleccionado de los 37 cantones más rurales del país. Nandayure primitivamente era parte de Nicoya y León Cortés pertenecía a Tarrazú. Los cantones más urbanizados de la provincia de San José los hemos reunido bajo el nombre de "Area Metropolitana de San José" con el fin de simplificar su análisis. Este comprende los siguientes casos: c. c. de San José, Escazú, Desamparados, Aserrí, Goicoechea, Santa Ana, Alajuelita, Coronado, Tibás, Moravia, Montes de Oca y Curridabat.

Puriscal

Este cantón en el período 1963-73 conserva la tendencia a expulsar población. La tasa de migración neta es relativamente alta (-32.20%). Recibe inmigrantes principalmente de cantones vecinos como Mora, Aguirre y Turrubares, pero la corriente más importante proviene del A.M.S.J.

(17.85%). Los emigrantes se dirigen también en forma importante hacia el A.M.S.J. (37.97%) y a cantones de la costa del Pacífico y del Atlántico (Pococí, Aguirre y Golfito).

Tarrazú

El cantón de Tarrazú es de moderada expulsión (-5.87%). Los inmigrantes provienen de cantones vecinos (Dota, Pérez Zeledón, León Cortés y Aguirre) y del A.M.S.J. Los emigrantes se dirigen al A.M.S.J. en forma predominante (48.84%), y secundariamente a Pérez Zeledón. En el período 1963-73 se puede decir que este cantón modera sustancialmente la tendencia a expulsar población verificada en el período anterior.

Mora

Al igual que Tarrazú el cantón de Mora es también de expulsión (-10.51) en la última década y modera la tendencia expulsora de población. Los inmigrantes provienen de cantones cercanos (Puriscal y Aguirre), del cantón central de Cartago y principalmente del A.M.S.J. (51.80%). Los emigrantes que constituyen un 13.4% de la población del cantón tienden a dirigirse principalmente al A.M.S.J. (46.69%). Los cantones de Puriscal (9.26%) y Pococí (5.78%) complementan el cuadro de corrientes más significativas que salen de Mora.

Acosta

Este cantón registra una alta tasa de migración neta negativa (-27.70%), que indica una conservación de las características de alta expulsión de población. La corriente de inmigrantes no llegan a tener importancia: constituye solamente un 2.23% de la población total. Más de la mitad de los inmigrantes provienen del A.M.S.J. (56.39%), de Pérez Zeledón (11.21%) y Siquirres (5.30%). Llegan pequeñas corrientes al cantón de Acosta. En cuanto a los emigrantes, una vez más el A.M.S.J. (61.40%) absorbe gran parte de la población. En cantón de Aguirre (6.47%) recibe otra corriente, pero que tiene menor importancia.

Turrubares

Se trata del cantón de más fuerte expulsión (-63.81%) del país, hecho que ya se había observado en el período anterior. Entre las corrientes de inmigrantes solamente Puriscal tiene mayor peso (48.96%) mientras que las demás como Atenas, A.M.S.J. y Aguirre no alcanzan el 9% del total de inmigrantes. Los emigrantes se dirigen preferencialmente a las áreas urbanas: A.M.S.J. (12.67%) y cantón central de Puntarenas (8.38%). También tienen importancia las corrientes que se dirigen a Puriscal (12.67%), Golfito (10.27%), Pococí (9.16%), San Carlos (6.89%) y Aguirre (6.11%).

Dota

El cantón de Dota conserva en la década 1963-73 el carácter de expulsor de población, moderando ligeramente su intensidad. Los inmigrantes provienen de El Guarco (17.44%), cantón central de Cartago (16.28%) A.M.S.J. (13.08%) y Tarrazú (10.76%). Los emigrantes se dirigen principalmente hacia A.M.S.J. (24.94%), Cantón Central de Cartago (13.21%), El Guarco (8.13%), Golfito (5.08%) y Tarrazú (8.01%). Se puede notar que existen bastantes coincidencias entre las corrientes de salida y entrada en los cantones.

Pérez Zeledón

Este cantón que era de atracción en el período anterior a la última década conserva tales características por algunos años más pero en conjunto para la década 1963-73 tiende a expulsar moderadamente población (-5.04). Los inmigrantes provienen del A.M.S.J. (17.71%), Buenos Aires (13.58%), Golfito (9.30%), Tarrazú (5.99%), Osa 6.61%) y San Ramón (5.29%). Las principales corrientes de emigrantes se dirigen hacia A.M.S.J. (36.81%), Buenos Aires (21.68%) Golfito (9.26%) y Osa (5.38%).

León Cortés

Este cantón se caracteriza por una moderada expulsión (-5.29%) en la década 1963-73 aunque se pueda asegurar que al principio tuviera una tendencia a atraer población. Los inmigrantes provienen del A.M.S.J. (30.51%) y de los siguientes cantones vecinos: Tarrazú (11.38%), Acosta (5.33%), Dota (8.23%) y Pérez Zeledón (24.46%). Los emigrantes se dirigen predominantemente hacia A.M.S.J. (60.82%), Pérez Zeledón (7.28%) y Tarrazú (8.57%). También en este caso se puede notar el intercambio con cantones cercanos y la constante en los cantones de la provincia de San José de enviar corrientes de importancia hacia el A.M.S.J.

San Ramón

El cantón de San Ramón que ya era de moderada expulsión conserva tal característica en la década 1963-73. La tasa de migración neta alcanza un valor de -7.62%. Los inmigrantes provienen principalmente de los cantones de San Carlos (7.03%), A.M.S.J. (6.99%), Naranjo (6.25%) y Nicoya (5.89%). Las principales corrientes de expulsión se dirigen hacia el A.M.S.J. (24.32%), San Carlos (13.28%) y Palmares (5.09%). Al igual que en otros casos las corrientes principales de atracción y de expulsión tienden a coincidir.

Grecia

Este cantón, como ya se ha señalado anteriormente tiene discontinuidad geográfica y además comportamientos migratorios muy variados en su interior. En la década 1950-1963 era de atracción moderado mientras que en la última década modificó esta característica tornándose más bien de intercambio equilibrado (-2.36%). Los inmigrantes provienen desde los siguientes cantones: San Carlos (17.00%), Valverde Vega (5.34%) y A.M.S.J. (5.22%). Las corrientes de emigrantes se destinan principalmente hacia A.M.S.J. (23.01%), Cantón Central de Alajuela (11.30%), San Carlos (14.25%), Pococí (5.31%) y Sarapiquí (5.15%).

San Mateo

San Mateo es otro cantón que mantiene en ambos períodos fuerte tendencia a la expulsión de población. La tasa de migración neta alcanzada en la última década (-40.28%) solamente fue superada por Turrubares y Nandayure. El pequeño número de inmigrantes que llega a San Mateo proviene principalmente de regiones vecinas: Atenas (17.59%), Esparta (11.57%), A.M.S.J. (9.72%), Cantón Central de Alajuela (8.33%), San Ramón (7.87%), Palmares (6.94%) y Turrubares (5.56%). Las corrientes de emigrantes se dirigen principalmente a áreas urbanas y también a cantones vecinos: A.M.S.J. (23.12%), Cantón Central de Alajuela (9.55%), San Carlos (6.78%), y Orotina (10.93%).

Atenas

Este cantón mantiene la tendencia a expulsar población en la última década cuando alcanza una tasa de migración neta de -13.19%. Las principales corrientes de inmigrantes que llegan al cantón de Atenas son las siguientes: A.M.S.J. (9.73%), Palmares (9.73%), Cantón Central de Alajuela (6.14%), Golfito (5.46%), Grecia (5.46%) y Mora (4.78 o/o). Las corrientes de emigrantes que se encuentran más concentradas se dirigen principalmente hacia A.M.S.J. (25.75%) y Cantón Central de Alajuela (15.72%).

Naranjo

El cantón de Naranjo acentúa la tendencia expulsora de población en la última década cuando se registra una tasa de migración neta de -13.55%. Las corrientes de mayor importancia que llegan al cantón de Naranjo provienen de San Carlos (24.50%), San Ramón (10.79%) A.M.S.J. (6.96%), Grecia (8.09%), Valverde Vega (5.40%) y Alfaro Ruiz (5.18%). La atracción ejercida sobre los demás cantones se expresa en corrientes migratorias que tienen los siguientes porcentajes A.M.S.J. (34.90%), San Carlos (12.30%), Cantón Central de Alajuela (8.12%), San Ramón (5.43%) y Grecia (4.70%). Las corrientes muestran una clara tendencia a promover intercambios con cantones vecinos y con las cabeceras de las provincias de Alajuela y San José.

Palmares

Este cantón, igual que muchos otros de la meseta central, conserva la tendencia a expulsar población en el último período (-11.37%). Los migrantes que llegan a Palmares provienen en su mayoría de cantones vecinos: San

Ramón (25.17%), Naranjo (6.21%), San Carlos (9.09%) y Nicoya (15.85%). Las corrientes de migrantes que salen de Palmares se dirigen principalmente hacia los siguientes cantones: A.M.S.J. (24.21%), San Ramón (9.14%), San Carlos (8.71), Cantón Central de Alajuela (5.65%) y Pérez Zeledón (5.12%).

Poás

Se trata de un cantón que siendo de intercambio equilibrado en el primer período pasa a ser de expulsión moderada entre 1963 y 1973. Las corrientes que llegan al cantón de relativa importancia, provienen casi todas de áreas vecinas: Grecia (31.37%), Cantón Central de Alajuela (17.92%), A.M.S.J. (9.08%) y San Carlos (5.07%). Algo muy similar ocurre con las corrientes que se dirigen a otros cantones Cantón Central de Alajuela (31.74%), A.M.S.J. (21.69%), y Grecia (9.72%). Obsérvase aquí la misma tendencia al intercambio con cantones vecinos.

Orotina

El cantón de Orotina que en el pasado era de fuerte expulsión modera en intensidad la tasa de migración neta (-12.75%). Las corrientes migratorias que se dirigen a Orotina provienen de los siguientes cantones: A.M.S.J. (16.28%), Cantón Central de Puntarenas (15.10%) San Mateo (11.33%, Turrubares (9.64%), Atenas (7.81%) y Golfito (5.60%). Los emigrantes tienden a dirigirse a cantones más urbanos A.M.S.J. (34.26%), Cantón Central de Puntarenas (13.00%) y Cantón Central de Alajuela (10.54%).

San Carlos

Este cantón que era de moderada atracción en el período 1950-63 tendió a la expulsión, también moderada, en el siguiente decenio. La tasa de migración neta fue de -6.01%. Las principales corrientes que llegan a San Carlos provienen de Grecia (16.22%), San Ramón (10.80%), Naranjo (7.02%) y A.M.S.J. (7.52%). Las corrientes de expulsión se dirigen hacia A.M.S.J. (27.42%), Cantón Central de Alajuela (12.83%), Grecia (9.40%), Pococí (7.36%), San Ramón (6.10%) y Naranjo (5.93%).

Alfaro Ruiz

El comportamiento migratorio de Alfaro Ruiz varía considerablemente ya que en el primer período fue un cantón de fuerte expulsión mientras en el último período registró una tasa de migración neta de solamente -7.32%. Las principales corrientes de inmigración provienen de: San Carlos (38.70%), Valverde Vega (12.17%), Naranjo (14.78%), Grecia (8.26%), San Ramón (6.30%) y A.M.S.J. (5.87%). Las corrientes de emigración de mayor peso son A.M.S.J. (28.69%), San Carlos (25.37%), Naranjo (11.82%). Cantón Central de Alajuela (7.02%), Grecia (6.77%) y San Ramón (5.42%). La tendencia de mantener intercambios con cantones cercanos se conserva en Alfaro Ruiz.

Valverde Vega

Este cantón tiene la misma característica en ambos períodos; acercarse al intercambio equilibrado. La tasa de migración neta en el último período fue de -3.93%. Los inmigrantes provienen de los siguientes cantones: Grecia (16.14%), San Carlos (15.63%), Naranjo (12.16%), San Ramón (9.70%) y Puriscal (5.11%). Los migrantes que parten de Valverde Vega se dirigen al A.M.S.J. (19.97%), Grecia (19.04%), Cantón Central de Alajuela (10.95%), San Carlos (9.18%) y Naranjo (8.42%).

Jiménez

Este cantón vuelve a parecer como de fuerte tendencia a la expulsión de población en el segundo período estudiado (-25.30%). Los inmigrantes provienen de Turrialba (43.39%) y A.M.S.J. (12.78%) mientras que los emigrantes se dirigen al A.M.S.J. (59.12%) y Turrialba (9.80%), fundamentalmente.

Turrialba

El cantón de Turrialba tiende a acentuar su característica expulsora de población en el período 1963-1973 (-20.91%). Las corrientes de atracción son originarias de las siguientes áreas: A.M.S.J. (18.55%), Cantón Central de Limón

(14.86%), Jiménez (8.29%), Pococí (8.09%), y Cantón Central de Cartago (5.28%). Las corrientes de expulsión se dirigen a los siguientes cantones; A.M.S.J. (47.74%), Siquirres (8.14%), Pococí (6.87%) y La Unión (5.43%).

Alvarado

Este cantón acentúa su tendencia a expulsar población en el período 1963-73. La tasa de migración neta observada alcanza el valor de -15.53%. Las principales corrientes que llegan a este cantón provienen de Turrialba (27.46%), Oreamuno (23.66%), A.M.S.J. (12.95%), El Guarco (7.37%) y Paraíso (6.70%). Las corrientes que se dirigen a otros cantones son las siguientes: A.M.S.J. (42.95%), Paraíso (12.18%), Cantón Central de Cartago (11.22%), Oreamuno (7.85%) y Turrialba (5.95%).

Santa Bárbara

Este cantón, como ya habíamos señalado anteriormente, en los últimos cinco años de la década 1963-73 empezó a expulsar población. Se puede considerar que en este período el cantón de Santa Bárbara tuvo un comportamiento típico del intercambio equilibrado (+1.29%). Las corrientes migratorias que llegan a Santa Bárbara provienen de los cantones de A.M.S.J. (11.56%), Barba (9.52%) y Cantón Central de Heredia (7.99%). Las corrientes que salen se dirigen hacia A.M.S.J. (21.73%), Cantón Central de Alajuela (12.87%), Cantón Central de Heredia (9.46%), San Rafael (6.96%) y Flores (6.04%).

San Isidro

Este cantón ha tenido un comportamiento migratorio bien variado. En el período 1950-63 su tendencia estuvo más bien orientada a la expulsión de población, hecho que deja de ocurrir entre los años 1963 y 1968 para tornarse en el último quinquenio un cantón de intercambio equilibrado. Las principales corrientes inmigrantes provienen de los siguientes cantones: Santo Domingo (15.58%), A.M.S.J. (15.12%), Cantón Central de Heredia (8.38%), Turrialba (7.83%), San Pablo (5.46%) y San Rafael (5.10%). Los emigrantes se dirigen al Cantón Central de Heredia (22.05%), Santo Domingo (17.09%), A.M.S.J. (15.21%), San Pablo (11.62%) y San Rafael (11.11%).

Nicoya

Este cantón intensifica la característica de expulsor de población en el período 963-73 (-15.81%). Recibe corrientes desde Nandayure (16.10%), Santa Cruz (11.23%) y A.M.S.J. (21.10%), Pococí (14.34%), Golfito (12.09%) y Cantón Central de Puntarenas (5.20). En este caso se nota claramente que la población que se desplaza busca cantones lejanos, pasando todo lo contrario con los que llegan a Nicoya en el período 1953-73.

Santa Cruz

Santa Cruz deja de ser un cantón con tendencia al intercambio equilibado para asumir la característica de expulsión moderada en la última década (-10.90%). Los inmigrantes provienen de los siguientes cantones: Nicoya (24.64%), Carrillo (8.99%), A.M.S.J. (7.12%), Liberia (7.03 o/o), Cantón Central de Limón (6.23%) y Golfito (5.96%). Las corrientes de emigrantes que salen de Santa Cruz tienen los siguientes destinos: A.M.S.J. (25.43%), Liberia (8.54%), Pococí (7.07%) y Golfito (6.76%).

Bagaces

Este cantón, que era uno de los pocos cantones rurales que atraía población hasta el 63, se ha convertido en el segundo cantón de mayor expulsión (entre los 39 escogidos) en la década siguiente. Los inmigrantes que llegan a Bagaces provienen de Cañas (15.00%), Grecia (14.38%), Liberia (12.95%) y Tilarán (10.80%). Los emigrantes, por otro lado, se dirigen preferencialmente a Liberia (15.46%), Cañas (13.11%), Grecia (12.37%), A.M.S.J. (10.45%), Pococí (8.83 o/o) y Golfito (7.94%).

Carrillo

Este cantón que era de equilibrio pasa a ser de moderada expulsión entre 1963 y 1973. Las principales corrientes que llegan al cantón son las siguientes: Santa Cruz (27.89%), A.M.S.J. (8.16%) y Liberia (16.89%). Las corrientes que salen del cantón se destinan a Liberia (32.62%), A.M.S.J. (19.12%) y Santa Cruz (5.98%). En este caso los intercambios se restrinjan a un número pequeño de cantones existiendo grande coincidencia entre las corrientes de salida y las de entrada.

Cañas

Este cantón que era de moderada expulsión tiende al intercambio equilibrado en la última década (-3.39%). Los inmigrantes provienen en especial de Bagaces (15.87%), Abangares (12.23%), Tilarán (11.90%), Grecia (9.48%) y Liberia (9.01%). Los emigrantes se dirigen en especial a los siguientes cantones: A.M.S.J. (23.17%), Bagaces (7.60%) Liberia (6.88%), c.c. de Puntarenas (6.88%) y Cantón Central de Alajuela (6.43%).

Abangares

Este cantón conserva su característica expulsora de población alcanzando una tasa de migración neta de -19.41% en el período 1963-73. Las principales corrientes que llegan al cantón de Abangares son las siguientes: Cantón Central de Puntarenas (17.48%), Cañas (10.80%), Tilarán (9.80%), Bagaces (7.02%), Liberia (5.79%) y Montes de Oro (5.23%). Las corrientes que salen de Abangares se dirigen al A.M.S.J. (14.04%), Cañas (11.57%), Cantón Central de Puntarenas (8.30%), Sarapiquí (9.67%), Cantón Central de Alajuela (6.14%) y Pococí (5.12%).

Tilarán

Este cantón mantiene la característica del período anterior de alta expulsión de población. Los inmigrantes provienen de los siguientes cantones: Grecia (20.62%), San Carlos (11.05%), Cañas (8.89%), Abangares (8.09%) y Montes de

Oro (6.33%). Los emigrantes provienen de los siguientes cantones: A.M.S.J. (15.67%), Cantón Central de Alajuela (12.09%), Cañas (8.16%), Guatuso (8.03%) y San Carlos (7.45%).

Nandayure

Este cantón se sitúa en la parte sur de la provincia de Guanacaste. En el censo de 1950 aparecía como parte del cantón de Nicoya. Su comportamiento migratorio en la década 1963-73 resultó de intensa expulsión. Los inmigrantes que ahí llegaron provenían de los siguientes cantones: Nicoya (33.75%), Cantón Central de Puntarenas (14.22%), Golfito (6.88%) y San Ramón (5.47%). Los emigrantes se dirigen en particular a Golfito (19.28%), Sarapiquí (15.42%), Cantón Central de Puntarenas (12.61%), Osa (8.52%), A.M.S.J. (6.62%) y Nicoya (6.43%).

Buenos Aires

El cantón de Buenos Aires se mantiene como de atracción en la última década. Los inmigrantes provienen de Pérez Zeledón (56.18%), Golfito (23.95%), A.M.S.J. (17.66%) y Osa (15.69%). Los emigrantes se dirigen principalmente a los cantones de Pérez Zeledón (28.21%) Golfito (23.95%), A.M. de S.J. (17.66%) y Osa (15.69%).

Montes de Oro

Este cantón conserva la característica de fuerte expulsor de población en la década 1963-73. Recibe aportes significativos de: Cantón Central de Puntarenas (30.11%), Esparta (17.63%), San Ramón (7.31%) y Nicoya (6.24%). En cuanto a las corrientes que salen de Montes de Oro tendríamos: Cantón Central de Alajuela (8.87%), Golfito (6.34%) y Esparta (5.11%).

Osa

Este cantón que era de fuerte emigración en el período 1950-63 se convierte en un área de intercambio equilibrado (-2.27%). Recibe los aportes más importantes desde Golfito (25.29%), Cantón Central de Puntarenas (9.17%), A.M.S.J. (5.46%), Aguirre (7.32%), Buenos Aires (5.15%). Las corrientes de emigrantes se dirigen principalmente al A.M.S.J. (22.76%), Golfito (28.74%), Pococí (6.63%) y Sarapiquí (5.10%).

Aguirre

Este cantón registró una fuerte emigración en el período 1950-63. En la década siguiente esta tendencia se ha reducido. Aguirre recibe corrientes importantes desde Puriscal (22.3%), Cantón Central de Puntarenas (10.07%), A.M.S.J. (10.25%), Pérez Zeledón (7.59%), Golfito (5.70%) y Acosta (5.67%). Por otro lado se dirigen importantes contingentes de población al A.M.S.J. (31.50%) Golfito (16.98%) y Pococí (13.01%).

Golfito

Este cantón que era de fuerte inmigración hasta el 63 tendió a moderar esta característica en la última década (9.20%). Recibe aporte significativos de Osa (22.18%), Aguirre (10.24%), A.M.S.J. (9.15%), Pérez Zeledón (8.58%) y Nicoya (8.10%). Por otro lado se verifica la salida de importantes corrientes hacia el Cantón Central de Alajuela (6.45%), Pococí (8.07%), Osa (13.70%) y fundamentalmente al A.M.S.J. (52.81%).

Pococí

Este cantón que tendió a ser de intercambio equilibrado en el período 1950-63, se tornó en la década siguiente el cantón de más fuerte inmigración del país. Recibe significativos aportes de Nicoya (8.51%), A.M.S.J. (7.78%), aportes de Limón (7.00%), Aguirre (7.58%), Puriscal (6.86%), Golfito (6.37%), Turrialba (5.48%) y San Carlos (5.05%). Además se destinan muchos migrantes hacia el Cantón Central de Limón (15.99%), Turrialba (18.13%), A.M.S.J. (10.70%), Golfito (6.80%) y Osa (5.63%). Se nota un movimiento importante con cantones de todas las regiones del país.

Siquirres

Este cantón que era de emigración moderada se tornó en área de atracción moderada en la década 1963-73. En este período recibió aportes significativos de Turrialba (15.30%), Cantón Central de Limón (13.50%), Pococí (10.88%), A.M.S.J. (9.03%) y Golfito (5.74%). Por otro lado Siquirres hizo significativos aportes al A.M.S.J. (24.82%) Pococí (19.04%), c.c. de Limón (14.65%), Matina (19.51%) y Turrialba (11.26%).

2.4.— **Determinación de Campos migratorios**

Ahora bien, en el período 1963-72 podemos individualizar dos campos migratorios de relativa importancia:

1.— Campo migratorio Buenos Aires-Golfito: está formado por los dos cantones que le dan el nombre y además por los cantones vecinos de Osa, Aguirre y Pérez Zeledón. El cantón de Golfito ya en el último quinquenio no atrae población por el poco dinamismo de las explotaciones para la exportación, mientras que la ocupación de zonas de frontera se hace más difícil tanto en Golfito como en Buenos Aires.

2.— Campo migratorio Pococí-Siquirres: está formado por los dos cantones vecinos que le dan el nombre y por áreas periféricas del país que incluyen cantones de la costa del Pacífico (Nicoya y Golfito) y del Atlántico (Cantón Central de Limón). También se encuentran cantones como Turrialba y Puriscal, afuera de la meseta central, y la propia A.M.S.J. en este campo migratorio. Lo que es significativo aquí es el dinamismo de la explotación bananera que tiene inicio en la década del sesenta.

Una somera comparación entre los dos períodos nos permite ver que las migraciones rural-urbanas se fortalecen marcadamente en la última década. Las zonas de fácil ocupación tienden a perder importancia como absorbedoras de población sobrante y, finalmente, el auge del banano como producto de exportación en la zona del Atlántico induce importantes corrientes migratorias de regiones muy variadas.

Conclusión

La comparación entre los diferentes métodos de estimación del fenómeno migratorio se muestra bien fecunda en este período precisamente porque la información censal se refiere a cambios verificados en un plazo fijo (*), mientras que las estadísticas vitales permiten cubrir toda la década intercensal (1963-1973). Sin embargo, la comparación se vuelve más difícil cuando se pretende determinar los cambios en la intensidad del movimiento migratorio entre los dos períodos analizados. Esto se debe tanto al hecho de que la medición de la migración es distinta en los tres censos, así como a la naturaleza de los registros vitales que son heterogéneos a través de los años.

Sin embargo, una primera observación global de los datos relativos a la migración en el último período es que la capacidad presentada por las zonas periféricas para absorber los excedentes de población generados en zonas ya colonizadas o densamente pobladas se descompone en dos grandes tendencias. Por un lado están los sitios más alejados de las vías de comunicación y que propician una ocupación de tierras hasta entonces vírgenes. Es visible que si bien esta tendencia no es novedosa, pierde importancia con respecto al período anterior. Por otro lado, está la atracción ejercida por el desarrollo bananero que se da en la costa Atlántica del país, responsable en gran medida del movimiento de tipo rural-rural que se ha producido. Adquiere mucha más importancia el crecimiento de las ciudades en la década 1963-1973, fruto del traslado de grandes contingentes de trabajadores rurales que pretenden encontrar en la economía urbana mayores oportunidades de empleo o de subsistencia. Sin embargo existen evidencias en el sentido de que muchos de estos trabajadores y sus familias migran a las zonas rurales en determinadas temporadas para atender la demanda estacional de fuerza de trabajo en la agricultura.

*) Ni en el censo de 1950, ni en el de 1963 había ocurrido esto.

CUADRO No. 11

COSTA RICA: Migraciones internas según lugar de residencia anterior condición y tasas de migración por cantones, censo de 1950

PROVINCIAS Y CANTONES	Población total	Número de inmigrantes	Número de emigrantes	Saldo migratorio	Tasa de inmigración	Tasa de emigración	Tasa de migración
PROVINCIA DE SAN JOSE							
Central	105.274	39.807	29.815	9.992	37.81	28.32	9.49
Escazú	7.033	1.429	2.609	-1.180	20.31	29.30	8.99
Desamparados	15.512	4.879	6.868	-1.989	31.45	44.28	-12.82
Puriscal	16.732	1.982	7.671	-5.689	11.84	45.84	-34.00
Tarrazú	7.423	1.215	5.274	-4.059	16.36	71.04	-54.68
Aserrí	9.109	2.224	3.475	-1.251	24.41	38.14	-13.73
Mora	7.715	1.166	3.370	-2.204	15.11	43.68	-28.57
Goicoechea	20.674	12.858	3.223	9.635	62.19	15.58	46.61
Santa Ana	5.777	1.372	2.498	-1.126	23.74	43.24	-19.50
Alajuelita	3.911	1.298	1.497	- 199	33.18	38.19	- 5.01
Coronado	6.039	1.498	2.444	- 946	24.80	40.47	-15.67
Acosta	10.155	1.250	4.142	-2.892	12.31	40.79	-28.48
Tibás	10.457	6.522	2.274	4.248	62.36	21.74	40.62
Moravia	648	2.572	1.702	870	45.53	30.13	15.40
Montes de Oca	9.613	5.888	2.833	3.055	51.25	29.47	31.78
Turrubares	5.930	3.029	1.228	1.801	51.07	20.70	30.37

Dota	2.801	2.239	1.852	- 872	34.98	66.11	-13.13
Curridabat	4.466	980	742	1.397	50.13	16.61	33.52
Pérez Zeledón	19.589	13.043	821	12.222	66.58	4.19	62.39
PROVINCIA DE ALAJUELA							
Central	39.996	7.192	14.019	-6.827	19.43	37.89	-18.46
San Ramón	19.913	3.986	10.654	-6.668	20.01	53.50	-33.49
Grecia	19.876	3.717	8.440	-4.723	18.70	42.46	-23.76
San Mateo	3.602	1.008	2.048	-1.040	27.98	56.85	-28.87
Atenas	9.303	1.643	6.143	-4.500	17.66	66.03	-48.37
Naranjo	10.822	1.984	6.356	-4.372	18.33	58.73	-40.40
Palmares	7.929	866	4.415	-3.549	10.92	55.68	-44.76
Poás	5.118	1.629	2.407	- 778	31.82	47.03	-15.21
Orotina	5.905	2.331	3.280	- 949	39.48	55.54	-16.07
San Carlos	15.625	7.367	1.730	5.637	47.14	11.07	36.07
Alfaro Ruiz	4.675	1.036	3.634	-2.598	22.16	77.73	-55.57
Valverde	4.304	948	3	945	22.02	0.07	21.95
PROVINCIA DE CARTAGO							
Central	30.278	4.768	15.995	-11.227	15.74	52.83	-37.08
Paraíso	11.405	2.163	4.484	- 2.321	18.96	39.32	-20.35
La Unión	7.743	2.121	3.764	-16.43	27.39	48.61	-21.22
Jiménez	7.693	2.751	3.221	- 4.70	35.75	41.87	- 6.11
Turrialba	2.419	8.501	6.901	16.00	35.14	28.53	6.61
Alvarado	4.588	1.129	2.178	-10.49	24.60	47.47	-22.86
Oreamuno	7.588	1.300	2.949	-16.49	17.20	39.02	-21.82
Guarco	6.380	668	1.007	3.39	10.47	15.78	- 5.31

PROVINCIA DE GUANACASTE							
Central	8.445	955	4.617	3.662	11.31	54.67	-43.36
Nicoya	29.691	9.235	3.106	6.129	31.10	10.46	20.64
Santa Cruz	13.471	686	4.097	-3.411	5.09	30.41	-25.32
Bagaces	3.925	1.600	849	751	40.76	21.63	19.13
Carrillo	6.853	863	2.329	-1.466	12.59	33.99	-21.39
Abangares	8.184	3.273	2.906	367	39.99	35.51	4.48
Tilarán	8.959	3.183	2.591	592	35.53	28.92	6.61
PROVINCIA DE HEREDIA							
Central	19.702	5.470	10.090	-4.620	27.76	51.21	-23.45
Barba	5.242	1.625	2.346	- 721	30.99	44.75	-13.75
Santo Domingo	7.035	1.621	3.585	-1.964	22.12	48.99	-26.80
Santa Bárbara	5.035	1.001	2.165	-1.164	19.88	43.00	-23.12
San Rafael	5.245	1.276	2.449	-1.173	24.32	46.69	22.36
San Isidro	2.847	606	1.760	-1.154	21.28	61.82	-40.53
Belén	3.223	466	1.574	-1.108	14.45	48.84	-34.38
Flores	2.874	502	1.650	-1.148	17.46	57.41	-39.94
Central	29.787	14.350	8.680	5.670	48.17	29.14	19.03
Esparta	6.874	2.350	4.150	-1.800	34.18	60.37	-26.19
Buenos Aires	7.148	3.480	247	3.233	48.48	41.66	45.23
Montes de Oro	5.561	1.964	2.317	- 353	35.31	35.03	- 6.35
Osa	9.485	7.160	3.323	3.837	75.48	2.13	40.45
Aguirre	12.980	11.273	277	10.996	86.84	2.47	84.71
Golfito	7.546	6.784	187	6.597	89.90	17.19	87.43

PROVINCIA DE LIMON							
Central	18.330	7.258	3.152	4.106	39.58	17.19	22.39
Pococí	9.228	5.812	899	4.913	62.98	9.74	53.24
Siquirres	6.269	3.986	1.311	2.675	63.58	20.91	42.67

FUENTE: Censo de población de 1950 de la República de Costa Rica, Dirección General de Estadísticas y Censos, San José, 1950.

CUADRO No. 12
COSTA RICA: Principales corrientes migratorias según el censo de población de 1950 (*)

1.– Número de Inmigrantes que llegan a los cantones

1.1.) Puriscal (1982)

c.c. de San José	192
Mora	545
Escazú	102
Santa Ana	165
Acosta	204

1.2) Tarrazú (1.215)

c.c. de San José	88
Desamparados	452
c.c. de Cartago	122

1.3) Mora (1.166)

c.c. de San José	164
Puriscal	284
Santa Ana	197
Escazú	79
Acosta	64

1.4) Acosta (1.250)

c.c. de San José	131
Aserrí	469
Desamparados	193
Mora	69
Alajuelita	96

1.5) Turrubares (3.029)

Puriscal	2.004
Mora	218
Atenas	249

1.6) Dota (980)

Desamparados	179
Tarrazú	102
c.c. de Cartago	180
El Guarco	257

1.7) Pérez Zeledón (13.042)

Desamparados	1.280
Tarrazú	3.163
Acosta	1.134
c.c. de Cartago	842

1.8) San Ramón (3.986)

Naranjo	685
Palmares	764
San Carlos	458
c.c. de Alajuela	212
Grecia	242

1.9) Grecia (3.717)

c.c. de San José	198
c.c. de Alajuela	679
Naranjo	468
Poás	353
Tilarán	308
Atenas	266

1.10) San Mateo (1.017)

c.c. de San José	60
Orotina	81
Atenas	266
Esparta	72
c.c. de Alajuela	88
San Ramón	65
Palmares	64

*) Se refiere a la migración según el lugar de nacimiento del entrevistado.

1.11) Atenas (1.653)
c.c. de San José — 174
c.c. de Alajuela — 151
Grecia — 105
Palmares — 268
San Rafael — 80

1.12) Naranjo (1.984)
c.c. de San José — 125
San Ramón — 369
Grecia — 467
San Carlos — 120
Alfaro Ruiz — 306

1.13) Palmares (866
c.c. de San José — 65
Atenas — 70
Naranjo — 91
San Ramón — 367

1.14) Poás (1.629)
c.c. de San José — 105
c.c. de Alajuela — 486
Grecia — 473
c.c. de Heredia — 108

1.15) Orotina (2.331)
c.c. de San José — 254
c.c. de Alajuela — 368
San Mateo — 254
Atenas — 329
Puriscal — 177
Turrubares — 167

1.16) San Carlos (7.365)
c.c. de Alajuela — 499
San Ramón — 539
Grecia — 1.141
Naranjo — 1.519
Alfaro Ruiz — 1.681

1.17) Alfaro Ruiz (1.036)
San Ramón — 102
Naranjo — 421
San Carlos — 82
Grecia — 282

1.18) Valverde Vega (948)
Naranjo — 283
Alfaro Ruiz — 220
c.c. de Alajuela — 110
San Ramón — 58

1.19) Jiménez (2.751)
c.c. de San José — 228
Turrialba — 605
Paraíso — 343
c.c. de Cartago — 314

1.20) Turrialba (8.501)
c.c. de San Jos; — 835
c.c. de Cartago — 1.427
Paraíso — 1.108
La Unión — 539
Jiménez — 1.176
Alvarado — 586

1.21) Alvarado (1.128
c.c. de San José — 76
Turrialba — 122
Jiménez — 107
Oreamuno — 243
c.c. de Cartago — 212
Paraíso — 185
La Unión — 60

1.22) Santa Bárbara (1.001)
c.c. de San José — 51
c.c. de Alajuela — 208
c.c. de Heredia — 178
Barba — 147
Flores — 203

1.23) San Isidro (606)	
c.c. de Heredia	178
Santo Domingo	161

1.24) Nicoya (9.235)	
San Ramón	1.785
Atenas	779
Palmares	939
Santa Cruz	541
c.c. de Puntarenas	1.575

1.25) Santa Cruz (686)	
c.c. de San José	66
Nicoya	94
Carrillo	201
c.c. de Guanacaste	82
c.c. de Puntarenas	72

1.26) Bagaces (1.600)	
c.c. de Guanacaste	223
Cañas	287
Tilarán	355

1.27) Carrillo (863)	
c.c. de San José	55
c.c. de Guanacaste	251
Santa Cruz	319
c.c. de Puntarenas	65

1.28) Cañas (2.229)	
c.c. de Alajuela	208
Tilarán	524
Atenas	128
Bagaces	228
Nicoya	159
Abangares	145

1.29) Abangares (3.273)	
San Ramón	624
Atenas	219
Cañas	215
Tilarán	266
c.c. de Puntarenas	386
Esparta	235
Montes de Oro	299

1.30) Tilarán (3.183)	
c.c. de Alajuela	618
San Ramón	318
Atenas	269
Grecia	259
Cañas	257

1.31) Buenos Aires (3.480)	
Tarrazú	324
Pérez Zeledón	398
Dota	254
Acosta	244
Osa	1.551

1.32) Monte de Oro (1.964)	
San Ramón	734
Atenas	381
c.c. de Puntarenas	101
Esparta	177

1.33) Osa (7.160)	
c.c. de San José	548
c.c. de Alajuela	523
c.c. de Guanacaste	489
Nicoya	435

1.34) Aguirre (11.273)	
c.c. de San José	1.037
Puriscal	588
Abangares	52
c.c. de Puntarenas	1.650

Santa Cruz —— 629
Abangares —— 428
c.c. de Puntarenas —— 620

1.35) Golfito (6.784)
c.c. de San José —— 782
c.c. de Puntarenas —— 732
Osa —— 1.482

1.36) Pococí (5.812)
c.c. de San José —— 479
c.c. de Cartago —— 335
Turrialba —— 1.189

1.37) Siquirres (3.986)
c.c. de San José —— 415
c.c. de Cartago —— 311
Turrialba —— 968

2.– Número de Emigrantes que salen de los cantones

2.1) Puriscal (7.671)
c.c. de San José —— 1.173
Turrubares —— 2.004
Pérez Zeledón —— 386
c.c. de Puntarenas —— 714
Aguirre —— 588

2.2.) Tarrazú (5.274)
c.c. de San José —— 442
Desamparados —— 273
Pérez Zeledón —— 3.163
Buenos Aires —— 324

2.3) Mora (3.370)
c.c. de San José —— 647
Puriscal —— 545
Santa Ana —— 183
Turrubares —— 218
Pérez Zeledón —— 168
Nicoya —— 233
c.c. de Puntarenas —— 205
Aguirre —— 203

2.4) Acosta (4.142)
c.c. de San José —— 483
Aserrí —— 607
Pérez Zeledón —— 1.134
Buenos Aires —— 244
Aguirre —— 568

2.5) Turrubares (1.228)
Mora —— 164
Puriscal —— 81
Orotina —— 167
c.c. de Puntarenas —— 254
Aguirre —— 101
c.c. de San José —— 98
Nicoya —— 159

2.6) Dota (1.852)
Pérez Zeledón —— 1.149
Buenos Aires —— 254

2.7) Pérez Zeleón (821)
c.c. de San José —— 78
Buenos Aires —— 398

2.8) San Ramón (10.654)
c.c. de San José —— 1.064
Pérez Zeledón —— 621
San Carlos —— 539
Nicoya —— 1.785
Abangares —— 624
c.c. de Puntarenas —— 1.371
Montes de Oro —— 784

2.9) Grecia (8.440)
c.c. de San José —— 1.410
c.c. de Alejuela —— 663
Naranjo —— 467
Poás —— 473
San Carlos —— 1.541

2.10) San Mateo (2.048)
c.c. de San José —— 179
Orotina —— 254
Nicoya —— 215
c.c. de Puntarenas —— 311
Esparta —— 157
Aguirre —— 121

2.11) Atenas (6.143)
c.c. de San José —— 819
Orotina —— 329
c.c. de Puntarenas —— 501
Montes de Oro —— 381
Nicoya —— 779

2.12) Naranjo (6.536)
c.c. de San José —— 648
Pérez Zeledón —— 408
San Ramón —— 685
Grecia —— 468
San Carlos —— 1.519
Alfaro Ruiz —— 421

2.13) Palmares (4.415)
c.c. de San José —— 439
Pérez Zeledón —— 230
Grecia —— 764
Atenas —— 268
Nicoya —— 939
c.c. de Puntarenas —— 229

2.14) Poás (2.407)
c.c. de San José —— 248
c.c. de Alajuela —— 534
San Carlos —— 207
Grecia —— 353
Tilarán —— 158

2.15) Orotina (3.280)
c.c. de San José —— 599
Nicoya —— 191
c.c. de Puntarenas —— 921
Aguirre —— 284

2.16) San Carlos (1.730)
c.c. de San José —— 191
San Ramón —— 458
Grecia —— 122
Naranjo —— 120

2.17) Alfaro Ruiz (3.634)
c.c. de San José —— 190
San Ramón —— 379
Naranjo —— 306

2.18) Valverde Vega (3)
c.c. de Heredia —— 3

San Carlos	1.681
Valverde Vega	220

2.19) Jiménez (3.221)

c.c. de San José	537
Turrialba	1.176
Siquirres	171

2.21) Alvarado (2.178)

c.c. de San José	271
Turrialba	568
Jiménez	356
Oreamuno	167
c.c. de Cartago	149
Paraíso	109

2.23) San Isidro (1.760)

c.c. de San José	153
c.c. de Heredia	395
Santo Domingo	380
San Rafael	101

2.25) Santa Cruz (4.097)

c.c. de San José	616
Nicoya	541
Carrillo	319
c.c. de Puntarenas	482
Osa	620
Aguirre	538
Golfito	301

2.27) Carrillo (2.329)

c.c. de San José	285
c.c. de Guanacaste	344
Santa Cruz	201
c.c. de Puntarenas	394
Osa	248
Aguirre	340

2.20) Turrialba (6.901)

c.c. de San José	1.162
Jiménez	605
Pococí	1.189
Siquirres	968
c.c. de Limón	745

2.22) Santa Bárbara (2.165)

c.c. de San José	370
c.c. de Alajuela	325
c.c. de Heredia	283
Barba	258

2.24) Nicoya (3.106)

c.c. de San José	323
c.c. de Puntarenas	864
Cañas	159
Osa	435
Aguirre	350
Golfito	167

2.26) Bagaces (849)

c.c. de San José	68
Cañas	228
Abangares	58
c.c. de Puntarenas	120
Osa	57
Aguirre	64
Golfito	43

2.28) Cañas (2.744)

c.c. de San José	250
Tilarán	257
Bagaces	287
Abangares	215
c.c. de Puntarenas	455
Aguirre	278
Osa	264

2.29) Abangares (2.906)

c.c. de San José	212
c.c. de Puntarenas	586
Aguirre	582
Osa	428
Golfito	250
Bagaces	147

2.30) Tilarán (2.591)

Grecia	308
Cañas	524
Bagaces	355
Abangares	266
Nicoya	136

2.31) Buenos Aires (247)

Pérez Zeledón	48
Osa	100
c.c. de Puntarenas	19
Aguirre	23
Golfito	19

2.32) Montes de Oro (2.317)

Nicoya	353
Abangares	299
c.c. de Puntarenas	713
Aguirre	244

2.33) Osa (3.323)

Buenos Aires	1.551
Golfito	1.482

2.34) Aguirre (277)

c.c. de San José	39
c.c. de Puntarenas	35
c.c. de Limón	18
Osa	40

2.35) Golfito (187)

c.c. de San José	16
c.c. de Puntarenas	18
Osa	74
Aguirre	17

2.36) Pococí (899)

c.c. de San José	127
Turrialba	62
Mora	48
c.c. de Limón	247
Siquirres	157

2.37) Siquirres (1.311)

c.c. de San José	146
Turrialba	73
Osa	131
c.c. de Limón	620
Pococí	128

FUENTE: Censo de Población de 1950 de la República de Costa Rica, Dirección General de Estadísticas y Censos, San José, 1950.

CUADRO No. 13

COSTA RICA: Migraciones internas según lugar de residencia anterior, condición y tasas de migración por cantones, censo de 1963.

PROVINCIAS Y CANTONES	Población total	Número de inmigrantes	Número de emigrantes	Saldo migratorio	Tasa de inmigrantes	Tasa de emigrantes	Tasa de migración
PROVINCIA DE SAN JOSE							
Cantón Central	160.397	58.811	57.625	1.190	36.67	35.92	0.75
Escazú	14.003	4.212	3.166	1.036	30.03	22.62	7.42
Desamparados	33.715	14.610	10.050	4.560	43.33	29.80	26.87
Puriscal	23.673	2.533	10.152	-7.602	10.76	42.85	-32.09
Tarrazú	5.389	663	4.383	-3.720	12.30	81.33	-69.00
Aserrí	13.608	2.332	4.643	-2.316	17.11	34.13	-17.02
Mora	8.933	1.413	3.984	-2.571	15.82	44.60	-28.78
Goicoechea	43.474	24.283	10.357	13.926	55.94	24.12	31.82
Santa Ana	8.958	2.084	2.690	- 611	23.22	30.00	- 6.78
Alajuelita	10.814	5.915	2.800	3.115	54.70	25.90	28.80
Coronado	10.558	3.251	3.177	70	30.76	30.10	0.66
Acosta	13.090	1.177	6.160	-4.983	9.00	47.05	-33.05
Moravia	11.541	5.675	3.730	2.005	49.43	32.20	17.23
Montes de Oca	23.086	13.948	6.719	7.229	60.41	29.10	31.31
Turrubares	5.474	1.769	3.450	-1.681	32.32	63.02	-30.71
Dota	3.716	931	2.539	-1.608	25.05	68.33	-43.28

Curridabat	9.423	4.452	2.270	2.182	47.24	24.09	23.15
Pérez Zeledón	47.278	20.392	7.716	12.646	43.10	16.33	26.77
León Cortes	5.650	888	420	468	15.20	7.43	7.77
PROVINCIA DE ALAJUELA							
Cantón Central	63.516	14.744	16.470	- 1736	23.20	25.93	- 2.73
San Ramón	25.855	5.466	11.173	-5725	21.09	43.24	-22.15
Grecia	40.223	10.047	9.275	1775	27.5	23.05	4.45
San Mateo	3.384	699	2.530	-1831	25.28	91.53	-66.25
Atenas	11.004	2.009	6.410	-4401	18.25	58.25	-40.00
Naranjo	16.391	3.334	7.933	-4599	20.34	48.40	-28.06
Palmares	12.259	2.224	4.310	-2086	18.14	35.16	-17.02
Poás	8.161	2.171	2.604	- 433	26.60	31.91	- 5.31
Orotina	7.074	2.288	4.531	-2243	32.62	64.60	-31.98
San Carlos	36.079	12.720	6.152	6568	35.25	17.05	18.30
Alfaro Ruiz	4.916	989	4.201	-3214	20.08	85.49	-65.41
Valverde Vega	6.539	1.659	1.594	61	25.32	24.39	0.93
PROVINCIA DE CARTAGO							
Cantón Central	46.412	7.467	15.437	-7924	16.17	33.22	-17.95
Paraíso	18.369	2.913	4.342	-1439	15.81	23.65	- 7.84
La Unión	14.004	3.855	3.503	352	27.53	25.01	2.51
Jiménez	10.432	2.198	3.506	-1298	21.14	33.57	-12.43
Turrialba	37.307	8.250	11.799	-3549	22.11	31.63	- 9.52
Alvarado	6.453	1.055	2.077	-1022	16.34	32.18	-15.84
Oreamuno	12.020	2.137	2.379	- 242	17.77	19.80	- 2.03
El Guarco	9.666	1.420	3.076	-1622	14.99	31.71	-16.72

PROVINCIA DE PUNTARENAS							
Cantón Central	54.674	19.643	20.526	- 833	35.93	37.54	- 1.61
Esparza	9.162	3.074	4.882	-1808	33.55	58.28	19.73
Buenos Aires	10.902	3.360	756	-2604	30.82	6.93	23.89
Montes de Oro	6.600	1.775	3.675	-1900	26.89	55.66	-28.79
Osa	16.933	8.606	9.735	-1129	50.82	57.49	- 6.67
Aguirre	19.544	10.188	7.425	-2763	52.13	37.99	14.14
Golfito	33.856	20.657	6.517	-14140	61.00	19.24	41.76
PROVINCIA DE HEREDIA							
Cantón Central	30.554	9.619	11.434	-1.815	31.48	37.42	-5.94
Barba	8.481	1.870	2.619	- 749	22.04	30.88	-8.84
Santo Domingo	11.297	2.747	3.070	- 323	24.42	27.29	-2.87
Santa Bárbara	8.122	1.716	2.249	- 533	21.12	27.69	-6.57
San Rafael	9.056	2.747	1.940	- 808	30.33	21.42	8.91
Belén	4.773	950	1.566	- 616	19.90	32.80	-12.80
Flores	4.161	856	1.473	- 616	20.59	35.39	-14.80
San Pablo	4.078	1.539	1.011	- 528	37.73	24.79	12.94
PROVINCIA DE GUANACASTE							
Liberia							
Cantón Central	16.555	3.251	8.878	-5.627	19.63	53.62	-33.99
Nicoya	36.142	5.833	9.092	-3.253	16.15	25.15	- 9.00
Santa Cruz	23.473	3.389	4.686	-1.297	14.44	19.96	-5.55
Bagaces	9.788	4.747	2.272	2.475	48.50	23.21	25.29
Carrillo	11.295	2.257	2.234	23	20.00	19.80	0.20
Cañas	8.881	2.859	4.178	-1.319	32.20	47.04	-14.84

Abangares	10.113	2.879	4.815	-1.936	28.47	47.61	-19.14
Tilarán	12.065	2.544	5.724	-3.180	21.08	47.44	-26.36
Nandayure	12.038	4.228	1.011	3.217	35.15	8.40	26.75
PROVINCIA DE LIMON							
Cantón Central	36.332	11.927	10.089	1.844	32.83	27.76	5.07
Pococí	16.294	7.130	3.859	3.271	43.8	23.68	20.12
Siquirres	10.878	5.014	3.494	1.520	46.09	32.11	13.98

FUENTE: Censo de población de 1963 de la República de Costa Rica, Dirección General de Estadísticas y Censos, San José, 1963.

CUADRO No. 14

COSTA RICA: Principales corrientes migratorias según el censo de población de 1963 (*)

1.– Número de inmigrantes que llegan a los Cantones Seleccionados

1.1) Puriscal (2.530)		1.2) Tarrazú (1.330)	
c.c. de San José	278	c.c. de San José	89
Mora	485	Desamparados	350
Turrubares	494	Aserrí	190
Acosta	239	Pérez Zeledón	145
		c.c. de Cartago	103
		Dota	150

1.3) Mora (1413)		1.4) Acosta (1177)	
c.c. de San José	171	c.c. de San José	89
Puriscal	275	Desamparados	162
Santa Ana	204	Aserrí	411
Acosta	131	Pérez Zeledón	98
Tibás	131	Mora	72

1.5) Turrubares (1769)		1.6) Dota (931)	
Puriscal	1040	Desamparados	104
Goicoechea	114	Tarrazú	174
Atenas	102	Pérez Zeledón	145
Poás	113	El Guarco	186
		c.c. de Cartago	138
		Golfito	94

1.7) Pérez Zeledón (20.392)		1.8) San Ramón	
c.c. de San José	1.020	Naranjo	622
Desamparados	1.431	Palmares	638
Puriscal	1.348	San Carlos	765
Tarrazú	2.521	Nicoya	355
		c.c. de Puntarenas	533

1.9) Grecia (10.047)		1.10) San Mateo (699)	
c.c. de Alajuela	808	c.c. de Alajuela	47
San Carlos	1.045	Orotina	90
c.c. de Guanacaste	598	Atenas	142
Bagaces	618	Esparta	73

Tilarán	1.368
c.c. de Puntarenas	1.021

San Ramón	49
Palmares	48

1.11) Atenas (2.000)

c.c. de San José	194
c.c. de Alajuela	149
Palmares	241
c.c. de Heredia	141
c.c. de Puntarenas	153

1.12) Naranjo (3.334)

c.c. de San José	206
San Ramón	613
Grecia	205
San Carlos	556
Alfaro Ruiz	398
Valverde Vega	218

1.13) Palmares (2224)

c.c. de San José	161
Pérez Zeledón	130
San Ramón	600
Atenas	102
Nicoya	216
San Mateo	112

1.14) Poás (2171)

c.c. de Alajuela	610
Grecia	662

1.15) Orotina (2.288)

c.c. de San José	295
c.c. de Alajuela	223
San Mateo	325
c.c. de Puntarenas	314
Turrubares	226
Atenas	191

1.16) San Carlos (12.720)

c.c. de Alajuela	663
San Ramón	1.219
Grecia	1.682
Naranjo	2.267
Alfaro Ruiz	2.313

1.17) Alfaro Ruiz (89)

Grecia	138
Naranjo	303
San Carlos	248
Valverde Vega	63

1.18) Valverde Vega (1.659)

c.c. de Alajuela	132
San Ramón	130
Grecia	333
Naranjo	365
San Carlos	184
Alfaro Ruiz	109

1.19) Jiménez (2198)

c.c. de San José	132
Turrialba	797
Paraíso	244
c.c. de Cartago	141
Alvarado	142

1.20) Turrialba (8.250)

c.c. de San José	870
c.c. de Cartago	838
Jiménez	1.247
Paraíso	925
Alvarado	485
c.c. de Limón	514

1.21) Alvarado (1.055)

c.c. de San José	**66**
c.c. de Cartago	85
Turrialba	201
Oreamuno	267
Paraíso	140
Jiménez	135

1.22) Santa Bárbara (1716)

c.c. de San José	99
c.c. de Alajuela	435
c.c. de Heredia	157
Barba	305
Flores	166

1.23) San Isidro (760)

c.c. de Heredia	51
Santo Domingo	161
San Rafael	129
San Pablo	64

1.24) Nicoya (9.108)

San Ramón	1321
Palmares	676
Santa Cruz	680
c.c. de Puntarenas	1361
Esparta	912
Montes de Oca	503

1.25) Santa Cruz (3398)

c.c. de San José	382
Nicoya	906
Carrillo	261
c.c. de Puntarenas	513
Osa	427

1.26) Bagaces (4747)

c.c. de Guanacaste	253
Cañas	929
Abangares	695
Tilarán	860
c.c. de Puntarenas	769
Montes de Oca	282

1.27) Carrillo (2257)

c.c. de San José	296
c.c. de Guanacaste	395
Santa Cruz	660
c.c. de Puntarenas	148
Osa	218

1.28) Cañas (2859)

c.c. de Guanacaste	155
Bagaces	320
Abangares	265
Tilarán	745
Nicoya	236
c.c. de Puntarenas	245

1.29) Abangares (2879)

San Ramón	271
Cañas	282
Tilarán	325
c.c. de Puntarenas	633
Montes de Oca	167

1.30) Tilarán (2544)

Grecia	182
Alajuela	313
San Ramón	262
Atenas	145
Cañas	193
Abangares	217
c.c. de Puntarenas	202

1.31) Buenos Aires (3360)

Pérez Zeledón	1799
Golfito	295
Osa	186

1.32) Montes de Oro (1775)

San Ramón	332
Atenas	197
c.c. de Puntarenas	431
Esparta	182

1.33) Osa (8606)

c.c. de San José	599
Pérez Zeledón	451
Guanacaste	432
Santa Cruz	501
Nicoya	596
c.c. de Puntarenas	1120
Golfito	676
Aguirre	821

1.34) Aguirre (10188)

c.c. de San José	575
Puriscal	1836
Acosta	926
Turrubares	865
c.c. de Puntarenas	1129

1.35) Golfito (20657)

c.c. de San José	1738
Pérez Zeledón	1208
Nicoya	1893
c.c. de Puntarenas	2662
Osa	3491
Aguirre	1545

1.36) Pococí (7130)

c.c. de San José	382
Turrialba	1482
c.c. de Limón	689
Siquirres	542

1.37) Siquirres (5014)

c.c. de San José	315
Turrialba	1626
c.c. de Limón	984
Pococí	538

2.– Número de Emigrantes que salen de los cantones seleccionados

2.1) Puriscal (10152)

c.c. de San José	1413
Turrubares	1040
Pérez Zeledón	1348
c.c. de Puntarenas	914
Aguirre	1836

2.2) Tarrazú (4803)

Desamparados	405
c.c. de San José	343
Pérez Zeledón	2521
Aguirre	282

2.3) Mora (3984)
c.c. de San José — 678
Puriscal — 485
Santa Ana — 234
Pérez Zeledón — 316
c.c. de Puntarenas — 238

2.4) Acosta (6160)
c.c. de San José — 624
Desamparados — 458
Aserrí — 602
Pérez Zeledón — 2162
Aguirre — 926

2.5) Turrubares (3450)
Puriscal — 494
Orotina — 226
c.c. de Puntarenas — 693
Aguirre — 865

2.6) Dota (2539)
Tarrazú — 149
Pérez Zeledón — 1664

2.7) Pérez Zeledón (7716)
c.c. de San José — 760
Osa — 451
Buenos Aires — 1799
Golfito — 1208

2.8) San Ramón (11173)
c.c. de San José — 947
Pérez Zeledón — 1421
Naranjo — 613
Palmares — 600
San Carlos — 1219
Nicoya — 900

2.9) Grecia (9.275)
c.c. de San José — 1226
c.c. de Alajuela — 1110
Poás — 662
San Carlos — 1682
c.c. de Heredia — 582

2.10) San Mateo (2.530)
c.c. de San José — 192
c.c. de Alajuela — 193
Orotina — 325
Nicoya — 228
c.c. de Puntarenas — 489
Esparta — 187
Golfito — 145

2.11) Atenas (6.410)
c.c. de San José — 897
c.c. de Alajuela — 578
Grecia — 333
Nicoya — 650
c.c. de Puntarenas — 549

2.12) Naranjo (7933)
c.c. de San José — 783
Pérez Zeledón — 808
c.c. de Alajuela — 397
San Ramón — 622
Grecia — 525
San Carlos — 2267

2.13) Palmares (4.310)
c.c. de San José — 456
Pérez Zeledón — 474
San Ramón — 638
Atenas — 241
Naranjo — 224

2.14) Poás (2.604)
c.c. de Alajuela — 737
Grecia — 461
c.c. de San José — 208
San Carlos — 246

San Carlos	303
Nicoya	676

2.15) Orotina (4.531)

c.c. de San José	840
c.c. de Alajuela	302
c.c. de Puntarenas	1022
Aguirre	420
Golfito	332

2.16) San Carlos (6.152)

c.c. de San José	654
c.c. de Alajuela	463
San Ramón	1045
Naranjo	556

2.17) Alfaro Ruiz (4.201)

c.c. de San José	234
Grecia	314
Naranjo	398
San Carlos	2313

2.18) Valverde Vega (1.594)

c.c. de San José	132
Pérez Zeledón	97
c.c. de Alajuela	132
Grecia	380
Naranjo	218
San Carlos	253

2.19) Jiménez (3.506)

c.c. de San José	555
Goicoechea	233
Turrialba	1247
Siquirres	202

2.20) Turrialba (11.799)

c.c. de San José	2.081
Jiménez	795
c.c. de Limón	1.319
Pococí	1.482
Siquirres	1.626

2.21) Alvarado (2.077)

c.c. de San José	212
Montes de Oca	140
c.c. de Cartago	245
Oreamuno	201
Paraíso	114
Jiménez	142
Turrialba	485

2.22) Santa Bárbara (2.249)

c.c. de San José	198
c.c. de Alajuela	644
c.c. de Heredia	446
Barba	256

2.23) San Isidro (1.470)

c.c. de San José	76
c.c. de Heredia	418
Santo Domingo	291
San Rafael	135
Pococí	100

2.24) Nicoya (10.03)

c.c. de San José	605
Santa Cruz	906
c.c. de Puntarenas	1.812
Osa	596
Golfito	1.893

2.25) Santa Cruz (4.686)

c.c. de San José	631
Nicoya	680
Carrillo	660
c.c. de Puntarenas	447
Osa	501
Golfito	612

2.26) Bagaces (2.272)

Grecia	618
c.c. de Guanacaste	348
Cañas	320
c.c. de Puntarenas	252

2.27) Carrillo (2.234)

c.c. de San José	298
c.c. de Guanacaste	730
c.c. de Puntarenas	258
Osa	132
Golfito	205

2.28) Cañas (4.178)

c.c. de San José	268
Grecia	484
Bagaces	929
Abangares	282
c.c. de Puntarenas	450
Golfito	217

2.29) Abangares (4.815)

c.c. de Alajuela	387
Bagaces	695
Cañas	265
c.c. de Puntarenas	753
Osa	361
Aguirre	343
Golfito	379

2.30) Tilarán (5.724)

c.c de San José	278
Grecia	1368
San Carlos	414
Bagaces	860
Cañas	745
Abangares	325

2.31) Buenos Aires (756)

Pérez Zeledón	285
Golfito	160
Osa	175

2.32) Montes de Oro (3.675)

Nicoya	493
Bagaces	282
c.c. de Puntarenas	1202

2.33) Osa (9.735)

c.c. de San José	1077
c.c. de Puntarenas	571
Golfito	3491

2.34) Pococí (3.859)

c.c. de San José	1247
c.c. de Puntarenas	672
Osa	831
Golfito	1545

2.35) Golfito (6.517)

c.c. de San José	1700
c.c. de Puntarenas	730
Osa	676

2.36) Pococí (3.859)

c.c. de San José	554
Turrialba	298
c.c. de Limón	1125
Siquirres	533

2.37) Siquirres (3494)	
c.c. de San José	402
Turrialba	372
c.c. de Limón	1415
Pococí	542

FUENTE: Censo de Población de 1963 de la República de Costa Rica, Dirección General de Estadísticas y Censos, San José, 1963.

CUADRO No. 15

COSTA RICA: Migración internas según lugar de residencia

cinco años antes — Censo de 1973

PROVINCIAS Y CANTONES	Población total	Número de inmi_ grantes	Número de emi_ grantes	Saldo migra_ torio	Tasa de inmi_ gración	Tasa de emigra_ ción	Tasa de migración neta
PROVINCIA DE SAN JOSE							
Cantón Central	215441	26522	27286	-764	12.31	12.66	-0.35
Escazú	25026	3570	2242	1328	14.26	8.95	5.31
Desamparados	74272	19198	5926	13272	25.84	7.97	17.87
Puriscal	24150	941	5523	-4582	3.89	22.86	-18.97
Tarrazú	7542	433	1333	-900	5.74	17.67	-11.93
Aserrí	20091	3055	1997	1058	15.20	9.93	5.27
Mora	10733	639	1437	-798	5.95	13.39	-7.44
Goicoechea	61607	9808	7989	1819	15.92	12.97	2.95
Santa Ana	14499	1981	1061	920	13.66	7.32	6.34
Alajuelita	23013	6629	2534	4095	28.81	11.01	17.79
Coronado	16336	2631	1462	1169	16.11	8.95	7.16
Acosta	14385	321	2412	-2091	2.23	16.76	-14.53
Tibás	35602	8535	4950	3585	23.97	13.90	10.07
Moravia	19548	4338	2115	2223	22.19	10.82	11.37
Montes deOca	33633	7067	4306	2761	21.01	12.80	8.21

Turrubares	4709	335	1539	-1204	7.11	32.67	-25.56
Dota	4375	344	886	-542	7.86	20.24	-12.89
Curridabat	15591	35.83	1253	2330	22.98	8.04	14.94
Pérez Zeledón	67089	3270	9035	-5765	4.87	13.46	-8.59
León Cortés	7521	413	1003	-590	5.49	13.34	-7.84
PROVINCIA DE ALAJUELA							
Cantón Central	96325	10969	5096	5873	11.39	5.29	6.10
San Ramón	33155	2718	4457	1739	8.20	13.44	-5.24
Grecia	31806	2215	23658	-21443	6.96	74.38	-67.42
San Mateo	2969	216	796	-580	7.27	26.81	-19.54
Atenas	12610	586	1775	-1189	4.65	14.07	- 9.42
Naranjo	19721	1853	3129	-1276	9.40	15.87	-6.47
Palmares	14495	902	2090	-1188	6.22	14.42	-8.20
Poás	10191	848	1194	-346	8.32	11.71	-3.39
Orotina	8479	768	1585	-817	9.06	18.69	-9.63
San Carlos	54952	5318	7661	-2343	9.68	13.94	-4.26
Alfaro Ruiz	6342	460	812	-352	7.25	12.80	-5.55
Valverde Vega	8707	979	1187	-208	11.24	13.62	-2.38
Upala	15971	11768	223	11545	73.68	1.40	72.29
Los Chiles	5596	4234	51	4183	75.66	0.91	74.75
Guatuso	4713	3731	21	3710	79.16	0.45	78.71

PROVINCIA DE CARTAGO							
Cantón Central	65310	4337	4711	-374	6.64	7.21	-0.57
Paraíso	22281	1199	2050	-851	5.38	9.20	-3.82
Jiménez	11523	454	1673	-1219	3.94	14.51	-10.57
Turrialba	43202	1978	7195	-5217	4.58	16.65	-12.07
Alvarado	7484	448	624	-176	5.99	8.34	-2.35
Oreamuno	17517	981	1135	-154	5.60	6.48	-0.88
El Guarco	14030	1026	1375	-349	7.31	9.80	-2.49
PROVINCIA DE HEREDIA							
Cantón Central	36487	4353	7262	-2909	11.93	19.90	-7.97
Barba	12864	1588	1259	329	12.34	9.79	2.56
Santo Domingo	17423	2648	2159	489	15.20	12.39	2.81
Santa Bárbara	10738	1176	1523	-347	10.95	14.18	-3.23
San Rafael	16013	3007	916	2091	18.78	5.72	13.06
San Isidro	5979	545	585	-40	9.11	9.78	-0.67
Belén	8538	976	404	572	11.43	4.73	6.70
Flores	6524	713	471	242	10.93	7.22	3.71
San Pablo	6660	1401	581	820	21.03	8.72	12.31
Sarapiquí	12618	8094	467	7627	64.15	3.70	60.45

PROVINCIA DE GUANACASTE							
Liberia	21781	2970	9884	-6914	13.63	45.38	-31.75
Nicoya	37185	919	11760	-10841	2.47	31.62	-29.15
Santa Cruz	29739	1124	3209	-2085	3.78	10.79	-7.01
Bagaces	9828	1120	2594	-1474	11.39	26.38	-14.99
Carrillo	14893	527	1689	-1162	3.54	11.34	-7.80
Cañas	12779	2142	2210	-68	16.76	17.29	-0.53
Abangares	11633	898	2265	-1367	7.72	19.47	-11.75
Tilarán	12563	742	3126	-2384	5.90	24.87	-18.97
Nandayure	12058	640	2101	-1461	5.31	17.42	-12.11
La Cruz	8333	5391	189	5202	64.69	2.27	62.42
Hojancha	7899	5449	48	5411	69.11	0.61	68.50
PROVINCIA DE PUNTARENAS							
Cantón Central	65562	5047	8325	-3278	7.70	12.70	-5.00
Esparta	12095	1224	2015	-791	10.12	16.66	-6.54
Buenos Aires	20104	3487	1574	1913	17.34	7.83	9.51
Montes de Oro	6979	465	1624	-1159	6.66	23.26	-16.60
Osa	24613	4797	4784	13	19.49	19.44	0.05
Aguirre	14473	1519	12537	-11018	10.50	86.62	-76.12
Golfito	42510	7341	7334	7	17.27	17.25	0.02
Coto Brus	19971	3318	2407	901	16.61	12.10	4.51
Parrita	11901	8675	784	7891	72.89	6.59	66.30

PROVINCIA DE LIMON							
Cantón Central	40830	4185	13425	-9240	10.25	32.88	-22.63
Pococí	28688	9372	8847	525	32.67	30.84	1.83
Siquirres	18133	3831	2184	1647	21.13	12.04	9.08
Talamanca	5431	2523	331	2192	46.45	6.09	40.36
Matina	10489	6976	501	6475	66.51	4.78	61.73
Guácima	11572	7636	215	7425	65.99	1.86	64.13

FUENTE: Censo de población de 1973 de la República de Costa Rica, Dirección General de Estadísticas y Censos, San José, 1973.

CUADRO No. 16

COSTA RICA: Principales corrientes migratorias según el censo de población de 1973 (*)

1.– Número de Inmigrantes que llegan a los Cantones seleccionados

1.1) Puriscal (941)

A.M. de San José	168
Mora	133
Acosta	91
Turrubares	195
Aguirre	130

1.2) Tarrazú (433)

A.M. de San José	71
Dota	37
Pérez Zeledón	81
León Cortés	86
Aguirre	40

1.3.) Mora (639)

A.M. de San José	331
Puriscal	88
c.c. de Cartago	34
Aguirre	43

1.4) Acosta (321)

A.M. de San José	181
Pérez Zeledón	36
Siquirres	17

1.5.) Turrubares (335)

A.M. de San José	19
Puriscal	164
Atenas	26
Aguirre	30

1.6) Dota (334)

A.M. de San José	45
Tarrazú	37
c.c. de Cartago	56
El Guarco	60

1.7) Pérez Zeledón (3270)

A.M. de San José	579
Buenos Aires	444
Golfito	304
San Ramón	173
Tarrazú	196
Osa	216

1.8) León Cortés (413)

A.M. de San José	126
Tarrazú	47
Acosta	22
Dota	34
Pérez Zeledón	101

---

*) Se refiere a la migración según el lugar de residencia anterior del entrevistado cinco años antes (año 1968).

1.9) San Ramón (2.718)

A.M. de San José	190
Naranjo	170
Palmares	191
San Carlos	467
Nicoya	160
c.c. de Puntarenas	448

1.10) San Mateo (216)

A.M. de San José	21
Turrubares	12
c.c. de Alajuela	18
San Ramón	17
Atenas	38
Palmares	15
Esparta	25

1.11) Grecia (4236)

A.M. de San José	221
San Carlos	720
Valverde Vega	226

1.12) Atenas (586)

A.M. de San José	57
C.C. de Alajuela	36
Grecia	32
Palmares	57
Golfito	32

1.13) Naranjo (1.853)

A.M. de San José	129
San Ramón	200
Grecia	150
San Carlos	454
Alfaro Ruiz	96
Valverde Vega	100

1.14) Palmares (902)

San Ramón	227
Naranjo	56
San Carlos	82
Nicoya	143

1.15) Poás (848)

A.M. de San José	77
c.c. de Alajuela	152
Grecia	266
San Carlos	43

1.16) Orotina (768)

A.M. de San José	125
Turrubares	74
San Mateo	87
Atenas	60
c.c. de Puntarenas	116
Golfito	43

1.17) San Carlos (5482)

A.M. de San José	412
San Ramón	592
Grecia	889
Naranjo	385

1.18) Alfaro Ruiz (460)

A.M. de San José	27
San Ramón	29
Grecia	38
Naranjo	68
San Carlos	178
Valverde Vega	56

1.19) Valverde Vega (979)	
Puriscal	50
San Ramón	95
Grecia	158
Naranjo	119
San Carlos	153

1.20) Jiménez (454)	
A.M. de San José	58
Turrialba	197

1.21) Turrialba (1.978)	
A.M. de San José	367
c.c. de Cartago	105
Jiménez	164
c.c. de Limón	294
Pococí	160

1.22) Alvarado (448)	
A.M. de San José	53
Paraíso	30
Turrialba	123
Oreamuno	106
El Guarco	33

1.23) Santa Bárbara (1176)	
A.M. de San José	36
A.M. de Heredia	94
Barba	112

1.24) San Isidro	
A.M. de San José	83
Turrialba	43
c.c. de Heredia	46
Santo Domingo	91
San Rafael	28
San Pablo	30

1.25) Nicoya (1.211)	
A.M. de San José	68
Santa Cruz	136
Nandayure	195

1.26) Santa Cruz (1.124)	
A.M. de San José	80
c.c. de Liberia	79
Nicoya	277
Carrillo	101
Golfito	67

1.27) Bagaces (1.12)	
Grecia	161
c.c. de Liberia	145
Cañas	163
Tilarán	121

1.28) Carrillo (527)	
A.M. de San José	43
c.c. de Liberia	89
Santa Cruz	147

1.29) Cañas (2.142)	
Grecia	203
c.c. de Liberia	193
Bagaces	340
Abangares	262
Tilarán	255

1.30) Abangares (898)	
c.c. de Liberia	52
Bagaces	63
Cañas	97
Tilarán	88
c.c. de Puntarenas	157
Montes de Oro	47

1.31) Tilarán (742)

Grecia	153
San Carlos	82
Cañas	66
Abangares	60
Montes de Oro	47

1.32) Nandayure (640)

San Ramón	35
Nicoya	222
c.c. de Puntarenas	91
Golfito	44

1.33) Buenos Aires (3.487)

Puriscal	134
Pérez Zeledón	1.959
Osa	195
Golfito	314

1.34) Montes de Oro (465)

San Ramón	34
c.c. de Puntarenas	140
Esparta	82
Nicoya	29

1.35) Osa (4.797)

A.M. de San José	262
c.c. de Puntarenas	440
Buenos Aires	247
Aguirre	351
Pérez Zeledón	486
Golfito	1.213

1.36) Aguirre (2752)

A.M. de San José	282
Puriscal	614
Pérez Zeledón	209
c.c. de Puntarenas	277
Acosta	156
Golfito	157

1.37) Golfito (9.759)

A.M. de San José	893
Pérez Zeledón	837
Nicoya	790
Osa	2.165
Aguirre	999

1.38) Pococí (11.178)

A.M. de San José	870
Puriscal	767
San Carlos	564
Turrialba	612
Nicoya	951
Aguirre	847
Golfito	712
c.c. de Limón	782

1.39) Siquirres (3831)

A.M. de San José	346
Turrialba	586
Golfito	220
c.c. de Limón	517
Pococí	417

2.– Número de emigrantes que salen de los cantones selecciones.

2.1) Puriscal (5523)

A.M. de San José	2.097
Aguirre	614
Pococí	767
Golfito	278

2.2) Tarrazú (1.333)

A.M. de San José	651
Pérez Zeledón	123

2.3) Mora (1.437)

A.M. de San José	671
Puriscal	133
Pococí	83

2.4) Acosta (2.412)

A.M. de San José	1.481
Aguirre	156

2.5) Turrubares (1.539)

A.M. de San José	275
Puriscal	195
San Carlos	106
c.c. de Puntarenas	129
Aguirre	94
Golfito	158
Pococí	141

2.6) Dota (886)

A.M. de San José	221
c.c. de Cartago	117
El Guarco	72
Golfito	45
Tarrazú	71

2.7) Pérez Zeledón (9.035)

A.M. de San José	3.326
Buenos Aires	1.959
Golfito	837
Osa	486

2.8) León Cortés (1.003)

A.M. de San José	610
Pérez Zeledón	73
Tarrazú	86

2.9) San Ramón (4457)

A.M. de San José	1.084
San Carlos	592
Palmares	227

2.10) Grecia (6.194)

A.M. de San José	1.425
c.c. de Alajuela	700
San Carlos	889
Sarapiquí	319
Pococí	329

2.11) San Mateo (796)

A.M. de San José	184
c.c. de Alajuela	76
San Carlos	54
Orotina	87

2.12) Atenas (1.775)

A.M. de San José	457
c.c. de Alajuela	279

2.13) Naranjo (3.129)

A.M. de San José	1.092
c.c. de Alajuela	254
San Ramón	179
San Carlos	385
Grecia	147

2.14) Palmares (2.090)

A.M. de San José	506
Pérez Zeledón	107
c.c. de Alajuela	118
San Ramón	191
San Carlos	182

2.15) Poás (1.194)

A.M. de San José	259
c.c. de Alajuela	379
Grecia	116

2.16) Orotina (1.585)

A.M. de San José	543
c.c. de Alajuela	167
c.c. de Puntarenas	206

2.17) San Carlos (7.661)

A.M. de San José	2.101
c.c. de Alajuela	983
San Ramón	467
Grecia	720
Naranjo	454
Pococí	564

2.18) Alfaro Ruiz (812)

A.M. de San José	233
c.c. de Alajuela	57
San Ramón	44
Grecia	55
San Carlos	206
Naranjo	96

2.19) Valverde Vega (1.187)

A. M. de San José	237
c.c. de Alajuela	130
Grecia	226
Naranjo	100
San Carlos	109

2.20) Jiménez (1.673)

A.M. de San José	989
Turrialba	164

2.21) Turrialba (7.195)

A.M. de San José	3.435
La Unión	391
Pococí	494
Siquirres	586

2.22) Alvarado (624)

A.M .de San José	268
c.c. de Cartago	70
Paraíso	76
Turrialba	37
Oreamuno	49

2.23) Santa Bárbara (1.523)

A.M. de San José	331
c.c. de Alajuela	196
c.c. de Heredia	144
Barba	143
San Rafael	106
Flores	2

2.24) San Isidro (585)

A.M. de San José	89
c.c. de Heredia	129
Santo Domingo	100
San Rafael	65
San Pablo	68

2.25) Nicoya (6.641)
A.M. de San José —— 1.401
Pococí —— 952
Golfito —— 803
c.c. de Puntarenas —— 345

2.26) Santa Cruz (3.209)
A.M. de San José —— 816
c.c. de Liberia —— 274
Golfito —— 217
Pococí —— 227

2.27) Bagaces (2.594)
A.M. de San José —— 271
Grecia —— 321
c.c. de Liberia —— 401
Cañas —— 340
Golfito —— 206
Pococí —— 229

2.28) Carrillo (1.689)
A.M. de San José —— 323
c.c. de Liberia —— 551
Santa Cruz —— 101

2.29) Cañas (2.210)
A.M. de San José —— 512
c.c. de Alajuela —J—— 142
c.c. de Liberia —— 152
Bagaces —— 168
c.c. de Puntarenas —— 152

2.30) Abangares (2.265)
A.M. de San José —— 318
c.c. de Alajuela —— 139
Sarapiquí —— 219
c.c. de Puntarenas —— 188
Cañas —— 262
Pococí —— 116

2.31) Tilarán (3.126)
A.M. de San José —— 490
c.c. de Alajuela —— 378
San Carlos —— 233
Guatuso —— 251
Cañas —— 255

2.32) Nandayure (2.101)
A.M. de San José —— 139
Sarapiquí —— 324
Nicoya —— 135
c.c. de Puntarenas —— 265
Osa —— 179
Golfito —— 405

2.33) Buenos Aires (OJO)
A.M. de San José —— 278
Pérez Zeledón —— 444
Osa —— 247
Golfito —— 377

2.34) Montes de Oro (1.624)
A.M. de San José —— 244
c.c. de Alajuela —— 144
c.c. de Puntarenas —— 246
Esparta —— 83
Golfito —— 103

2.35) Osa (4.784)
A.M. de San José —— 1.098
Sarapiquí —— 244
Golfito —— 1.375
Pococí —— 317

2.36) Aguirre (5.882)
A.M. de San José —— 1.853
Golfito —— 999
Pococí —— 765

2.37) Golfito (8.851)

A. M. de San José	4.674
c.c. de Alajuela	571
Osa	1.213
Pococí	714

2.38) Pococí (3.233)

A.M. de San José	346
Osa	182
Turrialba	586
Golfito	220
c.c. de Limón	517

2.39) Siquirres (2.184)

A.M. de San José	542
Turrialba	246
c.c. de Limón	320
Pococí	426
Matina	260

FUENTE: Censo de Población de 1973 de la República de Costa Rica, Dirección General de Estadísticas y Censos, San José 1973

ANEXO No. 1

LA INFORMACION, LAS TECNICAS Y SUS LIMITACIONES

1.1.— Fechas Censales y Tipos de Censos

Dado que la información sobre la que basaremos nuestro análisis descritivo de las migraciones internas procede fundamentalmente de los censos centroamericanos de población, es necesario tener bien presente los dos aspectos que más directamente intervienen en esa información; a saber, la fecha censal y el tipo de censo.

De los tres censos realizados en los últimos 25 años en los países centroamericanos solo uno de ellos se realizó simultáneamente: el de 1950; los posteriores se han realizado en años distintos dándose una diferencia máxima, entre países, de 3 años (Guatemala en 1964, El Salvador y Honduras en 1961; Honduras en 1974, y El Salvador y Nicaragua en 1971. Todo esto interviene en la comparación de las corrientes migratorias debido al intervalo que media entre cada uno de los censos. Por ejemplo, uno de los censos se podría ubicar en el inicio de una de las tantas crisis de los precios internacionales de los principales productos de exportación, como el café; el censo correspondiente en otro país se pudo realizar al final de la crisis.

Esto, a nivel regional, en el primer caso, podría manifestar una absorción de fuerza de trabajo en las zonas cafetaleras; en cambio, en el segundo caso, el mismo fenómeno podría mostrar una repulsión de fuerza de trazajo, con lo que estaríamos captando desplazamientos de población que obedecen a una situación coyuntural y no tendencial, lo que es nuestra preocupación, como veremos más adelante. Sin embargo, estos problemas son, hasta cierto punto, superables debido a que la adecuación entre lo económico y lo poblacional no es mecánica ni inmediata. En el caso expuesto más arriba se supone que las consecuencias que han sido muy drásticas, pero podemos asegurar, en términos bien generales, que esta situación no se ha planteado de manera extrema en el período a estudiar, de modo que los problemas de comparabilidad inter-censal e interpaís prácticamente los consideramos inexistentes.

En lo que se refiere a la fecha censal (Día del año en que se realizaron los censos), ésta se ubica entre marzo y junio, meses en que la actividad agrícola incorpora poca mano de obra temporal. Si no fuese asi, podrían establecerse estimaciones de la migración definitiva por encima de lo que se da realmente, lo que está íntimamente relacionado con el tipo de censo. Como se sabe, el problema de sobre-estimación puede ser más o menos importante dependiendo si el censo es de facto o de jure, cuestión que analizaremos inmediatamente.

Es bien sabido que el censo de facto se define como aquel que empadrona a la población en el lugar donde ésta se encuentra en el momento del censo, en tanto que **el censo de jure** es aquel en el que la persona es empadronada en el lugar de su residencia habitual. Ambos tipos de censos tienen limitaciones de orden técnico, sobre todo en lo que se refiere al empadronamiento, siendo estas de menor importancia en el primero. Sin embargo desde el punto de vista que a nosotros nos interesa, la diferencia en el tipo de censo reviste cierta importancia. Estos problemas están bastante relacionados con la fecha censal por lo que retomaremos este aspecto.

Así, si en un año el censo se define como **de facto** y se realiza en una fecha en la que el trabajo estacional es importante, dentro de las corrientes migratorias se incluirán las migraciones estacionales. Si en el siguiente censo se toma como lugar de referencia el lugar de residencia habitual, aunque se realice en la misma fecha (día) los resultados no serán comparables totalmente. Lo mismo podemos señalar cuando se comparan dos países con tipos de censo diferentes; tal sería el caso de Costa Rica (1950, 1963, 1973) y Guatemala (1974) que realizaron censos **de jure** no así el resto de los países y el mismo Guatemala en 1950 y 1964, en los que el censo fue **de facto.**

Para estimar hasta que punto estamos cometiendo errores importantes es necesario saber la cuantía del trabajo agrícola estacional en el momento del censo y las diferencias regionales; dado que los censos se han realizado en fechas relativamente cercanas, no habría problemas de comparabilidad cuando los censos son del mismo tipo, sucediendo lo contrario cuando se basan en diferentes definiciones. Decimos esto porque en **el censo de facto** se toma en cuenta a la población "flotante" y a la mano de obra estacional que en el momento del empadronamiento se encuentran fuera de su residencia habitual, de tal modo que las corrientes migratorias aparecen abultadas en un número bastante importante. No sucede esto con **el censo de jure** que no considera dentro de las corrientes migratorias a las personas que se han desplazado temporalmente de su lugar de residencia. De ahí que la estimación de los desplazamientos poblacionales obtenidos con estos dos tipos de censo no son estrictamente comparables, ya que están midiendo cosas distintas.

CUADRO No. 1

CENTROAMERICA: TIPOS DE CENSOS REALIZADOS EN LOS ULTIMOS 25 ANOS

	TIPOS DE CENSOS		
PAISES	1950	1960 a)	1970 b)
Guatemala	De Facto	De Facto	De Jure
El Salvador	De Facto	De Facto	De Facto
Honduras	De Facto	De Facto	De Facto
Nicaragua	De Facto	De Facto	De Facto
Costa Rica	De Jure	De Jure	De Jure

a) Guatemala 1964; El Salvador y Honduras 1961; Nicaragua y Costa Rica 1963.

b) Guatemala 1973; Honduras 1974; El Salvador y Nicaragua 1971; Costa Rica 1973.

FUENTE: Censos de Población.

1.2.— **Definición de áreas urbanas y rurales.**

El escaso dinamismo de la economía urbano-industrial de Centro América ha hecho que los ritmos de urbanización observados en cada uno de los países sea más lento que el de otros países latinoamericanos favorecidos industrialmente durante coyuntura de la pos-guerra. Siendo de desarrollo capitalista en el agro el principal sostén de tales economías, tórnase necesario comprender la naturaleza de los procesos sociales que generan la expansión los aglomerados poblacionales y, a la vez, el declive de las actividades económicas en regiones afectadas por la presencia de economías de enclaves. En realidad, la evolución de la misma economía agrario-exportadora suscita una gran variedad de actividad económicas complementarias que se localizan en las ciudades (comercio, transportes, construcción, servicios eléctricos, bancos, etc.) y que sin duda actúan como factores de atracción de las migraciones. Sin embargo, podemos postular que estos factores urbanos de atracción no se activan sino hasta que se ha producido un cierto grado de saturación del empleo rural; agotada la alternativa de la migración rural-rural, adquiere mayores dimensiones la migración campo-ciudad.

Es importante, entonces, conocer los criterios empleados para definir lo urbano y lo rural en cada uno de los censos de población efectuado en Centroamérica, ya que de esto dependen las posibilidades de comparación intercensal e interpaíses.

Los censos efectuados en Guatemala presentan marcadas diferencias en el dominio de las definiciones de áreas urbana y rural. Mientras en el censo de 1950 se consideraron como zonas urbanas todos aquellos lugares cuya población fuera de 2.000 habitantes o más, así como los que teniendo 1.500 habitantes gozaban de servicios de agua, en el censo de 1964 se consideró como área urbana a toda población que, según el Acuerdo Gubernativo del 7 de abril de 1938, tuviera reconocida oficialmente la categoría de ciudad, villa o pueblo; y se tomó como área rural a las aldeas, caseríos y fincas. El censo de población de 1973 conserva la definición utilizada en el de 1964, lo que permite una mayor comparabilidad intercensal. Por aparte, el censo de población de 1950 fue adaptada ya a los criterios usados en los dos siguientes censos y con esta adaptación se han realizado todos los cálculos y análisis necesarios para el estudio de las migraciones internas de Guatemala. Por último, esta adaptación, a nivel global, estuvo bastante cercana a la estimación realizada por Alfredo Guerra Borges en su obra **Geografía Económica de Guatemala**, Tomo I (IIES).

El Censo de Población realizado en Honduras en 1950 consideró como zona urbana todos los censos donde tiene su sede una autoridad distrital o municipal, de manera que no se tuvo en cuenta ni la magnitud de la población ni ninguna otra característica. En cambio, en 1961 se consideró zona urbana los centros poblados con 1.000 habitantes o más y que tuvieran los siguientes servicios: a) escuela Primaria completa (6 grados), b) por lo menos uno de los servicios siguientes: correo, telégrafo o teléfono público, c) comunicación terrestre (carretera o ferrocarril) o servicio regular aéreo o marítimo, d) servicio de agua de cañería y e) servicio de alumbrado eléctrico[1]). Para el Censo de 1974 se tomaron en cuenta estas mismas características pero con un criterio más estricto o restringido en lo que respecta a la magnitud de la población; se consideraron como urbanas las cabeceras municipales y los centros poblados con 2.000 habitantes o más. Estas discrepancias han planteado la necesidad de hacer ciertos ajustes que permitan la comparabilidad. Para ello se consideraron como urbanos todos aquellos centros que poseían 1.000 y más habitantes en 1961; los casos en que el volumen de población no alcanza los mil habitantes en 1961, pero supera la cifra de dos mil habitantes en 1974. se han considerado como integrantes del área urbana en los tres censos realizados.

En El Salvador, a partir del censo de población de 1950, se usa la misma definición de área urbana y rural, tal como se indica a continuación: "Se consideran como áreas urbanas todas las cabeceras municipales sin tomar en cuenta la magnitud de la población, no otra característica especial. Las cabeceras municipales son centros poblados donde reside la administración del municipio cuyos límites han sido determinados sobre el terreno por medio de mojones; el resto

---

1) Dirección General de Estadística y Censos; Censo Nacional de Honduras; Tegucigalpa, D.C., Diciembre de 1964.

de la población fuera de los límites de la cabecera municipal, que es generalmente dispersa, se considera como rural" (1). Para el tercer censo de población, referido al 2 de mayo de 1961, el concepto de área urbana y rural se definió de la manera siguiente: "Area urbana es aquella donde residen las autoridades municipales (división política menor), siendo sus límites los que las mismas autoridades determinan; por consiguiente, no se tomó en consideración el que dichas áreas tenga o no las siguientes características: servicio de agua potable, electricidad, centros educacionales, transporte, comunicaciones, o bien que poseyeran un determinado número de habitantes... Area rural es aquella que perteneciendo al municipio no fue considerada como área urbana. La población en el área rural se encuentra bastante dispersa en valles y caseríos, los cuales forman los cantones". (2) El censo de 97 no presenta modificaciones con respecto a los anteriores en lo que permite una mejor comparación para el período.

En el caso de Nicaragua, el censo de 1950 siguió el criterio de atender a la categoría oficial que cada poblado tenía dentro de la división política administrativa del país. A tal efecto, se consideró urbano todo poblado que constituía cabecera municipal. En 1963, en cambio, también se consideraron urbanas aquellas concentraciones de población que tuvieran 1.000 o más habitantes que contaran con algunas características como trazado de calles, luz eléctrica o que la actividad predominante fuera diferente a la agrícola (centros mineros, ingenios azucareros, etc.). De tal modo, pues, la definición usada en 1963 permite incluir como urbanas a poblaciones que en 1950 se consideraron rurales. Pero según estimaciones oficiales, ese cambio no afecta a más del 4% del total del aumento experimentado por la población urbana en el período intercensal (aproximadamente 70% de aumento). El censo de 1971 conserva la misma definición del censo de 1963.

---

1) Segundo censo de Población 1950, Dirección General de Estadísticas y Censos.

2) Tercer Censo Nacional de Población 1961, Dirección General de Estadísticas y Censos.

Los censos de Población realizados en Costa Rica a partir del año 1950 son los que menos diferencias registra en cuanto a las definiciones de zona rural y urbana, a diferencia de los censos de los demás países centroamericanos. El censo de población de 1973, en la parte que se refiere a definiciones, dice lo siguiente: "Al igual que en los Censos Nacionales de 1950 y 1963, se tomó como base para determinar las zonas urbanas, a los centros administrativos de los cantones del país o sea, por lo general, los distritos primeros. En estos se demarcaron a priori dichas zonas con criterio físico, tomando en cuenta elementos tangibles tales como cuadrantes, calles, aceras, luz eléctrica, servicios urbanos, etc..."

La definición de zona urbana es poco flexible ya que no toma en cuenta el tamaño de la localidad. Los problemas principales de tal definición son los siguientes:

1) La inclusión, de nuevas áreas en la categoría "urbana" depende, en buena medida, de la creación de otros cantones.

2) Con unas pocas excepciones, se catalogan como rurales las áreas altamente urbanizadas que se encuentran fuera de los distritos centrales de los cantones.

3) Muchas localidades cercanas a las ciudades y con bastantes características urbanas son consideradas rurales porque no tienen un cuadrante bien definido.

4) El criterio para determinar el área urbana no ha sido aplicado con la misma rigurosidad en los distintos censos efectuados en el país.

1.3.— Definición de Migrantes

Existen diversas formas de aproximarse a la cuantificación de los desplazamientos poblacionales que van desde el uso de estadísticas contínuas hasta la medición censal, ya sea introduciendo una o más preguntas específicas sobre el tema o usando la información de dos años censales. En el caso de Centro América, para todos los países, sin excepción, la única información disponible, para cumplir con los

CUADRO No. 2

CENTROAMERICA: DEFINICION DE MIGRANTES SEGUN LOS CENSOS

PAISES	DETERMINACION DE LA MIGRACION 1950 a)	1960 a)	1970 b)
GUATEMALA	Lugar de naci_ miento Lugar de Resi_ dencia hace 5 años	Lugar de naci_ miento Lugar de Resi_ dencia Ante rior	Lugar de naci_ miento Lugar de Resi_ dencia hace 5 años
EL SALVADOR	———	———c)	Lugar de naci_ miento Lugar de Resi_ dencia hace 5 y 2 años
HONDURAS	Lugar de Naci_ miento	Lugar de Naci_ miento	Lugar de Naci_ miento Lugar de Resi_ dencia hace 5 años
NICARAGUA	Lugar de Naci_ miento	Lugar de Naci miento	Lugar de Naci_ miento Lugar de Resi_ dencia hace 5 años
COSTA RICA	Lugar de Naci_ miento	Lugar de Naci miento c) Lugar de Resi_ dencia ante_ rior	Lugar de Naci_ miento Lugar de Resi_ dencia hace 5 años

a) Area de Referencia: Departamentos; excepto Costa Rica en donde es el cantón (Municipio).
b) Area de Referencia: Municipio o su equivalente en Costa Rica el Cantón.
c) Aunque se realizó la pregunta la información no ha sido publicada.
FUENTE: CENSOS DE POBLACION DE CADA PAIS.

objetivos generales de la investigación, es la de los censos; de ahí que nuestra preocupación sobre la confiabilidad de esta información se manifiesta en lo que se refiere a limitaciones internas, de la información en sí, y a limitaciones externas, es decir adecuación entre lo que postulamos, desplazamiento de fuerza de trabajo y lo que, de acuerdo con el censo, se define como corrientes migratorias, desplazamiento de personas.

Del cuadro No. 2 podemos afirmar que la determinación de la migración se ha realizado en base a tres lugares de referencia:

a.— Lugar de nacimiento.

b.— Lugar de residencia anterior sin fecha determinada.

c.— Lugar de residencia 5 años antes del censo.

Tomando como pivote la información de lugar de empadronamiento (censo de hecho) o lugar de residencia habitual (censo de derecho), se han publicado tabulaciones que cruzan cada una de las informaciones (a, b, c,) con el lugar de residencia actual; en forma separada, más adelante veremos que esta información se puede utilizar de mejor forma, lo que puede enriquecer el estudio de las migraciones a partir de la información censal.

Es importante hacer notar que la pregunta sobre lugar de nacimiento ha sido incorporada en los censos de todos los países desde el año 1950, con excepción de El Salvador en 1950 y 1961 y Costa Rica en 1963, por lo que los problemas de comparabilidad inter e intra países, se facilita mucho, tomando siempre en consideración el hecho de que Costa Rica (1950, 1963 y 1973) y Guatemala (1973) han realizado censos de **Jure**, en cambio los otros han sido de **Facto**.

Sobre las limitaciones internas de la información, consideraremos las desventajas en la obtención de la información según lugar de nacimiento y según lugar de residencia anterior (a una fecha determinada). Cuando se pregunta sobre el lugar en que nació la persona empadronada, (Departamento en 1950 y 1960, excepto Costa Rica, y Municipio o Cantón en 1970), quedarán definidas como migrantes aquellas personas censadas en un lugar distinto al que nacieron, y como no migrantes los empadronados en el lugar de su nacimiento.

Cuando la pregunta se refiere al lugar en que vivía hace X años, serán migrantes las personas que en el momento del Censo residían en un lugar distinto al de hace X años, y no migrantes en el caso contrario.

Principales Ventajas y Limitaciones de ambas informaciones:

a.— La información sobre lugar de residencia hace X años permite establecer un intervalo de tiempo dado, lo que no es posible cuando la pregunta se hace sobre el lugar de nacimiento, ya que el período puede ser tan amplio como la edad de la persona.

b.— La pregunta sobre lugar de nacimiento se hace normalmente en cualquier censo o encuesta de forma casi rutinaria, lo cual permite tener más información para establecer las corrientes migratorias; en nuestro caso, aunque en los países de la región se han realizado encuestas de diversa índole, la información no se ha incorporado al estudio (una sola palabra) porque no está o porque sus resultados son muy limitados.

c.— Las limitaciones comunes a ambas informaciones pueden resumirse, como sigue:

c.1.— Errores involuntarios debido al desconocimiento de los datos de otras personas no presentes en el momento del censo, sobre todo cuando el censo es de **Jure**; este error es más importante.

c.2.— Desconocimiento de los cambios de límites de unidades administrativas en el período por parte de los entrevistados.

c.3.— El lugar de nacimiento es más difícil de olvidar que el lugar de residencia en un fecha determinadaá sobre todo cuando el entrevistado se desplaza constantemente.

d.— Otro tipo de limitación es la que se refiere al hecho de que la información se obtiene de migrantes sobrevivientes al momento del censo. En el caso de los migrantes según lugar de nacimiento, esta limitación, diríamos, es insuperable; no así cuando la información es para un período determinado, ya que se pueden hacer estimaciones de la mortalidad de los migrantes y obtener los que murieron durante el período.

e.— También limitaciones por cuanto los movimientos que se detectan no dan cuenta de los movimientos intermedios; es decir que un migrante antes de llegar al lugar actual, pudo haber estado en otros y en el mismo lugar describiendo corrientes que no se perciben cuando se hacen ambas preguntas.

1.4.— Otras definiciones y limitaciones propias de la información utilizada.

Consideramos importante destacar, en primer, lugar las limitaciones de la información censal que pretende captar la relación entre la población y la actividad económica. Dado que los Censos, desde 1950, se han realizado con patrones similares en la región, tomaremos como ejemplo el caso de Costa Rica. Este caso se puede generalizar para el resto de países, dándose variaciones sólo en el límite de edad a partir del cual se considera a la persona apta para participar en la actividad económica, ya que esta oscila desde 7 años en Guatemala en 1950, hasta 14 años en Nicaragua en el mismo año. Para el último censo el límite de edad se ha uniformado (10 años) en todos los países, excepción hecha de Costa Rica donde el límite mínimo es de 12 años, como lo fue en los censos anteriores.

La definición censal de "ocupado" en cada censo (en el caso de Costa Rica) fue la siguiente:

1950: Ocupado: Toda persona de 12 o más años que trabajó durante **el mes** anterior al censo.

1963: Ocupado: Toda persona de 12 o más años que trabajó seis días o más durante el mes de marzo de 1963.

1973: Ocupado: Toda persona de 12 años o más que durante la semana del 7 al 12 de mayo trabajó una hora o más o estuvo en poseción de un empleo.

Similares definiciones se han considerado en el resto de los países de Centro América, por lo que consideramos demás describirlas.

Dos aspectos nos interesa destacar, el primero es el hecho de que existe una clara tendencia a mostrar una realidad que no existe. Con esto queremos decir que según los censos, la posibilidad de que una persona se encuentre ocupada es cada vez más alta, debido a que el período de referencia va en disminución (un año, un mes, una semana); de ahí que el número de personas que participan en la actividad económica, más exactamente los "ocupados" sea cada vez más alto en términos relativos; aún así los resultados censales muestran una tendencia de aumento en la desocupación.

El otro aspecto que nos interesa destacar es el hecho de que en la medida en que la principal actividad de los países centroamericanos, la agricultura, tiene un carácter estacional, la situación reflejada en los datos censales, sobre todo en los censos de 1970, no pueden dar cuenta de una realidad cambiante en distintos períodos del año y esconden la existencia de grandes oscilaciones; así, los resultados censales, por ejemplo, de las categorías de ocupación (patrono, trabajador por cuenta propia, etc.) son válidos sólo para un período. Sin embargo estamos conscientes que dichas categorías, sobre todo "trabajador por cuenta propia", "familiar no remunerado" y "asalariado", son situaciones temporales, en gran parte, debido a la dinámica del proceso de penetración del capitalismo en la agricultura. El arraigamiento y desarraigamiento de la fuerza de trabajo de la tierra —sobre todo en períodos cortos— se da como una constante cuando, por ejemplo, pequeños productores, en tiempos de recolección de los productos de exportación, engrosan las filas de asalariados temporales con el objeto de complementar sus ingresos, es decir de asegurar su reproducción como fuerza de trabajo.

Otra definición de carácter censal, en el censo agropecuario, es la explotación agropecuaria; como veremos más adelante la estructura agraria es crucial en la explicación del movimiento migratorio y la información basada en la definición de explotación agropecuaria para fines censales es decisiva en el acercamiento empírico del problema planteado.

En este caso, también, en esencia, la definición censal es la misma para todos los países del área, variando sólo en su forma.

En el Censo Agropecuario de 1963 de Nicaragua, se consideró como unidad de explotación: "todo terreno utilizado total o parcialmente para la producción agropecuaria, comprendiendo: las tierras en poder del productor, propias y/o las que han tomado en alquiler o bajo otra forma, durante el año agrícola 1962-1963". En los otros países de la región la definición es más o menos la misma, agregando algunas especificaciones que no cambian la esencia de la definición anterior. Sólo queremos hacer notar que esta información puede ocultar en gran parte la verdadera distribución de la tierra, en el sentido de que nos da información sobre las explotaciones y no sobre quienes las explotan, tienen en propiedad o poseen. Podemos encontrar que un mismo productor tenga varias explotaciones, grandes o pequeñas, en distintos lugares de una región o país, pero que por la forma en que se realiza el censo quedan como unidades separadas, ocultando la verdadera concentración o subdivisión de la tierra.

Además queremos señalar que existen otras limitaciones, de carácter diferente de las enumeradas, pero que, por el tiempo que hemos tenido y por la atención que hemos brindado a la interpretación y explicación de las migraciones en Centroamérica no las hemos tratado con la debida atención en estas páginas y que en un informe más completo habría que destacarlas.

Un último problema que presentan los censos es el de la cobertura diferencial de las regiones, es decir, que además de no cubrir en su totalidad a la población de un departamento, esta omisión en términos relativos es distinta en cada departamento. Esto puede influir en los resultados censales, especialmente en lo que se refiere a las corrientes migratorias, ya que se omite a un número importante de personas, que eventualmente podrían ser migrantes; tal es el caso del censo de 1971 de Nicaragua, en donde hubo importantes omisiones en los departamentos de Matagalpa, Boaco y Chontales.

Dependiendo de la técnica aplicada, la no cobertura total influirá, por ejemplo, en los resultados del cálculo de las relaciones globales de Supervivencia. Este podría señalar una alta expulsión en los departamentos señalados, pudiendo llegarse a través de preguntas directas a resultados diametralmente opuestos de ahí que estas limitaciones las tendremos muy en cuenta en el análisis de los resultados.

Existen otras limitaciones que tienen que ver con otro tipo de información, como las Estadísticas Vitales. Es bien sabido que la omisión y cobertura geográfica es diferencial, por ejemplo, en los nacimientos y muertes, y que la información de cada país presenta distintos grados de confiabilidad, llevando esto a ponernos en resguardo respecto a la validez de ésta a nivel de unidades administrativas. Así podríamos señalar otras limitaciones, sin embargo, las más importantes han sido tenidas en cuenta, lo que para el análisis de los resultados, en algunos casos, será determinante.

1.5.— Las técnicas de estimación de la migración: cálculo y sus limitaciones.

Trataremos de esbozar, en términos generales, el procedimiento seguido en la estimación de las áreas, equilibrio, intercambio y rechazo, a través de las distintas técnicas propuestas, generalmente, para el tratamiento de la información sobre movimientos migratorios.

a.— Tasa de crecimiento intercensal.

Es éste el primer indicador utilizado a nivel de departamento, por zona urbana y rural, para determinar el carácter migratorio de un departamento (o cantón). El procedimiento es el siguiente: i) cálculo de la tasa de crecimiento intercensal *) (total, urbana y rural) ii) comparación de las tasas de-

---

*) La fórmula utilizada es la siguiente: $r = \frac{N^t - N^0}{(N^t + N^0)\frac{t}{2}} \times 100$

en donde: N^t : Población en el año t

N^0 : Población en el año 0

$\frac{t}{2}$:Años intercensales dividido entre dos.

partamentales respecto a la tasa promedio del país (total). iii) Serán departamentos de atracción aquellos que presenten tasas de crecimiento superiores en un Y % a la media del país, y de rechazo las que presenten una tasa inferior en un Y % a la media del país, los restantes serán departamentos de equilibrio.

Los supuestos implícitos en esta estimación son los siguientes i) Población cerrada, es decir no hay migración internacional, o lo mismo, la tasa de crecimiento intercensal es equivalente a la tasa de crecimiento vegetativo de la población, ii) crecimiento vegetativo uniforme en todo el país, iii) omisión y cobertura censal iguales en todos los departamentos y no diferencial según "características" de la población. De tal modo que el crecimiento intercensal de un departamento podría expresarse de la forma siguiente:

CRECIMIENTO INTERCENSAL = (NACIMIENTOS—DEFUNCIONES) + SALDO MIGRATORIO

Cuando un departamento presente una tasa de crecimiento intercensal muy superior a la media del país se deberá, supuestamente, a un saldo migratorio positivo alto, aplicándose lo inverso para el saldo negativo.

Al tener en cuenta estos supuestos nos damos cuenta de las serias limitaciones de que adolece este "método", ya que ninguno de ellos se cumplen en igual medida en todos los países. Tal sería en caso de El Salvador y Honduras, en donde este último recibe un fuerte contingente de población del primero. En lo que se refiere a la cobertura diferencial por departamento, está el caso del Censo de 1973 de Guatemala en donde existe una fuerte omisión en los departamentos de Escuintla, Retalhuleu y Alta Verapaz, o el caso de Nicaragua en el Censo de 1971, donde la población rural de los departamentos de Matagalpa, Boaco y Chontales fueron omitidas de un 15 a un 50%. Esto lo podemos advertir sólo si se ha hecho algún tipo de evaluación de los censos. De más está señalar el hecho de que el crecimiento vegetativo es diferencial por área, lo que acarrea consecuencias para el estudio de la migración.

Una última limitación es el hecho de que no se puede distinguir un departamento de equilibrio (sin entradas ni salidas) de un departamento de intercambio, en el que las entradas y salidas constituyen volúmenes grandes e iguales (por lo que el saldo es cero); esto es muy importante en la medida en que en dos situaciones como las señaladas la explicación puede ser completamente distinta.

b.— Tasa de migración neta obtenida a partir de la Relación Global de Super-vivencia.

La obtención de la tasa de migración neta por este método requiere la información de dos censos, y la desagregación de la población en grupos de edades (0 - 10 y + años), tanto a nivel total como urbano y rural por departamentos. El procedimiento es el siguiente: i) obtención de la relación global de super-vivencia comparando la población total del año **0** con la población de **t** y más años del año t, dividiendo la última por la primera; ii) estimación de la población de t y más años a partir de la población del año **0** de cada departamento (por área); iii) comparación de la población censada en el año t, de t y más años con la población estimada, la diferencia entre ambas nos daría el saldo migratorio del período o - t; iv) cálculo de la tasa de migración neta al final del período dividiendo el saldo migratorio sobre la población censada.

Los supuestos contenidos en este método son más o menos los mismos que se consideraron para la tasa de crecimiento intercensal: i) Población cerrada; ii) mortalidad uniforme por área y no diferencial según condición migratoria; iii) omisión y cobertura similar en ambos censos y no diferencial por área, condición migratoria y edad.

Las limitaciones son más o menos las consideradas con anterioridad.

Conviene desarrollar un poco más la idea de cómo se obtiene el saldo migratorio durante un período dado. Sea:

$$SM = N^{t}_{t\ y\ +\ \text{años}} - N^{0}_{\text{Total}}\ P \qquad (1)$$

$$N^{t}_{t\ y\ +\ \text{años}} = N^{0}_{\text{Total}} - D^{nm} + I - D^{i} - E \qquad (2)$$

En donde los símbolos representan:

SM : Saldo migratorio al final de período

$N^{t}_{t\ y\ +\ \text{años}}$: Población en el año **t**, con t y más años.

N^{0}_{Total} : Población total en el inicio del período (año 0).

D^{nm} : Defunciones de los no migrantes durante el período 0 -t.

I : Inmigrantes sobrevivientes al final del período.

D^{i} : Defunciones de los inmigrantes durante el período 0-t.

E : Emigrantes sobrevivientes al final del período.

P : Relación global de supervivencia.

Para obtener un saldo migratorio equivalente a (1), a partir de (2) se sigue el procedimiento que se presenta:

$$I - D^{i} - E = N^{t}_{t\ y\ +\ \text{años}} - N^{0}_{\text{Total}} + D^{nm} \qquad (3)$$

Pero $D^{nm} = N^{0}_{\text{Total}}\ (1 - P) = N^{0}_{\text{Total}} - N^{0}_{\text{Total}}\ P \qquad (4)$

De (3) y (4)

$$I - D^{i} - E = N^{t}_{t\ y\ +\ \text{años}} - N^{0}_{\text{Total}}\ P$$

De aquí se puede concluir que las defunciones de los inmigrantes (D^i), en el método de las relaciones globales de supervivencia son tenidos en cuenta como emigrantes, lo cual constituye una serie limitación en cuanto se estimaría un saldo más bajo, cuando es positivo, y más alto cuando es negativo. Es bien sabido además, que existen diferencias sustanciales en los niveles de mortalidad por área, de ahí que este método sea más débil cuando las diferencias son más acentuadas.

Otro problema se da cuando se está trabajando con una población abierta, con fuerte migración internacional (caso de El Salvador y Honduras); al calcular la relación global de supervivencia (P) se considera como sobrevivientes (o muertos) al final del período a las personas que llegaron (o salieron) al país el saldo migratorio que se obtendría sería referido solamente a la migración interna. El supuesto implícito, además de los otros, sería de que la población que entra (o sale) al país se distribuye proporcionalmente a la distribución especial de población existente. Este supuesto es difícil de cumplir sobre todo en áreas fronterizas en donde se concentra la mayor parte de la migración internacional.

Un último problema tiene que ver con la omisión y cobertura censal diferencial según regiones. En este caso las personas omitidas (o no cubiertas) por el censo, serían consideradas como defunciones al comparar los dos censos. Sin embargo esa omisión se da con más fuerza en algunas áreas y con menos en otras. En las primeras el número de personas omitidas por encima de la media nacional serán consideradas como emigrantes, y en las segundas la mejor cobertura (o menor omisión de personas) estaría siendo considerada como inmigración más alta; de ahí que estas limitaciones deben ser tenidas muy en cuenta al comparar los resultados de este método con los obtenidos a través de preguntas censales o la tasa de crecimiento intercensal.

Los criterios para determinar el carácter migratorio de un departamento son los siguientes:

i) Departamentos de atracción, aquellos que presenten una tasa de migración neta (TMN) positiva por encima de **X** %

ii) Departamentos de equilibrio, aquellos que presenten una TMN que oscile entre + **X** % y -**X** %.

iii) Departamentos de rechazo, aquellos que presenten una TMN negativa menor que X %.

Se deduce, finalmente, que a través de este método tampoco se puede diferenciar entre un área de equilibrio (o estancamiento) propiamente dicho y un área de intercambio, con TMN próxima a cero.

c.— Tasa de migración neta obtenida a partir de las preguntas censales.

Aquí nos ocuparemos en términos generales de la técnica aplicada: consideraremos como:

I : Inmigrantes en A: las personas que en el momento del censo residen en el departamento A, pero que no nacieron (o no residían en una fecha anterior) en este departamento.

E : Emigrantes de A: las personas que en el momento del censo no residen en el departamento A, pero que nacieron (o residían en una fecha anterior) en este departamento.

El saldo migratorio sería la diferencia entre ambos resultados (I-E).

Una de las limitaciones está en el hecho de considerar sólo a la población migratoria sobreviviente de un período dado (5 años, desde la fecha del nacimiento, etc.), de tal forma que los inmigrantes llegados a un área durante un período dado y que murieron antes de la fecha del censo quedan de las corrientes migratorias.

Otra limitación consiste en el hecho de que las medidas relativas corrientemente utilizadas en la estimación cuantitativa de las migraciones, se refieren a la población residente del lugar en el momento del censo, así:

— Tasa de inmigración (T.I. : Cociente de la población inmigrante sobre la población residente en el momento del censo.

— Tasa de emigración (T.E.) : Cociente de la población emigrante sobre la población residente en el momento del censo.

— Tasa de migración neta (T.M.N.) : la diferencia entre los dos anteriores.

El principal problema reside en el cálculo de la emigración en la que estamos considerando como población base, una que incluye inmigrantes; para ser rigurosos deberíamos tomar como población base a la población originaria de ese lugar independientemente del lugar que habitaba en el momento del censo. De tal modo que al calcular ambas tasas se puedan restar fácilmente y obtener la T.M.N. Aún así el resultado no es del todo sastifactorio, pero con el objeto de facilitar la interpretación y el procedimiento hemos procedido de esta manera.

Con esta información estamos en condición de establecer los cuatro "tipos" de departamentos:

i) Departamentos de atracción: aquellos que presentan una TMN superior a 0%.

ii) Departamentos de rechazo: aquellos que tienen una T.M.N. inferior a 0%.

iii) Departamentos de equilibrio: aquellos que presentan una TMN alrededor de **cero**, y que entra y sale población en volúmenes muy pequeños.

iv) Departamentos de intercambio: aquellos que presentan una T.M.N. alrededor de cero, y que el volúmen de inmigrantes y emigrantes es elevado.

Además, como se ha señalado, esta información nos permite establecer la dirección de las corrientes migratorias, con lo cual estamos en la posibilidad de establecer "campos migratorios". Los campos estarían conformados por departamentos de fuerte intercambio, además de tener en cuenta si los movimientos se dan entre departamentos limítrofes (no colindantes), esto nos daría la posibilidad de establecer "regiones" desde el punto de vista de la migración.

Las limitaciones de este procedimiento están implícitas en las observaciones hechas sobre las preguntas censales de donde se deriva la información. Luego solo nos queda señalar que aún este "metodo" tiene las limitaciones señaladas para los otros, aunque en menor medida debido a que la estimación se basa en información directa, y no "indirecta" como en los otros casos.

d.— Migración neta estimada a través de la ecuación del crecimiento de la población.

Tenemos claro que el crecimiento de la población durante un período determinado se debe tanto a la natalidad y mortalidad, como a la inmigración y emigración, de tal forma que se puede resumir, de la siguiente manera, esta proposición:

$$N^{t}_{Total} = N^{0}_{Total} + B - D + I - E$$

donde: N^{t}_{Total} : Población total en el año t.

N^{0}_{Total} : Población total en el año 0.

B : Nacimientos en el período 0 - t.

D : Defunciones en el período 0 - t. (incluye defunciones de inmigrantes).

I : Inmigrantes en el período 0 - t.

E : Emigrantes en el período 0 - t.

De manera que el saldo migratorio del período 0 - t, se puede escribir así:

$$SM = I - E = N^{t}_{Total} - N^{0}_{Total} - B + D$$

Esta estimación tiene problemas similares al método propuesto en b), además de requerir que los registros de nacimientos y defunciones sean íntegros. Este requerimiento se convierte en la gran limitante en la aplicación a los países centroamericanos, con **excepción de Costa Rica;** en la totalidad de estos se dan errores por cobertura geográfica y por omisión diferencial en los nacimientos y muertes, lo cual hace difícil el aplicarlo sin cometer grandes errores. Por tal motivo sólo se ha aplicado a Costa Rica, en donde los registros de los hechos vitales son de los más íntegros a nivel de la región, y aún dentro de América Latina.

1.6.— Sobre las Unidades Administrativas de Análisis.

Primero trataremos un aspecto formal que, en cierto sentido, tiene poca importancia en la interpretación de los resultados. El problema radica en la comparabilidad de la información dentro de un país cuando se han definido nuevas unidades administrativas. Al ser la información censal recopilada por organismos de gobierno, ésta se adecúa a las unidades administrativas. Estos problemas los encontramos en todos los países; cambios en los límites internacionales, indefinición en los mismos, creación de unidades administrativas nuevas desmembradas de otras que constituían una sola unidad. Otro problema, encontrado en el caso de Costa Rica, es el de la falta de continuidad Geográfica de algunos cantones. La solución a esta limitación es el ajuste de los datos a divisiones similares en cada año censal.

El otro problema formal es el hecho de que en Costa Rica la unidad de análisis utilizada es el cantón, unidad administrativa menor, en cambio en el resto de los países se usan departamentos que, con excepción de El Salvador, tienen superficies muy superiores. Incluso un departamento de Nicaragua es igual a la superficie total de Costa Rica. De ahí que, en el caso de las migraciones, la probabilidad de que una persona sea migrante es mayor donde las unidades administrativas son más pequeñas.

Las otras limitaciones tienen que ver con el análisis que pretendemos llevar a cabo. La primera de éstas es el hecho de que las unidades administrativas no constituyen un todo **homogéneo en términos socio-económicos,** ya que en ellas confluyen una serie de situaciones y actividades productivas de la más diversa índole. De ahí que un análisis basado en la información desagregada en términos de unidades administrativas, trae una serie de problemas ligados a la heterogeneidad socio-económico al interior de los departamentos o cantones.

ANEXO No. 2

ALGUNOS ELEMENTOS SOBRE LA MIGRACION INTERNACIONAL Y EL CRECIMIENTO DE LAS CIUDADES MAS IMPORTANTES

2.1.— La migración internacional en la región

a.— Movimientos dentro de toda la región.

Consideramos en esta parte los movimientos migratorios más importantes dentro de la región, en la medida en que tales desplazamientos implican, por una parte, la no adecuación entre disponibilidad y requerimientos de fuerza de trabajo en el país de origen, en el sentido de repeler mano de obra fuerza de las fronteras nacionales, y por otra parte, que en el país de destino se dan condiciones de absorción de mano de obra, sea por la disponibilidad de un espacio físico más amplio en términos relativos, sea por el desarrollo de actividades que absorben contingentes de población importantes.

Conviene señalar que la información censal con que se cuenta adolece de serias limitaciones en cuanto al registro de la nacionalidad de las personas en el momento del censo (o su país de nacimiento). Estas limitaciones se reducen al hecho de que gran parte de los extranjeros residentes en los países centroamericanos proceden de la misma región centroamericana y se movilizan fundamentalmente alrededor de las fronteras existiendo mecanismos coercitivos de contratación para los asalariados por parte de los empresarios agrícolas, quienes a cambio de darles ocupación permanente, por un salario más bajo que el que le pagarían a un nacional, ocultan la nacionalidad de los trabajadores migrantes. Estos pasan a ser considerados como nativos de un país, responder a la pregunta censal sobre nacionalidad, esto se cuando en realidad no lo son. Además en el momento de agudiza porque aún los que legalmente se encuentran residiendo se declararán como nacionales por temor a alguna medida en su contra.

Se estima, en general, que la cantidad de extranjeros residentes es dos o tres veces mayor que lo que el censo señala, de ahí que la información que manejaremos será tomada como indicativa de una situación y tendencia general, antes que como la cuantificación exacta, del fenómeno en cuestión.

De acuerdo con la información presentada en el cuadro No. 3, el número de extranjeros en cada país no supera las 50.000 personas, aún en el año 1970; los países que más volumen han presentado son Guatemala, Honduras y Costa Rica. Sin embargo, en términos relativos, sólo Honduras (en 1950 y 1961) y Costa Rica (en 1950, 1963 y 1973) han presentado porcentajes más importantes de extranjeros dentro de la población oscilando el valor entre 2.4 y 4.2%. De estos dos países nos ocuparemos más adelante, ya que, como

CUADRO No. 3

CENTRO AMERICA Población extranjera y peso relativo respecto a la población total, en cada uno de los países (población extranjera: no nacidos en el país)

PAIS	AÑO 1950 Extranjeros	1950 % sobre la población total	1960 Extranjeros (miles)	1960 % sobre la población total	1970 Extranjeros (miles)	1970 % sobre la población total
GUATEMALA a)	30.3	0.6	49.5	1.2	41.3	0.8
EL SALVADOR b)	19.3	1.0	15.7	0.6	24.5	0.7
HONDURAS c)	32.7	2.4	51.2	2.7	26.1	1.0
NICARAGUA d)	10.2	1.0	13.1	0.9	22.0	1.2
COSTA RICA e)	33.3	4.2	35.6	2.7	48.2	2.6

FUENTE: Censos de Población

a) años censales: 1950, 1964, 1973.
b) años censales: 1950, 1961, 1971.
c) años censales: 1950, 1961, 1974.
d) años censales: 1950, 1963, 1971.
e) años censales: 1950, 1963, 1973.

hemos visto, son los que más población extranjera tienen (en términos relativos) y por lo tanto requieren un tratamiento más amplio, tanto en términos de estimación del verdadero volumen como de la distribución espacial de la misma, lo cual tiene y ha tenido consecuencias relevantes sobre todo en el caso de Honduras y su contraparte, El Salvador.

CUADRO No. 4

CENTRO AMERICA:.... Población Centroamericana y porcentaje respecto a la población extranjera por países

PAIS	AÑO 1950 Centro americanos (miles)	% Centro. americanos s/extranjeros	1960 Centro. americanos (miles)	% Centro americanos s/extranjeros	1970 Centro. americano (miles)	% Centro. americano s/extranjeros
Guatemala	17.1	56.4	35.4	41.5	—*]	——
El Salvador	15.8	81.9	11.9	75.8	18.9	77.1
Honduras	24.0	73.4	46.4	90.6	—*]	——
Nicaragua	6.3	61.8	—*]	——	—*]	——
Costa Rica	22.6	67.9	23.8	66.9	30.5	66.5

*] Sin información sobre el país de nacimiento.
FUENTE: CENSOS DE POBLACION

La población extranjera proveniente del resto de los países centroamericanos supera el 60% dentro del total de extranjeros, siendo signo esto de importancia de los desplazamientos poblacionales entre los países de la región. La ubicación de esta población se da fundamentalmente en la capital de los países; así, en Guatemala, El Salvador y Nicaragua, la mayor parte de la población extranjera, entre un 35 y un 40% se ubica en los departamentos de Guatemala, San Salvador y Managua respectivamente. El resto de la población se ubica en los departamentos fronterizos en su gran mayoría: esto es, en Guatemala, en los departamentos de Izabal, Jutiapa, Chiquimula y Escuintla; en El Salvador en la Unión, San Miguel y Santa Ana; en Nicaragua en Chinandega, Madriz, Nueva Segovia y Río San Juan. Para Honduras y Costa Rica, como veremos después, la población centroamericana no sólo se ubica en los departamentos fronterizos, sino también en las zonas bananeras.

Las corrientes en orden de importancia entre países serían las siguientes:

ORIGEN	DESTINO	PERIODO
El Salvador	Honduras	(1930-1969)
Honduras	El Salvador	(1969-1971)
Nicaragua	Costa Rica	(1930-1970)
El Salvador	Guatemala	(1950-1970)
El Salvador	Nicaragua	(1950-1970)
Honduras	Nicaragua	(1950-1970)
Honduras	Guatemala	(1950-1970)

Las corrientes más importantes en términos de volumen se han dado entre El Salvador y Honduras y en segundo lugar, pero de menor importancia entre Nicaragua y Costa Rica. Estas corrientes se deducen de la revisión de las cifras censales a nivel departamental. Las tres últimas corrientes son las menos importantes, siendo poco significativas respecto al volumen que adquieren las primeras.

b.— Corrientes migratorias de Nicaragua hacia Costa Rica.

Las corrientes migratorias entre países no sólo las debemos ver como el traslado de población de un territorio a otro, sino también considerar los puntos de origen y destino dentro de cada país, o sea la corriente de migración internacional se transforma y se adecúa a las condiciones concretas del país de llegada, describiendo líneas de migración que son propias de los nativos del país receptor.

El origen de los migrantes nicaragüenses es probablemente el departamento de Rivas, que se ha caracterizado como "expulsor" de población, y el departamento de Río San Juan, aunque este último es muy probable que sólo sirva de puente entre departamentos como Rivas y Granada y el país receptor: Costa Rica.

Conviene aquí remitirnos a las cifras del censo de 1927, que nos dice que el 9.4% de la población era extranjera

(44.340 habitantes), de los cuales apenas el 24.1% eran nicaragüenses (10.700 habitantes): para 1950 la población extranjera había disminuido a unos 33.251 habitantes, en tanto el número de nicaragüenses se duplicaba y pasaba a representar la gran mayoría de los extranjeros (57.0%). Este fenómeno se debe en parte al abandono de algunas plantaciones bananeras en la costa Atlántica (Limón), en donde gran parte de la población era originaria de la región del Caribe, la cual en parte se trasladó a Panamá donde las compañías bananeras impulsaron el cultivo del banano.

Pero también la campañía bananera trasladó parte de sus actividades a la región del Pacífico (centro y sur de la provincia de Puntarenas), donde impulsó fuertemente dicho cultivo. Esto también por otra parte, contribuye a la "atracción" de nicaragüenses, en especial a las zonas de producción del banano. De ahí que el número de nicaragüenses se haya casi duplicado en el período, ubicándose un 34.3% de los mismos en la Provincia de Puntarenas. Más de un cuarto de la población nicaragüense en Costa Rica se encontraba en las provincias fronterizas con Nicaragua (Guanacaste y Alajuela) y el resto repartido fundamentalmente entre Limón y San José.

Durante el período 1950-1963, el número de nicaragüenses permanece constante, lo que nos lleva a pensar que el movimiento de nicaragüenses hacia Costa Rica se estancó en este período (Ver cuadro No. 5). Sin embargo, hubo cambios en la distribución de los nicaragüenses por provincias, dándose fundamentalmente una pérdida de importancia en la provincia de Puntarenas (de 34.3 a 22.7%), en tanto la provincia de San José la aumenta en términos relativos (12.9 a 22.9%), lo que sería evidencia de una fuerte corriente de nicaragüenses entre estas dos provincias. En tanto las otras provincias conservan, más o menos, su situación anterior.

Conviene aclarar que el número de nicaragüenses en las provincias de Guanacaste y Alajuela, es probablemente mucho mayor: debido a factores señalados anteriormente creemos que las cifras en estas provincias están subestimadas en una proporción muy importante; puede ser 3 o 4 veces mayor el número de nicaragüenses en relación a lo señalado por el censo, en dichas provincias.

En el período 1963-1973, el aumento de nicaragüenses fue de cerca de 5.000 personas, aumento que se distribuyó fundamentalmente en San José (40%), Alajuela, Guanacaste y Limón (20% en cada una de las anteriores), de manera que la tendencia es a concentrarse en San José (29%), en tanto que Puntarenas no sólo pierde importancia relativa sino también absoluta (de 6481 a 3146 entre 1950 y 1973).

CUADRO No. 5
COSTA RICA: Distribución de la población extranjera y nicaragüense por año censal según provincias

PROVINCIAS	AÑO CENSADO 1950 Extranjeros	1950 Nicaragüenses	1963 Extranjeros	1963 Nicaragüenses	1970 Extranjeros	1970 Nicaragüenses
TOTAL	100.0	100.0	100.0	100.0	100.0	100.0
	(33251)*	(18904)	(35605)	(18722)	(46223)	(23347)
San José	23.9	12.9	36.3	22.9	44.1	29.3
Alajuela	14.4	23.0	15.5	24.8	15.2	23.9
Cartago	2.7	1.1	2.5	1.1	2.5	1.2
Heredia	0.8	0.6	1.7	1.8	3.0	3.2
Guanacaste	9.1	13.0	7.9	12.7	9.1	15.0
Puntarenas	26.4	34.3	19.6	22.7	13.4	13.5
Limón	22.7	13.5	16.5	14.5	12.7	13.9

*) Cifras absolutas
FUENTE: Censo de Población de 1950, 1963 y 1973, Dirección General de Estadísticas y Censos, San José.

En resumen las principales corrientes migratorias que han descrito los nicaragüenses, son las siguientes:

ORIGEN	DESTINO	PERIODO
Rivas (Nicaragua)	Guanacaste (Costa Rica)	1927-1973
Río San Juan (Nicaragua)	Alajuela (Costa Rica)	1927-1973

Dentro de el territorio Costarricense:

ORIGEN	DESTINO	PERIODO
Guanacaste y Alajuela	Limón y Puntarenas	1927-1963
Puntarenas	San José	1950-1973

Lo anterior no quiere decir que no se hayan dado corrientes entre Guanacaste y Puntarenas, y entre Alajuela y Puntarenas y entre el resto de las provincias sino que estas carecen de importancia cuantitativa en comparación con los desplazamientos desde Puntarenas a San José, tendiendo a darse los patrones observados en el resto de los países (con excepción de Honduras).

c.— Migraciones entre El Salvador y Honduras

Los desplazamientos de población entre El Salvador y Honduras, han sido una "constante a lo largo de la historia de ambos países, sucediéndose en épocas de auge o crisis en las actividades económicas básicas de los dos países. En esta parte nos ocuparemos, fundamentalmente, del período que va de la crisis mundial hasta el año 1974. Esto lo haremos por dos razones: la primera es el hecho de que nos interesa estudiar un período previo a las dos décadas que estudiaremos en profundidad, y la segunda, que tienen un peso relativamente importante, es el hecho de contar con información aceptable a partir de ese año, sobre todo en lo que a nacimientos y defunciones se refiere (*).

El análisis descriptivo lo hacemos en base a la información de nacimiento y defunciones de El Salvador durante el período 1930-1971, y a la información censal de ambos países.

Si tenemos en cuenta las deficiencias de los registros de hechos vitales, sobre todo en el sentido de que la omisión diferencial por fenómeno puede sobreestimar el crecimiento vegetativo, especialmente en años anteriores a 1950, podría ser que el saldo migratorio internacional pasara a ser de cerca de -350.000 a unos -300.00. En todo caso la cifra obtenida es bastante elocuente en lo que se refiere a la magnitud del fenómeno durante el período entre 1930 y 1950.

Como veremos más adelante, gran parte de este masivo desplazamiento se da en dirección a Honduras, más especí-

---

*) El Salvador es uno de los países centroamericano que cuenta con registro de hechos vitales más o menos importantes.

CUADRO No. 6

EL SALVADOR: Estimación de la migración internacional de El Salvador período 1930-1971

Año	Población según los censos	Período (2 años)	Incremento Intercensal	Incremento vegetativo	Saldo migratorio internacional
1930	1.434.361				
1950	1.855.917	20	421.556	768.660*	-347.104
1961	2.510.984	11	655.067	655.067*	-186.849
1971	3.554.648	10	1.043.664	1.066.810**	- 23.146

*) FUENTE: Menjívar, Rafael: Formas de Tenencia de la Tierra y algunos otros aspectos de la actividad agropecuaria, Instituto de Estudios Económicos, Facultad de Economía, Universidad de El Salvador, Edit. Universitaria, El Salvador 1962. p. 41.

**) FUENTE: Dirección General de Estadísticas y Censos: Anuarios Estadísticos, Demografía y Salud, 1950-1971, El Salvador.

ficamente las zonas del enclave bananero, pasando primero a través de los departamentos fronterizos de ambos países.

Creemos que gran parte de este movimiento se explica por las repercusiones de la crisis del 29, más específicamente por la declinación de los precios internacionales del café. Se agregan las especiales condiciones de la ocupación y tamaño del territorio en donde una densidad de población, así como la ocupación de tierra, en fincas, son las más altas entre los países del área.

En el período 1950-1961 la expulsión se acentúa, mostrando un saldo migratorio internacional de 186849. Si tenemos en cuenta que según el censo de 1961, en El Salvador habían alrededor de 16.000 extranjeros, es muy probable que los emigrantes (hacia otros países) alcanzarían una cifra muy cercana a los 200.000 individuos. Más adelante veremos que esta expulsión está muy relacionada con el auge algodonero de esta década, cuando algodón desplaza los cultivos de granos básicos de las zonas costeras, especialmente de los departamentos de La Paz, San Vicente, Usulután y San Miguel; además, desde la debilitada zona de los departamentos limítrofes con Honduras, se evidencia también un fuerte desplazamiento de salvadoreños hacia Honduras.

En el último período (1961-1971) se observa un cambio brusco en la tendencia observada, reduciéndose el saldo migratorio internacional a alrededor de -23.000 personas, lo que sólo puede ser —en primera instancia— por el conflicto hondureño-salvadoreño del año 1969; más adelante retornaremos la explicación en forma integral.

Suponiendo que la proporción de población migrante (internacional) fuese la misma del período 1950-61, encontraríamos que el número de emigrantes en el período 1961-71 desde El Salvador hacia países (Honduras especialmente), sería dealrededor de 230.800 personas. Para obtener el saldo migratorio equivalente a -23146 personas, es necesario que hayan regresado unos 214 mil salvadoreños, expulsados por esta "indocumentados" en Honduras.

Para contrastar las cifras anteriores con otra estimación procedimos a usar la relación global de supervivencia entre 1961 y 1971. El valor observado, de acuerdo con los datos censales, de la relación global de supervivencia en El Salvador es de 0.946, en cambio en Nicaragua y Guatemala, para el mismo período, el valor apenas supera el 0.85 y el 0.84 respectivamente; por lo que estimamos que un valor que reflejase fundamentalmente la mortalidad del período estaría alrededor de los últimos valores, y así aptamos por una relación de 0.85.

Descomponiendo la relación observada, tendríamos:

Relación Global de Supervivencia observada: 0.946107
Menos Relación Global de Supervivencia
Hipotética: 0.850000
es igual a la proporción que representa
los emigrantes internacionales del período
de donde podemos obtener el siguiente resultado:
Población total en 1961: 2.510.984
Población estimada de 10 años y más
el 1971 (población total en 1961 multiplicada por
0.85)2.134.336
comparando esta última cifra con la población
de 10 años obtenida en el Censo de 1971

encontraremos el saldo migratorio internacional
Población censada de 10 y más años en
1971: 2.375.659
Población estimada de 10 y más años en
1971: 2.134.336
Saldo migratorio internacional: 241.323.

Como el resultado no difiere mucho del obtenido a través de las estadísticas vitales (214 mil), pensamos que estas estimaciones son aceptables por lo menos en términos muy gruesos. En realidad puede oscilar el número de inmigrantes (a partir de 1967) entre 200 y 250 mil los que en su gran mayoría —por no decir todos— eran salvadoreños residentes en Honduras.

Haciendo un resumen, podemos estimar que el número de salvadoreños en Honduras, hacia el año 1967, era de más de 350 mil (*), cifra que coincide con otras estimaciones en que se supone que unos 300.000 salvadoreños residían en Honduras al momento del conflicto (Ver: M.V. Carías y D. Slutzky: —La Guerra inútil, EDUCA, San José, Costa Rica, 1971, pág. 157).

De manera que es posible que más de 200 mil salvadoreños regresan expulsados o temerosos de ser expulsados en el período 1967-1971.

Como ya hemos visto, estos resultados no tienen mucho que ver con lo que muestran los censos: en el caso de 1950, de los 32.7 mil extranjeros 20.3 mil eran salvadoreños (62.9%); en 1961 las cifras correspondientes eran de 51.2 mil y 38.0 mil, o sea más de un 74% de los extranjeros salvadoreños. Comparando las cifras de 1950 y 1961, encontramos que el número de salvadoreños aumentó en 18.000 personas, lo que contrasta notablemente con la cifra de emigrantes salvadoreños que estimamos en el mismo período, que nos estaría mostrando que apenas 1/10 de los salvado-

---

*) Estimado en base a los emigrantes sobrevivientes en el período 1930-1969, y que —supuestamente— no regresaron de Honduras, hasta el momento del conflico. Para esto suponemos que muchos de los salvadoreños residían en Honduras por más de 15 o 20 años.

reños fueron registrados como tales en el censo de 1971.

Suponiendo que la omisión de salvadoreños —o el registro de la nacionalidad— se da igualmente en todo el territorio hondureño, podemos usar las cifras censales como indicadores de la tendencia de la ubicación de los mismos y sus desplazamientos dentro de Honduras.

Para esto nos proponemos utilizar el porcentaje de salvadoreños dentro de los extranjeros, a nivel departamental, agrupando los departamentos en que el porcentaje es superior e inferior al 75% en 1950.

CUADRO No 7

HONDURAS: Departamentos con alta proporción de salvadoreños dentro de los extranjeros (con más del 75% en 1950)

DEPARTAMENTOS	CENSO 1950	CENSO 1961
Intibucá	99.2	98.0
La Paz	98.3	98.9
Valle	97.7	98.9
Lempira	95.7	97.3
Comayagua	87.3	89.2
Yoro	87.0	91.5
Santa Bárbara	83.3	88.8
Ocotepeque	81.3	85.5
Cortés	75.8	81.2

FUENTE: Censos de población de 1950 y 1961, Dirección General de Estadísticas y Censos, Tegucigalpa.

Observamos que 9, de los 17 departamentos en 1950 (18 en 1961), tienen porcentajes muy encima del 75%, al mismo tiempo que mantienen estos elevados porcentajes en 1961. Cinco de los departamentos están ubicados en la región fronteriza con El Salvador. A estos podemos agregar Comayagua, que sin ser fronterizo tiene una parte que puede considerarse como integrante de la región compuesta por los otros cinco (Intibucá, La Paz, Valle, Lempira y Ocotepeque). Los otros departamentos (Yoro, Santa Bárbara y Cortés) están ubicados en la región norte y occidental, dos de los cuales son productores principalmente de banano.

En el caso de los departamentos con menos de un 75% de Salvadoreños en el año 1950, se observan cambios bastantes fuertes en relación a 1961, además de que existen fuertes diferencias entre los departamentos que componen el grupo.

CUADRO No. 8

HONDURAS: Departamentos con baja proporción de salvadoreños en 1950

DEPARTAMENTOS	CENSO 1950	1961
Olancho	68.2	96.1
Atlántida	52.3	71.0
Colón	48.3	80.1
Francisco Morazán	41.4	38.7
Choluteca	30.5	73.8
Copán	29.0	43.5
Islas de la Bahía	17.7	7.1
Paraíso	6.2	19.6
Gracias a Dios	—	0.6

FUENTE: Censos de población de 1950 y 1961, Dirección General de Estadísticas y Censos, Tegucigalpa.

Observamos, en el Cuadro No. 8, que tres de los departamentos (Olancho, Atlántida y Colón(localizados en la parte nororiental y norte (Costa Atlántida), presentan en 1961 porcentajes tan altos como los observados en el grupo anterior. El resto de departamentos mantienen bajos porcentajes, con la excepción de Choluteca, que en 1961 presenta una proporción de casi dos veces y media más que la mostrada en el año de 1950.

Resumiendo estos últimos resultados, postulamos que en un primer momento los flujos migratorios procedentes de El Salvador se asientan o estacionan, principalmente, en los departamentos fronterizos; luego, en una etapa posterior, gran parte del flujo se dirige hacia los departamentos de la costa norte y a Santa Bárbara, en la región occidental, a

Olancho en la región oriental, y, en cierta medida, a Choluteca en el Sur.

Para el período 1961-1971, sólo contamos con información de extranjeros según nacionalidad en el primer año de ese período; para 1971, la información sobre extranjeros es provisional y extraída de una muestra del censo del 10 por ciento; de ahí que los resultados deben tomarse con la debida reserva. Para observar los cambios entre ambos períodos calculamos las tasas de crecimiento intercensal, a nivel departamental, de la población extranjera. Encontramos que en el período 50-61 el crecimiento de la misma era de 4.01%, en cambio en el siguiente período (61-71), la tasa se tornó negativa y con un valor absoluto superior (-4.64%).

A nivel departamento podemos hacer la siguiente agrupación:

CUADRO No. 9

HONDURAS: Departamentos con alta tasa de crecimiento de la población extranjera en el período 1950-61 y con bajísima tasa de crecimiento en el período 1961-71

DEPARTAMENTOS	TASA DE CRECIMIENTO DE LA POBLACION EXTRANJERA (X 100) 1950 - 1961	1961 - 1971
Olancho	15.66	-10.00
La Paz	11.23	- 9.26
Colón	10.65	- 6.78
Valle	8.85	-10.29
Intibucá	8.60	- 3.71
Atlántida	6.41	- 5.12
Comayagua	6.02	- 6.81
Choluteca	5.68	- 6.01
Santa Bárbara	5.54	- 9.91
Ocotepeque	4.56	- 8.03

FUENTE: Censos de población de 1950 y 1961, Dirección General de Estadísticas y Censos, Tegucigalpa.

Curiosamente, la mayoría de los departamentos que mostraban una alta proporción de salvadoreños en el período 1950-61 son los que presentan las más bajas tasas de crecimiento en el período 1961-71, lo cual nos da elementos para afirmar que los salvadoreños "indocumentados" en el período 1967-1971 se ubicaban principalmente en los departamentos fronterizos de La Paz, Valle, Intibucá y Ocotepeque y en los departamentos de Santa Bárbara y Olancho. El resto de departamentos (Copán, Cortés, Francisco Morazán, Lempira, e Islas de la Bahía) con excepción de Yoro, presentan bajas tasas de crecimiento en ambos períodos (aunque en el primero positiva y en el segundo negativa). Yoro, que constituye la excepción, presenta una baja tasa en el período siguiente (-10.12%). Es probable, luego, que los Salvadoreños "Indocumentados" en esta región pudieron haber llegado —en su gran mayoría— antes de 1950.

Una última cuestión que agregar es el hecho de que la mayoría de los salvadoreños emigrantes se dirigieron hacia Honduras y no hacia Guatemala (como a partir de 1969 lo están haciendo) o hacia Nicaragua. Esto sólo es explicable por las condiciones que ofrecía (u ofrece) la estructura agraria hondureña, que fue capaz de asimilar los fuertes volúmenes de población salvadoreño.

2.2.— El crecimiento de las ciudades.

Es de sobra conocido que el crecimiento de las ciudades está compuesto, en parte, por el crecimiento vegetativo y, en parte, por las migraciones. Si consideramos a cada ciudad aisladamente, se podría estimar, en primer término, que proporción de su crecimiento se debe a la afluencia de migrantes (rural-urbano y urbano-urbano). Sin embargo, sí consideramos a las ciudades en su conjunto, o a las localidades consideradas como urbanas en los censos, el crecimiento de la población urbana incluiría además la incorporación de nueva localidades o ciudades no incluídas, en una fecha (censo) anterior, como urbanas. De ahí que sólo a nivel de las ciudades (o localidades), consideradas aisladamente, podamos estimar cual es el impacto de la migración en su crecimiento. Las limitaciones en esta estimación son muy importantes, sobre todo al reparar en que el crecimiento de la población total incluye otros factores además del crecimiento vegetativo.

Otro aspecto importante de señalar es el hecho de que la ubicación de las ciudades en el territorio está íntimamente relacionada con la distribución espacial de la población, que obedece a condicionantes de orden histórico y geográficos, y a elementos más actuales, de orden estructural. En todos los países centroamericanos encontramos, en general, que las concentraciones más importantes de población se dan alrededor de los puntos que en época de la Colonia fueron centros administrativos, religiosos y comerciales ([1]), ligados a las regiones donde se producían los principales productos de exportación. De manera que al considerar tanto el volumen como la ubicación de las ciudades, no lo hacemos de manera arbitraria, sino porque más adelante servirán como elementos complementarios para la explicación de los desplazamientos de la fuerza de trabajo.

a.— La población urbana de acuerdo con la definición censal.

De acuerdo con la definición censal (de cada país) la población urbana de Centroamérica ha tenido la siguiente evolución:

1950	2.452.243
1960	3.939.858
1970	5.631.237

Aún con todas las limitaciones de la definición censal, estas cifras son reveladoras de la importancia de la concentración de población en centros urbanos. Al tener en cuenta la población total (7.9, 11.5 y 14.8 millones de habitantes en 1950, 1960 y 1970, respectivamente), encontramos que la población urbana todavía no supera el 40% de la población total de la región. Si nos basamos en un criterio

1) A excepción de Honduras, donde, a partir de 1821, se conforman nuevas ciudades "desligadas" de la actividad principal durante la colonia: la minería, que tuvo su expresión en una alta densidad (relativa) de población en los departamentos mineros fronterizos con El Salvador.

más restrictivo y uniforme, tomando en cuenta los poblados de mas de 2.000 habitantes, encontramos que la población urbana ascendería en todo Centroamérica a 2.0 y 3.1 millones de habitantes, en 1950 y 1960, respectivamente (*). Esto nos indicaría que la población considerada como urbana en 1950, medio millón se ubica en centros poblados menores de 2.000 habitantes; en 1960 ascendería casi 1 millón y probablemente en 1970 dicha población alcance a 1.5 millones de habitantes. Estas cifras representan entre un 20 y un 25% de la población considerada como urbana en términos censales.

La situación por países se presenta en el cuadro siguiente. Se puede señalar que en 1950 todos los países, con excepción de Honduras, presentaban una proporción de población urbana equivalente a un tercio de población total, ubicándose en primer lugar El Salvador. En 1960 la situación es bastante similar, con la diferencia de que Nicaragua presenta más de un 40% de población urbana, lo que le vale para quitarle el liderato a El Salvador que pasa a un segundo lugar; Honduras presenta una proporción similar a la de 1950, alrededor de 35% de la población es considerada como urbana. Por último en 1970 la situación es bastante distinta, Nicaragua presenta casi la mitad de la población urbana, Costa Rica y El Salvador alrededor del 40%, y Guatemala y Honduras cerca de 30% (**).

En cuanto al crecimiento intercensal, vemos que en ambos períodos 3 de los 5 países superan el 4% como tasa de crecimiento, quedando El Salvador y Guatemala con menos del 4%. En el caso de Guatemala, el cambio entre un período y otro sólo puede ser explicado por los problemas y deficiencias de la información del censo de 1973.

---

*) Van den Boomen, Joseph, Distribución de la población en el Istmo Centroamericano, CEPAL, 1968, pág. 49 (mimeografiado).

**) En el caso de Guatemala, es muy probable que el cambio de definición de Censo (de jure en 1973) y los problemas de enumeración detectados en algunas regiones donde hay alta concentración de población urbana, afecten los resultados señalados, ya que de acuerdo con las cifras, el peso de la población urbana seguiría siendo el mismo de 1964.

En todos los países, excepto en Guatemala, la tasa de crecimiento de la población urbana tendió a aumentar, mostrando quizás las repercusiones del impulso a la industrialización, proyecto del "Mercado Común Centroamericano" implementado a partir de 1960. El cambio drástico en la tendencia observada en Guatemala sólo es explicable por los problemas, ya enunciados, del censo de 1973.

Si comparamos la tasa de crecimiento de la población urbana con el crecimiento de la población total (*), encontramos que en el período 1950-60, el crecimiento natural de las localidades urbanas explicaba entre un 62 por ciento, en Nicaragua, hasta un 86%, en Costa Rica, el crecimiento total de dichas localidades. Los resultados para El Salvador, Guatemala y Honduras son de 82.80 y 75 por ciento respectivamente.

Es decir que, sólo en dos de los países, la migración rural-urbana probablemente explicaba alrededor del 20% del crecimiento de los centros urbanos, y en los otros, no pasaba de un 15%. Esto, hasta cierto punto, es un buen indicador de que las corrientes migratorias del campo a la ciudad sí son importantes aunque no son de la magnitud que muchos autores le asignan, por lo menos en la década del 50.

Para la década del 60, los resultados cambian totalmente; sin considerar Guatemala, encontramos que la parte del crecimiento de la población urbana explicada por la migración rural-urbana es bastante mayor que en la década anterior. El porcentaje varía desde 40% en Costa Rica hasta 43% en Honduras; en Nicaragua es de 49%. En el caso de El Salvador, si no consideramos la llegada de 250 a 300

*) **Países**	**Tasa de crecimiento intercensal (*)** 1950-60	1960-70
Guatemala	3.10	2.10
El Salvador	2.76	3.44 (**) 2.60
Honduras	2.83	2.61
Nicaragua	2.89	2.51
Costa Rica	3.75	3.34

**) Tasa explicada por la llegada de salvadoreños desde Honduras.

FUENTE: CENSOS DE POBLACION.

mil salvadoreños desde Honduras a partir de 1969, el crecimiento de la población total sería de alrededor de 2.6%, con lo cual el crecimiento de la población urbana quedaría posiblemente explicado en un 30% por la migración rural-urbana, aunque de la comparación de la tasa de crecimiento total con la tasa de crecimiento urbana sólo se deduce un 12%.

Inicialmente hemos señalado la limitación de la comparación entre la tasa de crecimiento de la población total y la de la urbana. Por esto consideramos necesario individualizar las ciudades más importantes, para nosotros las de 10 mil y más habitantes, en términos operacionales a través de lo cual podríamos explicar mejor la procedencia de la población que incrementa las ciudades de una forma "no natural", o "no vegetativa".

CUADRO No. 10

CENTROAMERICA: Porcentaje de población urbana y crecimiento de la misma en el período 1950-1970 según país

PAISES	Porcentaje de población urbana — AÑO 1950	1961-64	1971-74	Tasa de crecimiento de la población urbana — 1950/61-64	1961/64/ 1971-74
Guatemala a)	30.92	33.62	33.81	3.59	2.15
El Salvador	36.49	38.51	39.54	3.20	3.70
Honduras b)	20.08	23.53	30.88	4.27	4.58
Nicaragua	35.15	40.85	47.73	3.98	4.42
Costa Rica	33.50	34.46	40.61	4.06 c)	4.91

FUENTE: CENSOS DE POBLACION

a) Cifras corregidas de acuerdo con las definiciones adoptadas en 1964 y 1973.

b) Cifras corregidas de acuerdo con las definiciones adoptadas en 1961 y 1974.

c) Al corregir la omisión censal la tasa de crecimiento será igual 3.98.

b.— Las ciudades mayores de 10.000 habitantes en 1970.

Desde un punto de vista cuantitativo el proceso de urbanización se puede ver desde dos ángulos.

a) como el crecimiento de la concentración de población en determinados centros, tales como las capitales y/o ciudades principales y;

b) como el crecimiento del número de núcleos urbanos de un determinado tamaño. En el caso de Centroamérica, encontramos que para todos los países, exceptuando a Honduras, existe un único núcleo con más de 100 mil habitantes que ha crecido "desmesuradamente en los últimos 25 años: este núcleo urbano lo constituye la capital (y/0 Area Metropolitana) de cada país. En el caso de El Salvador y Guatemala la capital comprende entre 30 y 35% de la población urbana del país, no así en Nicaragua y Costa Rica donde constituye entre 40 y 55% de la población urbana. En el caso de Honduras, la capital cubre un 33% de la población urbana. Si agregamos el otro núcleo importante con más de 100 mil habitantes sólo alrededor de 1960, y San Pedro de tamento de Cortés, encontramos que más del 50% de la población urbana reside en estas dos ciudades. Hay que aclarar que Tegucigalpa supera los 100 habitantes sólo alrededor de 1960, y San Pedro de Sula alrededor de 1970. El crecimiento acelerado de estos centros urbanos se destaca cuando vemos que su población se ha triplicado o cuadruplicado en las últimas dos décadas, superando ampliamente el crecimiento natural de la población siendo alimentada, además, por importantes corrientes migratorias que tienen como origen inmediato, en gran parte, ciudades y poblados de tamaño intermedio, como veremos más adelante.

En lo que se refiere a la multiplicación de centros urbanos, encontramos que el número de ciudades con más de 10.000 habitantes en 1950 era apenas de 30 para todo Centroamérica, repartiéndose por países de la siguiente manera: 8 en El Salvador, 6 en Nicaragua y Costa Rica y 5 en Honduras y Guatemala. En 1960 el número de ciudades con ese límite, pasó a 47 y en 1970 a 70. A nivel de los países los cambios fueron diferentes; así encontramos que Guatemala casi quintuplica el número que tenía en 1950 (de 5 a 23); en el otro extremo, Costa Rica apenas aumenta en 2 el número de ciudades con más de 10 mil habitantes en el período. En los otros países el cambio es menos violento que en Guatemala, sin embargo, en promedio, dicho número se duplica. Por otro lado los centros poblados con más de 20 mil habitantes se triplican en el período pasando de 11 a 29, es decir, que mientras en 1950 constituían 1/3 de las ciudades de 10.000 y más habitantes, en 1970 constituyen alrededor del 40% de dichos centros.

En el cuadro No. 11 podemos apreciar la proporción de población que vive en los centros urbanos antes mencionados; comparando la columna de porcentaje de población que vive en ciudades de más de 10.000 habitantes, con el correspondiente porcentaje de población urbana, encontramos que en Guatemala, en 1950, 2/3 de la población urbana residía en ciudades con menos de 10.000 habitantes; en El Salvador, Honduras y Nicaragua, alrededor de la mitad y en Costa Rica, alrededor de 1/3. En 1970 la situación es más homogénea, ya que en todos los países alrededor de el 30% de la población residía en ciudades menores al límite establecido, con la excepción de Costa Rica donde menos del 25% vive en centros menores. Esto ya nos da un cierto criterio para señalar una situación bien diferente de Costa Rica a los demás países. La concentración de población urbana es, y ha sido, mucha más alta en este país, observación que se hará mucho más clara cuando veamos la ubicación territorial de dichas ciudades.

Para poner en punto nuestra comparación, hemos obtenido la proporción de población que vive en ciudades de más de 20 mil habitantes en otros países fuera del área. Si tomamos en cuenta el porcentaje de población que vive en estas ciudades, en países como Argentina, Chile Uruguay y Venezuela, vemos que éste oscila entre 50 y 60% en

1960*. Notamos entonces que la situación de Centroamérica dista mucho de la observada en estos países suramericanos. El resto de países de América Latina se mantienen en proporciones superiores a las de Centroamérica en el último año, aunque Costa Rica y Nicaragua presentan elevados porcentajes semejantes a los advertidos en México, Colombia y otros.

Comparando el crecimiento de la población de las ciudades que en 1970 tenían más de 10.000 habitantes con el crecimiento del resto de la población urbana, podemos establecer, hasta cierto punto, cómo el crecimiento de los centros poblados mayores se alimentó por los centros urbanos menores. Esto es bastante claro para Guatemala, El Salvador y Honduras en el período 1950-60, y sólo para los dos primeros en el período 1960-70.

El crecimiento de los centros poblados menores está por debajo del crecimiento "natural" (intercensal), lo que implica, si los supuestos se cumplen que parte de la población

CUADRO No. 11

CENTROAMERICA: Crecimiento de la población de las ciudades que en 1970 tenían más de 10.000 habitantes, según países (1950 - 1970)

PAISES	Tasa media Anual de Crecimiento (Por 100)			
	1950	1960	1960	1970
	Ciudades de más de 10.000 habitantes	Resto de Población Urbana	Ciudades de más de 10.000 habitantes	Resto de Población Urbana
Guatemala	4.37	2.51	2.43	1.70
El Salvador	3.76	2.42	4.19	2.90
Honduras	5.05	2.64	5.08	3.23
Nicaragua	4.41	3.07	4.85	3.27
Costa Rica	3.95	4.52	4.42	6.68

FUENTE: CENSOS DE POBLACION.

*) Villa Miguel: América Latina: Algunas consideraciones demográficas del proceso de metropolización, 1900-1960, CELADE, Serie C, No. 112, Santiago de Chile, 1970, pág. 27.

se estaría desplazando hacia centros urbanos mayores. Resulta claro que el crecimiento de las ciudades mayores de 10.000 habitantes es superior al crecimiento de la población urbana total. A esto hay que agregar que el crecimiento de las ciudades capitales es aún superior al crecimiento de los centros mayores tomados en cuenta. Esto no lo podemos afirmar en el caso de Nicaragua, Costa Rica y Honduras en el período 1960-70, donde el crecimiento de la población de las ciudades menores de 10.000 habitantes es también superior al crecimiento intercensal. Esto implica que la migración hacia las ciudades, desde el campo, tiene mucha más importancia que en los otros países, como ya hemos visto al comparar el crecimiento total de la población con el crecimiento urbano.

El último aspecto que nos interesa señalar es la ubicación de las ciudades con más de 10.000 habitantes en 1970.

En el caso de Guatemala encontramos que, de acuerdo con la división geográfica "tradicional", habrían 6 ciudades en el CENTRO, 4 en el SUR, 7 en OCCIDENTE, 2 en el NORTE y 4 en ORIENTE. Sin embargo, si tomamos en cuenta los "ESPACIOS-PROGRAMAS", diseñados por Luis. Arturo del Valle, encontramos que 11 ciudades con más de 10 mil habitantes (incluyendo la capital con 717.322 habitantes) se encuentran en el Espacio "B", ALTIPLANO OCCIDENTAL; en el espacio "A", COSTA SUR, se encuentran otras 6 ciudades y 2 en el Espacio "D", ZONA REINA O NORTE BAJO.

De tal manera que la mayoría de las ciudades de Guatemala se ubican en el Altiplano y la costa Sur, 17 de las 23; no es casual que estas zonas sean las más dinámicas, ya que en ellas se produce principalmente el café, el algodón, la caña de azúcar y el ganado, los productos más importantes de las exportaciones.

Por la conformación geográfica de El Salvador se dificulta establecer regiones definidas en términos de unidades administrativas mayores. Por eso tratamos de establecer tres regiones, independientemente de los departamentos: primero, una región central que comprende la mayoría de tierras aptas para el cultivo de café y donde se localizan tres sub-regiones: centro-occidente, que incluye parte de los departamentos de Santa Ana, Ahuachapán y Sonsonate; centro-centro, que comprende el departamento de San Salvador y parte de San Vicente; y la región centro-oriental, que incluiría las partes altas de Usulután, San Miguel y La Unión. Establecida esta región central se definen las otras dos: por un lado la Costa (del Pacífico) y por otro, los departamentos fronterizos con Honduras. De las 13 ciudades que en 1971 tenían más de 10.000 habitantes, 6 se encuentran a lo largo de la región central (una de ellas es la capital con 518.889 habitantes); las otras se encuentran a lo largo de la costa del Pacífico. En la zona fronteriza con Honduras no existe ningún centro urbano de importancia. Nuevamente encontramos que en las regiones más dinámicas (en este caso café y algodón, principales productos en la región central y costera, respectivamente) se ubica la mayoría de los centros urbanos más importantes.

La situación en Honduras es la siguiente: 5 de las 12 ciudades con más de 10 mil habitantes en 1974, se encuentra en la región norte, zona bananera fundamentalmente; incluye a ciudades como San Pedro Sula con más de 100 mil habitantes. El resto de las ciudades se distribuye así: 3 en el centro, que incluye a la capital, Tegucigalpa, con 270.645 habitantes; 2 en la parte oriental del país, una en el Sur y otra en la región Nor-occidental. De esta forma, las principales concentraciones urbanas están ubicadas en la región bananera y en la zona central. En esta última intervienen elementos de orden histórico: en tiempo de la colonia una era región ganadera (Comayagua) y la otra ciudad administrativa (Tegucigalpa); ambas cumplían funciones complementarias a la actividad minera en esa época.

En el caso de Nicaragua, la ubicación de las ciudades se da en un área mucho más delimitada. De las 14 ciudades con más de 10 mil habitantes 10 se encuentran lo largo de la región del Pacífico, incluyendo la capital, con 384.904 habitantes y otras de las ciudades más importantes, como León y Granada. En la región central norte están sólo 3 ciudades y la última en la región del Atlántico, Blufields, la cabecera del departamento de Zelaya. Respecto a la zona del Pacífico, sólo se puede señalar el hecho de que gran parte de la producción de exportación se desarrolla en dicha zona (cultivo de café, algodón, ganado y caña de azúcar).

Por último, en el caso de Costa Rica, cuatro de las ciudades más importantes se ubican en la meseta central, región cafetalera por excelencia, incluida la capital, con 401.038 hab,. otras dos ciudades se ubican en la región del Atlántico (Limón y Turrialba) y otras dos en la región del Pacífico (Puntarenas y Liberia). Dos de las últimas mencionadas son puertos por donde salen los principales productos de exportación.

Resumiendo las observaciones anteriores encontramos:

a.— la proporción de población urbana, de acuerdo con la definición censal, en 1970, varía entre 30 y 48%, ubicándose los extremos en Honduras y Nicaragua.

b.— Alrededor de un 20% de la población definida como urbana habita en centros menores de 2.000 habitantes. Así mismo 1/3 de la población urbana reside en ciudades menores de 10.000 habitantes.

c.— la Capital (y/o área metropolitana) de cada país cubre entre un 30 y un 55% de la población urbana.

d.— El crecimiento de la población urbana explicado por la migración rural-urbana oscila entre un 14 y un 36%, en la década del 50, ubicándose estos extremos en Costa Rica y Nicaragua, respectivamente. En la década del 60, el crecimiento urbano debido a la migración rural-urbana es de 40 a 53% en el caso de Costa Rica, Nicaragua y Honduras, y menos del 15% en los otros dos países.

e.— El crecimiento de los centros poblados mayores (de 10.000 y más habitantes) estaría explicado, en buena parte por la migración urbana-urbana, es decir, desde centros poblados menores, lo que no quiere decir que la migración rural-urbana deje de tener importancia. Esta situación se da, sobre todo, en el caso de Guatemala, El Salvador, y Honduras, y en menor medida en Nicaragua y Costa Rica.

f.— Por último, la ubicación de los centros poblados mayores se da sobre todo a lo largo de la costa del Pacífico y en el altiplano próximo a éste. La excepción la constituye Honduras, donde existe mayor dispersión de los centros urbanos, aunque existe un cierto grado de concentración en el norte del país. Además la costa del Pacífico de este país es muy reducida en comparación con la de otros países de la región.

ANEXO No. 3

LA MIGRACION ESTACIONAL

Si bien el problema de las migraciones estacionales escapa a los objetivos de la presente investigación, una referencia a él resulta indispensable para la mejor comprensión de las migraciones permanentes, es decir, que implican cambios de residencia.

Las implicaciones mutuas entre la migración estacional y la migración definitiva pueden establecerse desde un punto de vista doble. Por una parte, cuando existe una actividad productiva que necesita mano de obra estacional en forma significativa, la región en que esta actividad está implantada tiende a convertirse en una zona de emigración (en términos definitivos). Dicha actividad productiva no ofrece oportunidades estables de empleo a la fuerza de trabajo de la localidad correspondiente, demandando en períodos cortos una mano de obra que se desplaza temporalmente desde otros lugares. De allí que regiones de desarrollo cafetalero, algodonero y azucarero sean frecuentemente regiones de expulsión de población.

Por otra parte, el efecto de la migración estacional en las regiones proveedoras de fuerza de trabajo estacional es inverso, tiende a amortiguar la emigración o incluso a retener la fuerza de trabajo en dicha región. La razón radica en que estas regiones abastecedoras de fuerza de trabajo estacional son por lo general regiones en donde prima una economía de usufructo, el pequeño campesino que allí trabaja la mayor parte del año, complementa su ingreso con el trabajo estacional en otra localidad. Ahora bien, si la estructura de usufructo presenta tendencias expulsoras, como frecuentemente acontece por diversas razones, la posibilidad de complementación del ingreso opera en términos de retener al campesino a la parcela familiar. Esta migración desahoga la situación de estrechez en que vive. La fuerza de trabajo permanece, entonces, subutilizada en la pequeña propiedad, siendo ocupada intensivamente durante un período corto en la gran propiedad cafetalera, cañera o algodonera.

Esta es una de las bases de articulaciones y complementación de los dos elementos que componen el complejo estructural formado por el latifundio y el minifundio. El papel que desempeña este complejo articulado respecto de la capacidad de absorción de fuerza de trabajo es importantísimo. De allí que sea preciso emprender una aproximación y una medición tentativa del fenómeno de la migración estacional, que tiene efectos sea de expulsión de población (en las zonas de destino de las migraciones estacionales), sea de retención de población (en las zonas proveedoras de trabajadores temporales).

A partir de 1945, en Centroamérica, se inicia un proceso de incorporación de tecnología en la agricultura, primero en el café, más tarde en el algodón y la caña de azucar, proceso que se ha venido a acentuar en los últimos 15 años (a partir de 1960).

Este proceso lógicamente no ha sido simultáneo ni ha causado los mismos impactos en cada uno de los países que conforman la región. En el caso del café y el algodón. El Salvador ha tomado la delantera obteniendo elevados rendimientos por hectárea cultivada.

La tecnología incorporada en el caso del café consiste en un primer momento, en la aplicación de fertilizantes químicos lo cual aumenta los rendimientos por hectárea y desplaza, en gran parte, la actividad denominada de "peleas" que era realizada por un número importante de trabajadores. Luego —al mismo tiempo quizás— se incorporan los herbicidas, compuestos químicos que eliminan las malezas que crecen principalmente en la época lluviosa. Esto provocó la casi desaparición de la deshierba, para la que se necesitaban una cantidad considerable de peones. La aplicación de fertilizantes y herbicidas se generaliza a partir de los últimos años de la década del 50 con lo que los rendimientos tendieron a aumentar sobre todo en los países donde la producción cafetalera es y ha sido importante como El Salvador, donde los rendimientos por hectárea en 1945 eran de 524 kilos. En 1957 se alcanzan 765 kilos. Señalábamos que otros países productores de café de fuerza de la región, como Brasil, Colombia, etc. tenían rendimientos (en 1975) entre 350 y 450 kilos por hectárea. En el caso de Nicaragua durante el mismo período los rendimientos tendieron a decrecer.

El hecho es que hacia 1960 los rendimientos de café, kilos por hectárea, en los países centroamericanos eran los siguientes:

El Salvador	765 kilos por hectárea
Costa Rica	600 kilos por hectárea
Guatemala	500 kilos por hectárea
Nicaragua	310 kilos por hectárea
Honduras	327 kilos por hectárea (*)

A partir de 1960 los rendimientos han aumentado notablemente en todos los países debido principalmente al relegamiento del café variedad arábigo que ha sido desplazado por otros tipos más pequeños como el caturra, que por su tamaño puede ocupar una superficie equivalente a la mitad de la que ocupaba el arábigo. Así existen algunas plantaciones en que el número de cafetos ha pasado de 1000 ó 2000 en 1960 a alrededor de 2.500 ó 3.000 arbustos por manzana en 1975. De esta forma, el rendimiento por hectárea en Centroamérica en 1969 era de 604 kilos, cuando en 1960 era de un poco más de 500 kilos.

A esto hay que agregar el hecho de que también en casi todos los países se ha incrementado la superficie dedicada al cultivo del café, incluso más que duplicado en algunos casos (*).

La necesidad de mano de obra en el proceso anual de producción de café es diferente según sea permanente o estacional, siendo esta última principal y fundamentalmente la fuerza de trabajo necesaria en la cosecha. Encontramos que los efectos del desarrollo tecnológico en la necesidad de mano de obra por hectárea han sido los siguientes:

---

*) Monteforte Toledo, Mario: Centro América: Subdesarrollo y Desarrollo y Dependencia, UNAM, Pág. 243-245.

Elementos	Sustituye Mano de obra	Aumento de Necesidad Absoluta de Mano de obra	Aumento Necesidad Relativa de Mano de Obra
Fertilizante	Permanente	Estacional	Estacional
Herbicidad	Permanente		Estacional
Nuevas variedades		Estacional y Permanente	Estacional
Nuevas Areas Cultivadas		Estacional y Permanente	Estacional

*) Ultimamente se está incorporando un compuesto químico que hace que el fruto del café madure en forma pareja, de tal forma que se evitará que las pasadas de corte fuesen mas de dos, (han sido 3 ó más) reduciéndose más aún el período de recolección.

Las necesidades de mano de obra por manzana para el café en tres de los países centroamericanos (alrededor de 1960) es la siguiente:

PAISES	Días Hombres requeridos por Manzana		% de requerimiento en la cosecha
	Total	para la Cosecha	
El Salvador	169.5	93.8	55.3
Nicaragua	160.0	92.0	57.5
Costa Rica	130.0	—	—

FUENTE: CEPAL, FAO, OIT, etc.: Tenencia de la Tierra y Desarrollo Rural en Centroamérica, EDUCA, San José, 1973, pág 172, 173, 174.

Las cifras anteriores son una muestra elocuente de lo que hemos afirmado con anterioridad. Es muy probable que en la actualidad el porcentaje de requerimientos de mano de obra para la cosecha sea un poco más alto.

En el caso del algodón (y la caña de azúcar) se ha dado un fenómeno similar al descrito para el café, sólo que en este caso —por las características naturales del algodón—

la incorporación de medios mecánicos ha sido más fuerte, Además la producción ha crecido aceleradamente, sobre todo entre 1945 y 1960, en El Salvador, Nicaragua y Guatemala, y en cierta medida en Honduras. En algunos de estos países la producción creció más de 10 veces, lo que hace que la evolución de este cultivo sea cualitativamente diferente a la evolución del cultivo del café.

El principal elemento que ha influido en un aumento absoluto de necesidades de mano de obra, tanto permanente como estacional, es el incremento acelerado de incorporación de nuevas tierras al cultivo del algodón, aumentando la superficie cosechada en El Salvador y en Nicaragua entre 1945 y 1957 en unas tres veces. Sin embargo también se ha dado un aumento considerable en los rendimientos por manzana (cerca de tres veces), debido al uso de fertilizantes. Esto ha redundado en un aumento de las necesidades de fuerza de trabajo en la época de cosecha.

La mecanización en el cultivo del algodón se ha dado en etapas previas a la cosecha, alternándose los patrones de ocupación de fuerza de trabajo. También el uso de herbicidas ha disminuido las necesidades relativas de mano de obra permanente.

Construyendo un cuadro resumen similar al elaborado para el café, tenemos lo siguiente:

Elementos	Sustituye Mano de obra	Aumento en la Necesidad de Mano de obra	
		Absoluto	Relativo
Nuevas Areas		Estacional y Permanente	Estacional
Fertilizantes	Permanente	Estacional	Estacional
Herbicidas	Permanente		Estacional
Mecanización	Permanente	Estacional	Estacional

Igual que en el café, el mayor impacto del aumento en las necesidades de mano de obra es de carácter estacional. En el caso de la caña de azúcar es altamente probable que se haya dado el mismo fenómeno pero con menor intensidad y en años posteriores a los últimos de la década del 50. Así mismo en el algodón los rendimientos han continuado aumentando pero de forma menos espectacular que entre 1950 y 1960 aunque sigue siendo acelerado.

Las necesidades estacionales de mano de obra en la cosecha de algodón también superan el 50% de las necesidades totales, aunque el número de días hombre necesarios es bastante menor que en el caso del café (98,72 y 121 días hombre al año en El Salvador, Nicaragua y Costa Rica, respectivamente). Es importante señalar que en el Salvador las necesidades de mano de obra en la cosecha supera el 88% del total.

En el caso de la Caña de Azúcar los resultados son más o menos los mismos (100 - 115 días - hombres necesarios al año). En otros productos menos importantes de exportación, la situación es bastante similar.

La cosecha de todos estos productos se realiza entre los meses de octubre y marzo, concentrándose principalmente entre los meses de noviembre y enero.

Observando los gráficos 1 y 2, en los que se presentan el volúmen del empleo agrícola en cada mes del año, aunque sólo contamos con información para Nicaragua y El Salvador, el comportamiento observado puede ampliarse para todos los países de Centroamérica. La ilustración es bastante elocuente. Las necesidades de mano de obra de los cultivos de exportación concentran el mayor requerimiento en la época de cosecha, como ya lo habíamos observado.

Se hacía necesario realizar los comentarios anteriores para poder entrar al tema que ahora nos preocupa, debido a que el carácter estacional de la actividad agrícola es uno de los factores que intervienen en la mantención de la relación existente entre la concentración y subdivisión de la tierra, por lo menos en una de sus formas manifiestas, ya que gran parte de la fuerza de trabajo estacional, durante la mayor parte del año permanece ligada a la tierra en el cuidado de las pequeñas parcelas.

La cuantificación e investigación del desplazamiento de la fuerza de trabajo durante la época de cosecha, hasta ahora ha sido muy poco estudiada. Sin embargo existen algunos estudios —en los que nos basaremos— que intentan un acercamiento al problema. En los últimos años, por las razones expuestas, este tipo de desplazamiento ha empezado a preocupar a los sectores dominantes —gobierno, diarios, cafetaleros algodoneros, etc.— en el sentido de que cada año la escasez de brazos en la época de cosecha es más notoria, perdiéndose una proporción importante de la producción en algunos cultivos como el algodón donde se pierde alrededor del 5% cada año.

Primero veamos el caso de Guatemala; de acuerdo con las estimaciones de Lester Schmid, el número de trabajadores estacionales en tres de los principales cultivos de exportación, en el año 1965-66, oscilaría entre 302, 500 y 408 mil personas (*)

CUADRO No. 1

GUATEMALA: Estimaciones del número de trabajadores Estacionales entre cultivos, 1965-1966

CULTIVO	Número de Trabajadores Máximo	
	Mínimo	Máximo
TOTAL 1)	302.500	408.000
Café	167.000	237.000
Algodón	118.000	150.000
Caña de Azúcar	17.500	21.000

1) El total no toma en cuenta el número de trabajadores empleados en más de un tipo de finca, ya que no se conoce.
FUENTE: Scmid, Lester: op. cit. pág. 27.

Los desplazamientos mano de obra estacional se dan como una gran avalancha que baja desde el altiplano hacia la faja costera donde se encuentra la mayoría de los plantíos de café, algodón y caña de azúcar. El mismo autor citado señala que los departamentos de origen de los trabajadores estacionales son: Huehutenango, Quiché, Baja Verapaz, Totonicapá, Chimaltenango, Chiquimula, Jalapa y la parte norte de Quezaltenango, Suchitepéquez, Chimaltenango, Santa Rosa y Jutiapa. Es decir que de los 22 departamentos, 12 estarían señalados como el lugar de origen de los migrantes, todos los cuales forman una faja que atraviesa el país de Nor-

*) Schmid, Lester: Trabajadores migratorios y desarrollo económico IIES, Universidad de San Carlos de Guatemala, 1973, pág. 27.

Oeste a Sur-Este, quedando ubicados en la zona más montañosa del país: el altiplano.

En el Salvador no contamos con estimaciones por cultivo, es más, no contamos con una estimación del número de migrantes temporales. Por esto nosotros elaboraremos nuestros propios datos en base a la información sobre el volúmen del empleo por mes y por departamento, proporcionada por el Ministerio de Agricultura y Ganadería de El Salvador en su informe: El empleo agropecuario en El Salvador, II, Elementos Estadísticos para el Análisis del Empleo Agrícola, San Salvador, enero 1975.

De los resultados del cuadro No. 2 podemos inferir que existen —durante la época de cosecha de los principales productos de exportación— departamentos de atracción de mano de obra, hacia donde se dirigen principalmente las corrientes migratorias estacionales. Estos departamentos serían Ahuachapán y Santa Ana en el occidente, y San Vicente, Usulután y San Miguel en la parte centro-oriental. Otro departamento de atracción de mano de obra parece ser Chalatenango, lo que puede explicarse por ser un área de importante producción de granos básicos, además de existir allí algunas áreas cultivadas con café; sin embargo creemos que habría que profundizar un poco más en este departamento para explicar esta situación.

Los principales departamentos que aportarían mano de obra durante la época de cosecha, en orden de importancia serían: San Salvador, Morazán, Sonsonate, Cuscatlán, La Paz y Cabañas; en mucho menor importancia La Libertad y La Unión. Es probable que la mayor parte de las corrientes migratorias estacionales tengan, principalmente, los siguientes puntos de origen y de destino:

ORIGEN	**DESTINO**
San Salvador	Santa Ana y Ahuachapán
Sonsonate	Santa Ana y Ahuachapán
Cuscatlán	Santa Ana y Ahuachapán
Morazán	Usulután y San Miguel
La Paz y Cabañas	Usulután y San Miguel

Cabe aclarar que estas observaciones las hacemos en base a datos de la PEA rural (y no agrícola) como año/hombre disponibles y necesidades mensuales de fuerza de trabajo. Dependiendo del tipo de cultivo y de las condiciones climáticas en cada departamento (donde se produce café, algodón y/o caña de azúcar), encontramos que las necesidades de mano de obra durante la época de cosecha se han concentrado en períodos más cortos (posiblemente menores que un mes) lo cual implica que el número de hombres necesarios aumentó. Este significaría que si un hombre trabajara durante un mes, recolectaría una cantidad de producto determinado, pero como se necesita cortar los productos en un cierto grado de maduración, entonces en vez de necesitarse un hombre al mes, se necesitarán dos hombres en 15 días para recolectar la misma cantidad de producto. De acuerdo con lo anterior, las necesidades de hombres durante la época de cosecha pueden ser más elevadas que lo estimado en el cuadro 2, por lo que tales cifras deben tomarse con esta limitación.

En el caso de Honduras tampoco contamos con información apropiada. Sin embargo podemos usar algunos datos indirectos que nos dan cuenta de los desplazamientos estacionales de fuerza de trabajo.

Como ya lo hemos hecho notar, en el caso de Centroamérica, las necesidades máximo de mano de obra se dan durante la época de cosecha de productos como el café, el algodón y la caña de azúcar. En el caso de Honduras encontramos la misma situación.

> "Durante los meses que van de septiembre a diciembre, estos campesinos ("ocupantes", asentados en tierras privadas, pero sin títulos) se dedican a la cosecha de primera y, durante enero o marzo, dejan la cosecha de segunda en manos de mujeres y ancianos y salen, a veces hasta con sus hijos, hacia las fincas de café, algodón, caña de azúcar o de otros productos" [1]).

Además, el mismo autor, citando a Murga Frassinetti, toma el caso de los cortadores de café y nos dice: "a) Que la mayoría de esos trabajadores provenían de las zonas más

---

1) Del Cid V., José Rafael: Reforma Agraria y Capitalismo dependiente Tesis de Grado, Facultad de Ciencias Sociales. Universidad de Costa Rica, diciembre 1975, pág. 84.

atrasadas del país; eso a su vez implica la existencia de una alta migración (estacional, diríamos nosotros rural) b) Que dicha población era bastante joven... c) Varios indicadores como la frecuencia de veces trabajada en tales actividades, el tamaño de sus parcelas, la ocupación anterior de sus padres, etc., evidenciaban un proceso de deterioro de la economía campesina y una necesidad cada vez mayor de acudir

CUADRO No. 2

EL SALVADOR: Mano de obra disponible y requerimientos mínimos y máximos en el año 1971

Años/hombre Activos

		Necesarios		Diferencia	
	Dispo_ nibles (PEA rural) (a)	Mínimo (b)	Máximo (c)	Máximo (a)_(b)	Mínima (a)_(b)
TOTAL	782.920	123.336	——	659.584	——
Ahuachapán	51.604	8.580	52.331*)	43.024	727
Santa Ana	73.515	15.906	86.599*)	57.609	-13.084
Sonsonate	52.901	12.352	41.448**)	40.549	+17.453
Chalatenango	47.131	7.897	48.195*)	39.234	- 1.064
La Libertad	67.889	14.484	66.947*)	53.405	+ 942
San Salvador	56.857	7.549	26.114*)	49.308	+30.743
Cuscatlán	39.820	2.967	31.430*)	36.853	+ 8.390
La Paz	43.940	6.184	37.216**)	37.765	+ 6.733
Cabañas	39.347	3.171	33.366*)	36.176	- 5.981
San Vicente	40.446	6.883	40.476**)	33.563	- 30
Usulután	74.624	11.161	80.576**)	63.463	- 5.952
San Miguel	80.664	12.796	85.097**)	67.868	- 4.433
Morazán	52.040	6.292	36.240*)	45.748	+15.800
La Unión	62.133	7.165	61.306**)	54.968	- 827

*) Noviembre.
**) Diciembre.
b) Marzo.

FUENTE: Ministerio de Agricultura y Ganadería: Op. Cit. Cuadro No. 72.

al trabajo estacional d) que tal alternabilidad, trabajo/agricultura de subsistencia, va adquiriendo un carácter de transitoriedad constante..."

Creemos que estos elementos son suficientes para establecer dos cosas: a) la importancia del desplazamiento de la fuerza de trabajo en forma estacional y b) los posibles puntos de origen y destino de estas corrientes. Lo primero queda evidenciado en los párrafos citados; lo segundo, lo podemos deducir, teniendo en cuenta cuales son los principales departamentos productores de café, algodón y caña de azúcar, y cuáles son los departamentos de las zonas más "atrasadas del país".

ORIGEN	DESTINO
Copán	
Ocotepeque	Santa Bárbara
Lempira	
Intibucá	
La Paz	
El Paraíso	Valle y Choluteca

Es muy posible que existan otros departamentos de atracción "estacional", pero, considerando que Santa Bárbara es el principal productor de café, y Choluteca y Valle los principales productores de algodón, estos departamentos serían los principales focos de atracción.

Por otra parte, los departamentos que se encuentran en una de las zonas más atrasadas del país, son los que se ubican a lo largo de la frontera con El Salvador; más adelante veremos que de acuerdo con los indicadores manejados, estos departamentos presentan características similares y con una estructura predominante de "usufructo".

Pasando ahora a ver el caso de Nicaragua, encontramos que se han hecho algunas estimaciones del número de personas que se desplazan durante la época de cosecha de algodón, café y caña de azúcar.

CUADRO No. 3

NICARAGUA: Disponibilidad y requerimientos de mano de obra en diciembre por departamentos 1970

(Miles de trabajadores)

Departamentos	Disponibi-lidad Local	Requeri-mientos	Excedente o Déficit
Región del Pac*fico	131	152	-21
Carazo	12	12	—
Chinandega	28	49	-21
Granada	8	8	—
León	30	39	- 9
Managua	24	26	- 2
Masaya	14	9	† 5
Rivas	15	9	† 6
Región Centro-Norte	161	126	†35
Boaco	18	16	† 2
Chontales	18	17	† 1
Estelí	17	9	† 8
Jinotega	28	23	† 5
Madriz	15	8	† 7
Matagalpa	46	42	† 4
Nueva Segovia	19	11	† 8
Región de Alántico	43	20	†23
R*o San Juan	6	5	† 1
Zelaya	38	15	†22

FUENTE: PREALAC, OIT: Situación y Perspectivas del empleo de Nicaragua, Tomo II; Santiago Chile, Octubre 1973. Cuadro VII - 2.

Para el año 1962 se hizo una estimación de que unas 150.000 personas se habían desplazado con motivo de las cosechas de algodón, café y caña de azúcar. (*) durante el mes de diciembre.

---

*) Porras, Nemesio: Tenencia de la Tierra de Nicaragua, citado pág. 6.
Velázquez C. Anita: Trabajadores migratorios y el proceso de desintegración de la familia campesina en Nicaragua; mimeografiado, Mayo 1975, pág. 1.

Más adelante, en el mismo trabajo encontramos que para 1966, se estimaba que el algodón necesitaba 15.000 trabajadores permanentes y 135.000 para la época de cosechas.

Recientes declaraciones (en 1975) del presidente de la Comisión Nacional del algodón de Nicaragua (CONAL) expresan que el número de trabajadores necesarios para la cosecha oscila entre 200 y 250.000.

Por otra parte, de acuerdo con el gráfico, las necesidades máximas de mano de obras se dan en dos meses del año, agosto y diciembre. Dichas necesidades alcanzan alrededor de 320.000 personas. El mes de agosto coincide con la primera cosecha de granos básicos, la más importante en la producción para el mercado interno, y diciembre coincide con la cosecha de café, algodón y caña de azúcar, principales productos de exportación. Según el censo de población de 1971, el número de personas en la actividad "agricultura, silvicultura y pesca" era de 234 mil personas. Esto nos lleva a pensar que durante las épocas de cosecha no sólo se incorporan los trabajadores agrícolas, "propiamente" dichos, sino también sus mujeres y niños, además de importantes sectores urbanos, sobre todo de los denominados "barrios marginales" donde se ubican gran parte de los trabajadores del sector "servicios".

De acuerdo con la distribución espacial de la Población Económicamente Activa Agrícola, que se distribuye en un 50% en la región del Pacífico y el resto en el Centro-Norte y el Atlántico, y considerando que la mayor parte de los productos de exportación se cultivan en la primera, pensamos que se desplazan entre 150 y 200 mil personas durante la cosecha, que en parte provienen de la región central-norte y en parte provienen de intercambios entre los departamentos mismos de la región del Pacífico. Posiblemente el número de trabajadores que se desplazan de su lugar de residencia habitual en el momento de la cosecha, supera lo estimado ya que lo hacemos a nivel de grandes regiones y no de unidades administrativas mayores, que es donde se centra nuestra investigación. Sin embargo, de acuerdo con el Cuadro 3, existirían tres departamentos en la región del Pacífico que necesitan mano de otros departamentos, sobre todo en el momento de la cosecha; estos son Chinandega, León y Managua. Otros departamentos como Masaya y Nueva Segovia en la región Centro-Norte, tienen excedente importantes de mano de obra, los que obviamente serían los complementos de los departamentos en los que existe déficit. Se ve entonces, hasta cierto punto, cómo se dan los desplazamientos estacionales de fuerza de trabajo y el comportamiento regional de los mismos.

Por último, en el caso de Costa Rica, la información que se tiene es mucho menos precisa que en el resto de los países. Sin embargo existen algunos elementos que nos pueden dar una idea acerca del volumen de la migración estacional y el momento y región donde se da principalmente.

En la región denominada la Meseta o Valle Intermontano, se ubica la mayor parte de la superficie cosechada de uno de los principales productos de exportación: el café, además de superficies importantes de caña de azúcar, como también hortalizas, granos básicos, etc. El café, y en cierta medida la caña de azúcar, generan la actividad estacional más importante —principalmente en los meses de noviembre y enero— demandando enormes contingentes de mano de obra en la época de cosecha.

De acuerdo con estimaciones de PREALC (1), en la Meseta Central existía en 1963 un excedente 'teórico" de 22.000 puestos de trabajo, donde se concentraba el 63% de la fuerza de trabajo agropecuario, (alrededor de 120.000 personas) resultando la más alta tasa de desempleo respecto a las otras regiones. Sin embargo en épocas de corte se necesitaban unos seis millones de días hombres, lo que equivale a un número entre 140 y 180 mil años hombres trabajando durante los dos meses principales de la cosecha.

Si la mano de obra disponible es de 120 mil trabajadores, resulta que durante la época de cosecha se necesitaban además entre 20 y 60 mil trabajadores para lograr la recolección del grano de oro. Pensamos que estas cifras se mantienen vigentes para los años posteriores a 1970, debido a que durante las épocas de cosechas es corriente ver y escuchar en los medios informativos el problema de "falta" de mano de obra para la cosecha, además de ciertas me-

---

1) PREALC, OIT: Situación y Perspectivas del Empleo en Costa Rica, Ginebra 1972, págs. 104, 105 y 109.

didas como la conclusión prematura del año escolar, a fin de que los niños puedan ayudar a recolectar el grano. Además de la participación de los niños, es notoria la participación de la mujer que el resto del año reside en la ciudad ligada al sector "servicios" sobre todo en lo que se denomina "oficios domésticos"; con esto no queremos afirmar que otros sectores urbanos no se incorporen a la recolecta del café, lo más probable es que así suceda, sobretodo tomando en cuenta que la mayoría de la población urbana se concentra en esta región.

En el caso de Costa Rica la migración estacional, por lo tanto, tiene un carácter distinto a lo observado en el resto de los países del área, debido a que se da fundamentalmente dentro de una región, donde se encuentra la mayoría y las mejores vías de comunicación (carreteras, caminos, etc.) que permiten un desplazamiento rápido de la fuerza de trabajo, aún haciendo posible en algunos casos a los cortadores regresar cada día al lugar de residencia habitual.

Por otro lado también encontramos afirmaciones como la siguiente "una mirada (atenta a la Tabla III 68) revelaría que en aquellas regiones con más altos niveles de desempleo, es así mismo probable una mayor emigración laboral estacional, mientras que en las de menor desempleo, es también probable una menor emigración temporal para el trabajo (*)

Intentando resumir algunas características general de los desplazamientos estacionales en los países centroamericanos, encontramos que:

a) el carácter estacional de la actividad agrícola de exportación provoca desplazamientos temporales sobre todo dentro de las áreas rurales.

b) dicha característica, en algunos de los cultivos tiende a agudizarse con la incorporación de tecnología ahorradora de fuerza de trabajo permanente, por un lado, y por

---

*) DINADECO, AITEC: ESTUDIO DE TIPOLOGIA DE COMUNIDADES, Tomo II, San José, 1973, pág. 95.

otro, aumenta las necesidades absolutas y relativas de fuerza de trabajo estacional (para la cosecha).

c) los desplazamientos, en Guatemala, El Salvador y Nicaragua (levemente en Honduras y Costa Rica), se dan fundamentalmente desde las regiones altas (generalmente centrales), donde se ubica especialmente el café hacia la zona del Pacífico, donde se ubica el algodón y la caña de azúcar.

d) en el Salvador y Nicaragua, y en parte en Costa Rica, durante la época de la cosecha se desplazan importantes contingentes urbanos desde los denominados barrios marginales. Esta situación es más notoria en las ciudades de San Salvador y Managua, capitales de El Salvador y Nicaragua, respectivamente.

e) la utilización de fuerza de trabajo femenina y de niños en labores agropecuarios se generalizan en la época de recolección de los productos de exportación, sea participando directamente en la cosecha, sea cuidando los cultivos de las parcelas familiares.

f) por último, cosa que no fue expuesta anteriormente. también se dan desplazamientos de fuerza de trabajo entre países de manera temporal, sobre todo entre Guatemala, El Salvador y Honduras. Ultimamente es notorio el intercambio entre Salvador y Nicaragua. Sobre este aspecto, los únicos elementos de información confiables los constituyen los diarios, donde algunas veces se denuncia la llegada ilegal de cortadores de los países vecinos, generalmente con el objeto de bajar el salario a los nacionales.

ANEXO No. 4

PROYECTO SOBRE "POBLACION, DESARROLLO RURAL Y MIGRACIONES INTERNAS EN CENTROAMERICA"

Los movimientos internos de población, tanto los que se dirigen a las ciudades capitales como los que envuelven desplazamientos entre áreas rurales, tienen en los países centroamericanos un papel importante dentro del proceso de cambio económico y social, tanto a nivel nacional como a nivel regional. Se reconoce ampliamente que los movimientos migratorios son una consecuencia directa y acompañan al proceso de cambio socio-económico y están ligados claramente a los sistemas de tenencia y uso de la tierra, de modernización de la actividad productiva, etc.; se acepta también que las migraciones influyen a su vez, en forma variada, tanto en la dinámica como en las características del proceso de cambio, dependiendo de las condiciones ecológicas, demográficas y socioeconómicas y de la coyuntura histórica que se vive en el país o algunas de sus regiones internas.

Esta conciencia de la especial relevancia que reviste el fenómeno migratorio ha hecho que en las reuniones internacionales se haya señalado repetidas veces la necesidad y utilidad, científica y práctica, de su estudio; y que esta inquietud haya quedado patente en los informes de esas reuniones. Así por ejemplo, el "grupo" de trabajo sobre asistencia en el campo de la población, integrado por BID, CELADE, CEPAL, ODECA, OIT, OPS, PNUD Y SIECA, tanto en la reunión de San José de Costa Rica, el 7 y 8 de setiembre de 1970, como en la celebrada en El Salvador, el 15 y 16 de abril de 1971, subrayó la importancia de realizar estudios sobre migración interna y recursos humanos, tema este tan íntimamente ligado al del fenómeno migratorio. En el mismo sentido, la Comisión Internacional de Coordinación de Investigaciones Nacionales en Demografía (CICRED) que coordina las actividades de investigación para el Año Mundial de la Población en 1974, asignó en su reunión de Lyon (Francia) en el año 1971, prioridad al tema: "Aspectos Demográficos de la Urbanización y de las Migraciones Internas" ningún momento ha dejado de percibir la importancia y pertinencia del estudio de la dinámica de la población rural y de los movimientos migratorios dentro de sus investigaciones de la realidad centroamericana y por ello ha preparado el presente proyecto. Conviene notar que conforme a sus normas constitutivas, el Programa busca con este estudio, no sólo contribuir al desarrollo de las disciplinas sociales en la región, sino también en alguna manera proporcionar elementos para el conocimiento y cambio planificado de las sociedades centroamericanas.

4.1—**Justificación**

Por ser muy evidente la importancia que tienen los estudios de migración interna y de dinámica demográfica en los países centroamericanos, tanto desde el punto de vista científico como desde el práctico, no parece necesario insistir demasiado sobre el particular; resulta pertinente, sin embargo, resaltar algunas de las razones que justifican especialmente el presente proyecto de investigación.

En todos los países de la región se ha levantado regularmente censos de población en las últimas décadas y censos agropecuarios e industriales, encuestas demográficas, así como algunos otros estudios sobre temas similares relacionados directa o indirectamente con el fenómeno migratorio. No obstante el volumen de información recogido y los intentos de investigar las corrientes migratorias, cualquier observador entrenado puede concluir que han existido muy serios obstáculos para que el estudio de las migraciones ocupe el lugar que merece, no sólo en el campo de la investigación, sino también en el de la planificación regional y nacional: el número de estudio es limitado y generalmente de naturaleza descriptiva, la información se encuentra dispersa y subutilizada, y prácticamente la migración es una variable ignorada cuando se diseñan los planes de desarrollo y mejoramiento social y económico del área centroamericana.

Varios factores contribuyen a la situación descrita, pero los principales parecen ser los mismos citados por Elizaga en relación con América Latina: (1)

a.— Falta de un sistema coherente y satisfactorio de definiciones operacionales dirigido a medir el fenómeno migratorio(por ejemplo, en el mismo sentido que se mide la fecundidad), comprendiendo: unidad de medición, variables intervinientes, indicadores sintéticos (tasas, etc.).

b.— Datos disponibles inadecuados (censos, estadísticas vitales) para poder estudiar el fenómeno utilizando un sistema de definiciones como el indicado en a), y menos aún.

c.— Falta de una teoría comprehensiva o marco de referencia sistemático; orientar, organizar y evaluar las investigaciones.

El presente estudio se justifica plenamente a la luz de las limitaciones citadas, por estar orientado a superarlas especialmente en cuanto a los puntos b) y c). Además busca estimular el análisis integral de la migración interna dentro del contexto del cambio económico y social de los países del área y algunas regiones de los mismos. Esto es especialmente importante por el hecho de que tanto los demógrafos como los sociólogos del área centroamericana no han prestado tanto interés a la migración como a otros fenómenos; y además, porque los análisis realizados carecen en su mayoría de un enfoque integral.

Finalmente, debe señalarse que otra característica que justifica ampliamente el proyecto es el de tratarse de un estudio comparativo interpaíses y regiones, lo cual agrega valor a los resultados y aumenta la posibilidad de su uso con fines de planificación nacional y regional.

---

1) Elizaga, Juan C. Migraciones Interiores, Evolución reciente y estado actual de los estudios. Conferencias Regional Latinoamericana de Población, México, 1970, Actas 1, p. 478.

4.2.— Objetivos Generales

Los objetivos generales que se le han fijado al estudio derivan básicamente de los problemas y necesidades comentados en el punto II. Pueden resumirse así:

a.— Recoger, organizar y utilizar los datos obtenidos en censos, encuestas y estudios sobre temas afines en Centroamérica.

b.— Estimular el surgimiento de una tradición de análisis demográfico y sociológico en la región, con la utilización de esquemas modernos que puedan contribuir a un mejor conocimiento de la dinámica de la población y de las corrientes migratorias, dentro de un enfoque integral del cambio social.

c.— Contribuir a que los organismos de planificación —y especialmente los encargados del desarrollo rural— manejen, no sólo una serie de informaciones básicas o generales sobre los movimientos de población del agro, sino también un determinado modelo que encuadre y explique sistemáticamente la dinámica y dirección de los mismos. Se considera que solamente podrán los organismos de planificación enfrentarse en forma efectiva a los problemas agrarios, en la medida en que tengan a mano estudios que precisen los determinantes principales de los movimientos migratorios.

4.3.—Objetivos Específicos

Con el propósito de lograr los objetivos antes citados, el proyecto se propone las siguientes metas específicas:

a.— Recoger, evaluar y organizar la información censal y de otras fuentes para cada uno de los países centroamericanos, la que en muchos casos se encuentra dispersa o inédita.

b.— Analizar, con base en las cifras censales, tanto el volumen como la dirección de las corrientes migratorias y confeccionar un "mapa migratorio" para cada país.

c.— Describir y analizar las características principales de los inmigrantes a las ciudades capitales y a las otras zonas urbanas y especialmente los de las zonas rurales, utilizando cifras censales.

d.— Examinar, a través de técnicas de regresión, múltiple, las posibles interelaciones entre variables asociadas en particular a los movimientos migratorios rurales, utilizando como unidades de análisis los municipios o departamentos.

e.— Analizar los factores determinantes y las consecuencias de los fenómenos migratorios en un grupo de regiones agropecuarios seleccionadas en cada uno de los países, empleando el enfoque histórico-estructural, y haciendo uso de toda la información secundaria disponible.

f.— Intentar una interpretación global del proceso migratorio en Centroamérica y proponer un conjunto de hipótesis que resuma esa interpretación para futuras investigaciones y tareas de planificación.

4.4.— Organización

Como ya se indicó el foco del estudio será la región centroamericana y se pretende abarcar a los cinco países. La sede del Proyecto se localizará en San José, Costa Rica, domicilio del Programa Centroamericano de Ciencias Sociales, donde deberán fijar su residencia los dos especialistas contratados. La responsabilidad del desarrollo del proyecto correrá a cargo del director del Programa de Ciencias Sociales, doctor Edelberto Torres Rivas y los aspectos de ejecución técnica a cargo del doctor Andrés Opazo especialista especialmente contratado y a un equipo de trabajo que se ha formado con los expertos René Arturo Orellana, de Guatemala; Carlos Romero Madrano, de El Salvador; Guillermo Molina, de Honduras; Edmundo Jarquín, de Nicaragua; y Carlos Raabe, de Costa Rica.

Para apoyar la ejecución de las actividades del proyecto se establecerán equipos de dos o tres técnicos en cada país [1]. Estos equipos nacionales serán coordinados por los investigadores ya mencionados quienes deberán visitarlos con frecuencia y velar por el cumplimiento de los objetivos y los plazos de ejecución. Los equipos nacionales trabajarán regularmente y se reunirán en la sede del Programa al principio del mismo para una reunión de dos semanas tendiente a coordinar técnicamente la investigación bajo la dirección de los especialistas contratados y posteriormente en una segunda ocasión para discutir varias decisiones claves y borradores de los informes y monografías. Estas reuniones serán denominadas Seminarios Técnicos Regionales. Los equipos regionales también asistirán a un Seminario Regional más amplio que especialmente se dedicará, en el mes de mayo de 1974, a discutir los problemas de la Enseñanza e Investigación Demográfica en Centroamérica, y en el cual intercambiarán puntos de vista especialistas de diversas disciplinas que trabajan en el área.

El primer Seminario Técnico se realizó en San José, los días 1 y 2 de este año.

4.5.— Enfoque

4.5.1.— Naturaleza del estudio

El objeto último del estudio es intentar una explicación "integral" del fenómeno migratorio en las sociedades centroamericanas, confeccionando un modelo parsimonioso que permita conocer cuáles son los factores determinantes y las variables condicionantes del fenómeno migratorio, que se ubican en esferas específicas del cambio económico y social nacional y regional. No se persigue, por lo tanto, únicamente medir los movimientos migratorios y confeccionar tipologías clasificatorias meramente descriptivas con base en los datos; aunque esto se hará, el énfasis se pondrá en la explicación de la dinámica migratoria dentro de un enfoque integral del cambio en el área centroamericana.

---

1) Nombrados por las universidades que componen la Confederación Universitaria Cenroamericana.

Desde el inicio se pretende concentrar la atención en fuentes de datos que permitan conocer la manera en que inciden sobre el proceso migratorio cinco grupos de variables "independientes".

a.— Factores geofísicos.
b.— Desarrollo demográfico.
c.— Estructura empresarial.
d.— Estructura de la mano de obra.

e.— Estructura de los servicios.

En cuanto al proceso migratorio, este se definirá conforme al volumen y dirección de las corrientes migratorias y las características de los migrantes, tanto en el lugar de origen como en el de destino. El modelo que se derive deberá permitir evaluar también el papel de los cambios históricos y de los cielos y coyunturas de las economías nacionales y regionales sobre la migración.

La tesis central del estudio es la siguiente: que los movimientos migratorios son provocados básicamente por el proceso de cambio económico y social con su "medio ecológico" correspondiente y han estado históricamente condicionados estrechamente por la estructura productiva de una región; es decir, tanto por la naturaleza de las empresas agrícolas, industriales y comerciales, como por el tipo de mano de obra y de servicios que ellas pueden requerir. Se postula también que el cambio en la economía nacional incide sobre el proceso migratorio y que su efecto depende de la situación especial de la región considerada.

No obstante el énfasis que se hace en los aspectos explicativos, debe señalarse que no interesa en caso alguno el estudio comparativo de las actitudes o de la dimensión psicosocial que se hallan implícitas en los movimientos poblacionales y que, de más está decir, constituyen un campo muy importante de estudio por tratarse del trasfondo "decisional" del proceso, o sea del marco compuesto por los factores percibidos que inducen al migrante a acometer el proceso de su traslado de una zona a otra. Lo que recibirá la máxima atención en esta investigación, como ya se indicó, será el proceso migratorio y sus condicionantes en cuanto tales, al margen de las motivaciones, actitudes, referencias, etc., de quienes participaron en el proceso de movilidad personal. Por ello el enfoque corresponde al de una investigación estructural. Cuando se proponga algún sondeo regional, será para precisar mejor el historial y la dinámica de los factores estructurales.

4.5.2.— **Esquema básico.**

Como se señaló, el fenómeno a ser explicado es el proceso migratorio y las variables dependientes de interés que son tres:

a.— Volumen de la migración (intensidad).

b.— Dirección de los movimientos.

c.— Características de los migrantes.

Las variables explicativas o independientes son muchas, pero pueden agruparse bajo cinco categorías.

a.— Factores geofísicos.

b.— Desarrollo demográfico.

c.— Estructura empresarial.

d.— Estructura de la mano de obra.

e.— Estructura de los servicios.

Esto se muestra en forma esquemática seguidamente, junto con una lista preliminar de variables a ser consideradas:

LUGAR DE EXPULSION O ATRACCION

Edad, sexo nivel de educación, ocupación, etc.

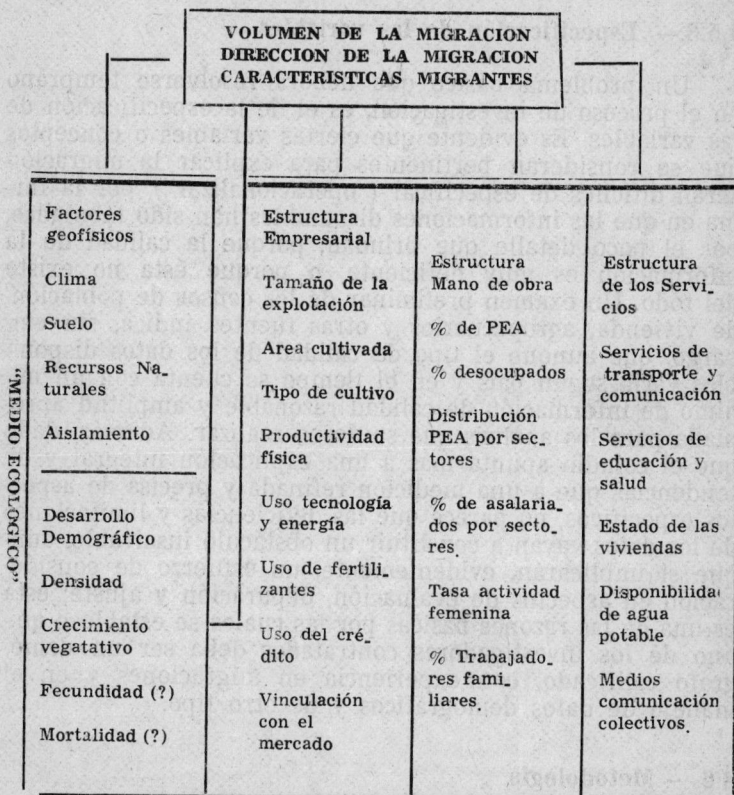

VOLUMEN DE LA MIGRACION
DIRECCION DE LA MIGRACION
CARACTERISTICAS MIGRANTES

"MEDIO ECOLOGICO"

Factores geofísicos Clima Suelo Recursos Naturales Aislamiento ——— Desarrollo Demográfico Densidad Crecimiento vegatativo Fecundidad (?) Mortalidad (?)	Estructura Empresarial Tamaño de la explotación Area cultivada Tipo de cultivo Productividad física Uso tecnología y energía Uso de fertilizantes Uso del crédito Vinculación con el mercado	Estructura Mano de obra % de PEA % desocupados Distribución PEA por sectores % de asalariados por sectores. Tasa actividad femenina % Trabajadores familiares.	Estructura de los Servicios Servicios de transporte y comunicación Servicios de educación y salud Estado de las viviendas Disponibilida[illegible] de agua potable Medios comunicación colectivos.

La idea de examinar las relaciones de estas variables independientes con el fenómeno migratorio y también las posibles interrelaciones e interacciones. Como se verá más adelante, esto se hará inicialmente utilizando información por municipios o cantones a través de técnicas de regresión múltiple; y luego, en forma más elaborada, en regiones seleccionadas dentro de los países donde se estudiará más a fondo el comportamiento histórico de las variables de la migración y de las independientes, para determinar cómo se han efectuado los cambios de estas últimas y su incidencia sobre la dinámica y las características de los movimientos migratorios.

4.5.3.— Especificación de las variables.

Un problema básico que deberá resolverse temprano en el proceso de investigación, es el de la especificación de las variables. Es evidente que ciertas variables o conceptos que se consideran pertinentes para explicar la migración serán difíciles de especificar ("operacionalizar"), por la forma en que las informaciones disponibles han sido tabuladas, por el poco detalle que brindan, porque la calidad de la información es muy deficiente, o porque ésta no existe del todo. Un examen preliminar de los censos de población, de vivienda, agropecuarios y otras fuentes indica, sin embargo, que aunque el tipo de calidad de los datos disponibles varía según país y en el tiempo se cuenta con un mínimo de información de calidad razonable y amplitud apropiada para los análisis que se desea realizar. Además, dado que el estudio apunta más a una explicación integral y de tendencias que a una medición refinada y precisa de aspectos específicos, no parece que las deficiencias y limitaciones de los datos vayan a constituir un obstáculo insalvable, aunque sí implicarán, evidentemente, un esfuerzo de consideración en aspectos de evaluación, depuración y ajuste; esta es una de las razones básicas por las cuales se establece que uno de los investigadores contratados deba ser un demógrafo calificado, con experiencia en migraciones y en el manejo de datos demográficos y de otro tipo.

4.6.— Metodología

Bajo este aparte se describirá someramente el procedimiento que se seguirá para cumplir los objetivos específicos del estudio. Para mayor claridad y coherencia se ha preferido comentar cada una de las etapas siguiendo el orden en que aparecen en la sección IV. Conviene señalar que en ciertos casos no se incluyen detalles sobre los procedimientos o métodos por ser muy conocidos, o porque ellos dependerán de los resultados obtenidos en una etapa previa o de los datos disponibles cuya amplitud y calidad habrá que precisar más adelante.

4.6.1.— Recolección, evaluación y organización de la información

La investigación partirá y descansará básicamente en la información que aporten los datos censales y de encuestas ya realizadas. La idea es recoger todo el material pertinente disponible, evaluarlo y organizarlo, pero no llevar a cabo encuestas de actitudes o motivaciones. Se trata, por lo tanto, de una investigación dirigida a utilizar exclusivamente material secundario (1). Esto implica una limitación, ya que los datos en su gran mayoría han sido obtenidos con propósitos teóricos diferentes y pueden no adaptarse exactamente a lo que aquí se busca; sin embargo, se tiene la convicción de que los datos censales son altamente informativos y que manejados apropiadamente y completados con datos de otras fuentes, pueden llenar adecuadamente los fines que persigue el proyecto.

Se recogerá información arrojada por los censos realizados después de 950 y por encuestas regionales o sectoriales correspondientes al mismo período (2). Esta información será reunida en el Centro de Documentación y Biblioteca del Programa Centroamericano de Ciencias Sociales, el cual está especialmente equipado para almacenar la información y proceder a su evaluación y depuración. Esta labor será iniciada por los equipos nacionales quienes recogerán los materiales y los someterán a una primera evaluación en los respectivos países, es decir, tomarán en cuenta la congruencia o compatibilidad de las definiciones, categorías, variables y hasta esquemas de investigación e interpretación elaborados en las encuestas locales, todo con el fin de que

---

1) No obstante, en una etapa ulterior, de mayor profundización, los equipos nacionales efectuarán "sondeos" regionales, tendientes a recabar mayor información de las zonas donde se llevarán a cabo los estudios históricos de control de variables.

2) La mayoría de los países han realizado un censo de población en cada una de las últimas décadas y uno o más antes de 1950. Además se han realizado numerosos censos de vivienda, agropecuarios, de comercio e industrias, así como varias encuestas de mano de obra, fecundidad, etc.

se pueda precisar la comparabilidad y el grado de confiabilidad de los datos secundarios en un primer nivel. Posteriormente, los análisis y copias de los materiales serán enviados a la sede central del Programa de Ciencias Sociales, en donde un grupo de especialistas, encabezados por los investigadores contratados, llevarán a cabo una evaluación y depuración más avanzada de los datos con el objeto de extraer las variables que por su pertinencia, confiabilidad y consistencia en el comportamiento histórico sean susceptibles de ser incluídas en el análisis que se persigue.

Conviene señalar que una limitación importante que presenta la información censal es que las tabulaciones disponibles sobre aspectos de migración (y otros relacionados) es usualmente escasa o poco detallada; se espera superar este problema en gran medida con la ayuda del Centro Latinoamericano de Demografía. Esta institución, a través de su programa OMUECE (Operación Muestras de Censos) [1], ha recogido muestras de todos los censos levantados en Latinoamérica alrededor de 1960. Dispone también de muestras, o de los datos completos, de los censos efectuados en la presente década. El CELADE ha ofrecido acceso a esa información, a las tabulaciones especiales sobre migración y otros temas que ha elaborado, así como está dispuesto a preparar tabulaciones adicionales si se le solicitan y a prestar la asesoría técnica

También se espera que los equipos nacionales consigan directamente de las Direcciones Generales de Estadística de sus países, tabulaciones específicas para los censos recientes. Información adicional, demográfica y de otro tipo, para todos los países o para algunos de ellos, se obtendrían también recurriendo a bancos de datos como el Latín American Data Bank de la Universidad de Florida [2].

---

1) Una descripción del programa OMUECE y del Banco de Datos del CELADE aparece en: Boletín del Banco de Datos, No. 5, Saneiago de Chile, agosto de 1972, Publicado por el Centro Latinoamericano de Demografía.

2) Ver: Antonini, G. A. "Data Banks: a New Research Tool", en Robert N. Thomas (Ed) Population Dynamics of Latin America, A. Review and Bibliography, pp. 25-43.

Los aspectos operacionales de esta fase y los criterios de evaluación y depuración de la información correrán a cargo de los investigadores contratados quienes visitarán los países regularmente para orientar y coordinar el trabajo.

4.6.2.— Medición del volumen y dirección de las corrientes migratorias en cada uno de los países y confección del "mapa migratorio".

Uno de los pasos básicos del estudio, una vez recogida la información inicial es el de realizar una medición del volumen y dirección de las corrientes migratorias internas en cada uno de los países. Para esta labor se partirá del censo más reciente y siempre que sea posible se utilizará el anterior para lograr una visión comparativa de los cambios ocurridos. Se utilizará como nivel de análisis la división administrativa intermedia (cantón o municipio); sólo en caso de que esto sea imposible, el departamento o provincia. El propósito de este análisis es conocer cuáles son las zonas de emigración y cuales las de inmigración, precisar los saldos migratorios por áreas y determinar de dónde salen las corrientes y a dónde se dirigen.

Un producto de esta fase del estudio será la confección, para cada país, de un "mapa migratorio", el cual utilizado conjuntamente con otro tipo de información sobre densidad, suelos, cultivos, caminos, etc., permitirá la selección de las regiones de cada país, para el estudio intensivo que constituye la etapa final de la investigación.

La medición de las corrientes migratorias estará a cargo de los equipos nacionales bajo la dirección y coordinación de los investigadores contratados. Las técnicas de medición están supeditadas a los datos disponibles y a su grado de detalle; pero básicamente serán las que aparecen en la publicación de las Naciones Unidas: Manual VI: "Methods of Measuring Internal Migrations" (ST/SOA/Series A/47), las cuales han sido usadas con éxito en varios países de Latinoamérica y específicamente en el caso de Centroamérica (1). En los países en que haya estudios hechos (Costa Rica,

---

1) No se dispone de muestra para el censo de población de Nicaragua de 1963, pero se tienen los datos completos del realizado en 1972.

por ejemplo), deberá decidirse si el estudio es adecuado para los propósitos buscados, si debe mejorarse o si debe realizarse un nuevo estudio. También deberá considerarse la necesidad y la posibilidad de utilizar los datos del último censo para actualizar cifras y realizar comparaciones.

Como remate de esta etapa, cada equipo nacional deberá preparar una monografía recogiendo los resultados y los principales hallazgos.

4.6.3.— Examen de algunas de las principales características de los migrantes.

Una etapa a cumplir por cada uno de los equipos nacionales bajo la dirección de los investigadores contratados, es la de preparar un documento corto sobre las características básicas de los migrantes. Este documento se basará fundamentalmente en la información proveniente del programa OMUECE, aunque también se utilizará otra información censal disponible (1). El objetivo será en primer término dar una idea de las características de los migrantes en tres tipos de zonas: la capital, resto urbano y rural, y en segundo término servir de trasfondo o de control a los resultados y a los análisis de las otras fases del estudio.

Para la definición de migrante se utilizará la división intermedia (municipio o cantón) y el análisis cubrirá tres tipos de migrantes:

---

1) Ejemplos para el caso de Centro América:
- J. Alberts, La Migración Interna de Costa Rica. Centro Latinoamericano de Demografía, Serie AS No. 8, San José, Costa Rica, 1970.
- Jorge B. Arias. Internal Migration in Guatemala, Proceedings of the International Union for the Scientific Study of Population.
- Migración Interna en Guatemala (una comparación metodológica), Conferencia Regional Latinoamericana de Población, México, 1970. Actas 1, pp. 509-514.
- Departamento de Asuntos Sociales, Unión Panamericana, Estudio Social de América Latina 1963-1964, Washington, D. C. 1964. (OEA/Ser. H/X.6), Cap. 1.

a. A la ciudad capital.
b. A otras zonas urbanas.
c. A las zonas rurales.

Este planteo se origina en que la información disponible, por provenir de muestras, no admite un mayor grado de detalle.

Una idea de las características y alcance del documento general que al respecto se pretende elaborar, puede obtenerse del trabajo llevado a cabo por Edith Pantalides para Costa Rica utilizando los datos de OMUECE [1]. Dicho estudio incluye, además de los aspectos metodológicos y definiciones, los siguientes puntos:

a. Análisis de la estructura por sexo y edad de los migrantes y de las diferencias entre migrantes y no migrantes respecto a dichas variables, por área de origen y de destino, para los migrantes definidos por lugar de nacimiento y lugar de residencia actual.

b. Análisis de la estructura por edad, por área de origen y de destino para los migrantes definidos por lugar de residencia anterior y residencia actual; comparación de las características y el volumen de la migración medida según esta definición y la utilizada en el punto a): estudio de la migración de retorno.

c. Análisis de la estructura por edad de los migrantes según tiempo de la migración.

d. Análisis de la migración interna de los últimos cinco años, por área de destino, en particular.
1. Estructura por edad y sexo
2. Estado Civil.
3. Participación en la población económicamente activa (PEA)

---

1) Pantelides, E. A., Costa Rica, Estudio de la Migración Interna a partir de una muestra del censo del (1963) OMUECE, Centro Latinoamericano de Demografía Serie C. No. 141, enero 1972.

4. Tipo de ocupación

5. Nivel de instrucción de la PEA.

Es claro que el contenido puede variar por países debido a diferencias en la información disponible.

4.6.4.— Examen de algunas variables asociadas a los movimientos migratorios.

Los estudios realizados en Centroamérica y en otras áreas, así como algunas consideraciones teóricas sugieren que hay una serie de variables socioeconómicas relacionadas causalmente con los movimientos migratorios, o que al menos los condicionan. Estas variables aparecen esquematizadas en la sección 4.5.2. No se ha indicado sin embargo la forma en que podían estar ligadas a las variables de la migración, ni el tipo de interrelaciones que podrían tener entre ellas. Un primer examen de estos aspectos puede lograrse mediante técnicas de análisis (o de los departamentos, si el grado de información sobre aquellos no lo permite). Las variables dependientes serían, como es natural las relativas a la migración: tasa de emigración, tasa de inmigración y saldo migratorio, todas ellas calculadas en la segunda fase del estudio; y las independientes o explicativas incluirán las mencionadas en 4.5.1. y 4.5.2. y otras que se encuentren disponibles en los censos y fuentes, que se consideren pertinentes para el análisis.

Dado que se trata de un estudio exploratorio, más bien empírico y condicionado por el tipo, calidad y plenitud de la información disponible, resulta difícil explicar en detalle la metodología que se seguirá en este análisis. Sin embargo, es posible dar algunas ideas preliminares.

Como un primer paso los municipios o cantones serán clasificados en dos grupos según predomine en ello la inmigración o la emigración; habrá también un tercer grupo formado por aquellos municipios en que no predomine ninguna de tales características.

Para los municipios o cantones de inmigración se harán simultáneamente dos subcategorías:

a. Predominantemente urbanos.

b. Predominantemente rurales; y estos se subdividirán en dos grupos según se caractericen por el predominio que tengan en el régimen de producción las:

1. Empresas modernas grandes o medianas

2. Empresas pequeñas de tipo familiar o tradicional.

Los municipios de emigración también se dividirán en urbanos y rurales. En esta forma cada uno de los municipios quedará asignado a una de las categorías anteriores. Se procederá luego a determinar para cada municipio, el valor correspondiente de cada una de las variables explicativas o asociadas con los movimientos migratorios y, finalmente, se calcularán valores promedios para cada categoría. Esta información se organizará en un cuadro como el que se ilustra. (Ver Cuadro I). Al llegar, a este punto se examinarán los promedios por categorías, a fin de determinar si hay diferencias significativas; si es del caso se harán pruebas de significancia estadística para evaluar las diferencias. Con este análisis será posible descartar aquellas variables que no muestren diferencias significativas entre categorías; también permitirá conocer cuáles son las variables que más claramente discriminan entre zonas de emigración y inmigración, así como la pertinencia de considerar el tipo de estructura productiva y de su condición de urbana o rural como categorías de análisis.

Tomando los municipios como unidades de estudio y utilizando las variables que emergieron como cruciales en el análisis anterior, se procederá luego a realizar un análisis de regresión múltiple para determinar en que extensión esas variables están asociadas a la migración y en qué medida son capaces de explicar la variabilidad del saldo migratorio, la tasa de emigración, etc., por municipio. También se utilizarán técnicas como el análisis de trayectoria ("Path Analysis") para investigar los efectos directos e indirectos de las variables explicativas sobre las migraciones.

Este análisis que se realizará en todos los países, permitirá someter a prueba varias hipotesis acerca de los determinantes de las migraciones, derivadas del esquema incluído en la sección 4.5.2 sugeridas por los datos [1].

4.6.5.— Análisis de los factores determinantes y condicionantes de las migraciones internas en un grupo de regiones seleccionadas.

Los análisis estadísticos y las mediciones demográficas realizadas en las fases anteriores, pueden contribuir significativamente a mostrar la dinámica y otros aspectos cuantitativos de las migraciones y a señalar variables que en cierto momento han mostrado asociación significativa con la intensidad o con la dirección de las corrientes migratorias. Es evidente, sin embargo, que un análisis integral y una interpretación del fenómeno migratorio dentro del contexto del cambio social, no puede ser estático y tiene, por lo tanto, que prestar atención a los cambios históricos operados en la magnitud y dirección de las corrientes migratorias y al mismo tiempo, a las modificaciones en otras variables que la evidencia empírica o la teoría señalan como determinantes o condicionantes de ellas.

Como ya se indicó, la idea es rematar el análisis con un enfoque histórico-estructural. Sin embargo, resultaría difícil realizar este examen a nivel nacional en forma total y por ello se da decidido seleccionar ciertas regiones que reúnan determinadas características, para analizarlas en profundidad, utilizando todos los datos secundarios disponibles para un período que abarcaría varias décadas, quizás desde principios de siglo si es factible, es decir, si lo permiten los resultados de la investigación en Demografía Histórica que se realiza paralelamente como complemento a esta investigación.

---

1) Tanto en el ajuste de funciones o modelos como en el examen de la significancia estadística de las variables explicativas, se seguirán los procedimientos usuales descritos en los tratados de estadística como: Hubert M. Blalock, Social Statistics Limusa, Wiley.

CUADRO No. 1

Variables	Urbanos	Inmigración Rurales: Agric. Moderna	Inmigración Rurales: Empresa Familiar	Emigración: Urbanos	Emigración: Rurales	Migración poco intensa
1. Densidad						
2. Crecimiento vegetativo población						
3. Tamaño explotaciones						
4. % PEA agrícola						
5. % Trabajadores familiares						
6. Tasa de desempleo						
7. Estado de la vivienda						
8. % Alfabetismo						
Etc.						

UN ESQUEMA TENTATIVO PARA EL ESTUDIO HISTORICO-ESTRUCTURAL

Poniendo atención a ciertas características de los movimientos migratorios y a su relación con el tipo de estructura empresarial, podría pensarse que los movimientos principales se producen como se indica en el esquema siguiente:

CUADRO No. 2

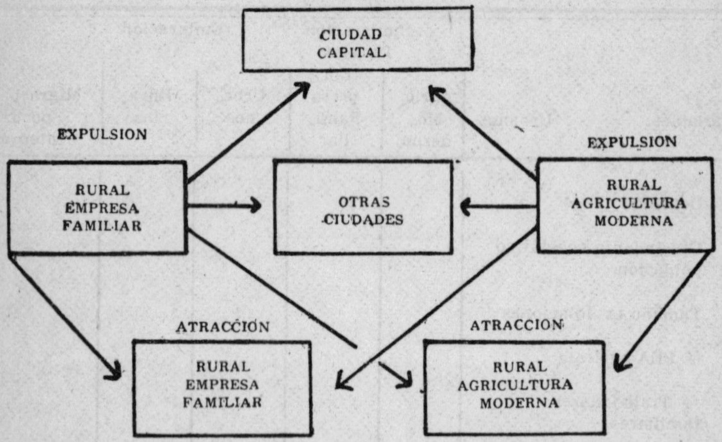

Partimos del supuesto de que existen tres regiones típicas de atracción: la capital, una región rural de agricultura moderna (plantación u otro tipo), y una región nueva o de frontera, donde predomina la empresa familiar. En cuanto a las regiones de expulsión, se postulan básicamente dos: la región rural donde predomina la pequeña explotación familiar y la agricultura tradicional, posiblemente con una alta densidad demográfica; y la región donde predomina la empresa agrícola mediana o grande moderna, y que por el hecho de esa modernización está expulsando mano de obra. Las otras ciudades menores se ven como una etapa en la migración del campo a la capital.

La situación que se esquematiza correspondería a momento o a un período reciente. Sin embargo, lo más probable es que haya habido cambios en el tiempo.

Así pueden haber regiones que actualmente son de emigración y que en el pasado fueron de inmigración, y al contrario también pueden encontrarse regiones que a través de un período largo han sido típicas zonas de expulsión, y otras que lo han sido de atracción.

Si se considera un período de una, cuatro o cinco décadas, es muy posible que se observen cuatro situaciones cruciales:

ESTUDIO SOBRE DESARROLLO		
1. Actual región de atracción	A A A A A	Atracción permanente (inmigración).
	E E E*A A	Expulsión primero, luego atracción
II. Actualmente región de expulsión	A A *E E E	Atracción primero, luego expulsión.
	E E E E E	Expulsión permanente (emigración).

*) Entre esos dos momentos se produjo un cambio en la tendencia.

Es evidente que un estudio que trate de tomar en cuenta zonas de emigración y de inmigración, rurales y urbanas, y además el tipo de empresas agrícola predominante a fin de controlar los cambios ocurridos en el tiempo —o al menos los que se acaban de señalar—, requeriría incluir un número tan elevado de áreas que superaría ampliamente las posibilidades del presente estudio. Por otra parte, el énfasis del presente estudio recae principalmente sobre la población rural, pues el movimiento migratorio hacia las capitales ha sido estudiado con cierta amplitud en Centroamérica. Por lo anterior se ha decidido dejar de lado como posibles regiones de estudio intensivo a la capital y a las otras ciudades, para tomar únicamente las zonas rurales poniendo mayor atención a las áreas de expulsión.

La selección de las regiones se basará en los resultados de las fases anteriores y en otros elementos de juicio. Se tratará de escoger regiones de atracción y de expulsión intensa, con el fin de examinar más a fondo el desarrollo de las estructuras empresariales, de la mano de obra y de los servicios, según una hipótesis general a la cual nos adherimos (ver 4.5.1. y 4.5.2.) en el sentido de que esas tres estructuras y sus correspondientes condicionamientos demográficos y geográficos tienen un peso determinante considerable en el volumen y dirección de los movimientos y en las características de los migrantes. Será tarea de los estudios regionales precisar enteramente la interacción histórico estructural de dichas variables y su influencia sobre el proceso de migración.

Se espera seleccionar al menos las siguientes regiones:

a. Dos en que predomine la pequeña empresa y la agricultura tradicional siendo una de atracción y otra de expulsión.

b. Dos de agricultura moderna, una de atracción y otra de expulsión.

Se tratará en lo posible de que esas regiones se hayan relacionado en el pasado, o sea, que una parte importante de los emigrantes salidos de las áreas de expulsión seleccionadas se hayan dirigido a las áreas de atracción incluídas en el estudio.

Las regiones que resulten escogidas serán sometidas a un análisis sistemático, a fin de precisar, a través de los datos secundarios y con la colaboración de informantes conocedores de la zona, cuál ha sido la evolución de la misma, cuáles cambios significativos se han producido, en qué momento o período se produjeron los fenómenos de atracción o rechazo, etc. tratando de precisar los cambios estructurales y correlacionarios con los procesos migratorios.

ANEXO No. 5

MAPAS POLITICOS-ADMINISTRATIVOS

Y

MAPAS MIGRATORIOS

GRAFICO 1

EL SALVADOR. COMPORTAMIENTO DEL EMPLEO AGRO-PECUARIO, 1971/1972.

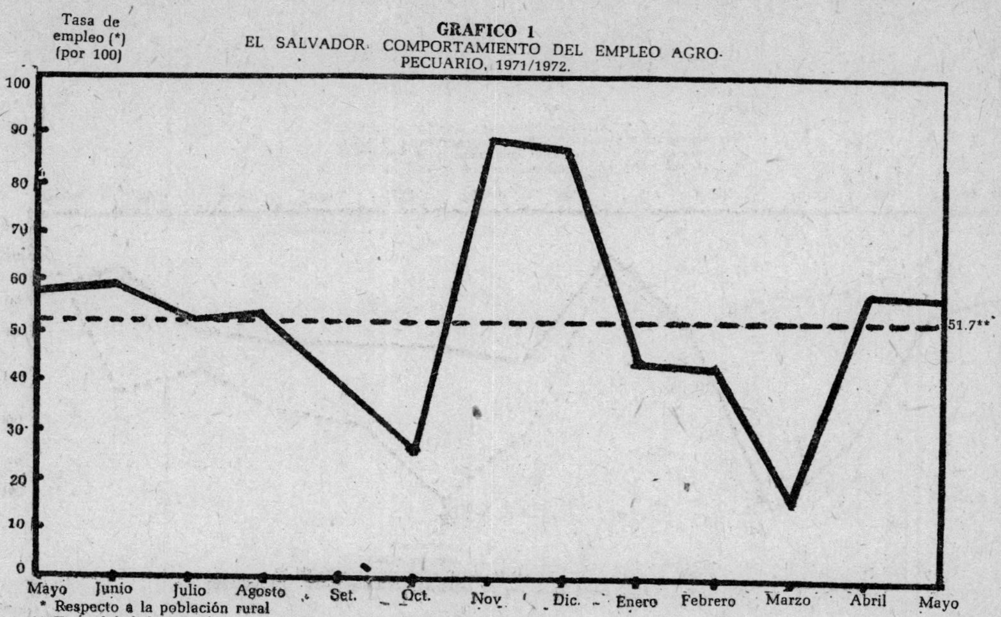

* Respecto a la población rural

** Tasa global de empleo

FUENTE: Minis:erio de Agriculture y Ganadería, Obra citada.

GRAFICO 2

NICARAGUA: Requerimientos mensuales de fuerza de trabajo de los cultivos más importantes: 1969-1970. Miles de hombres-mes

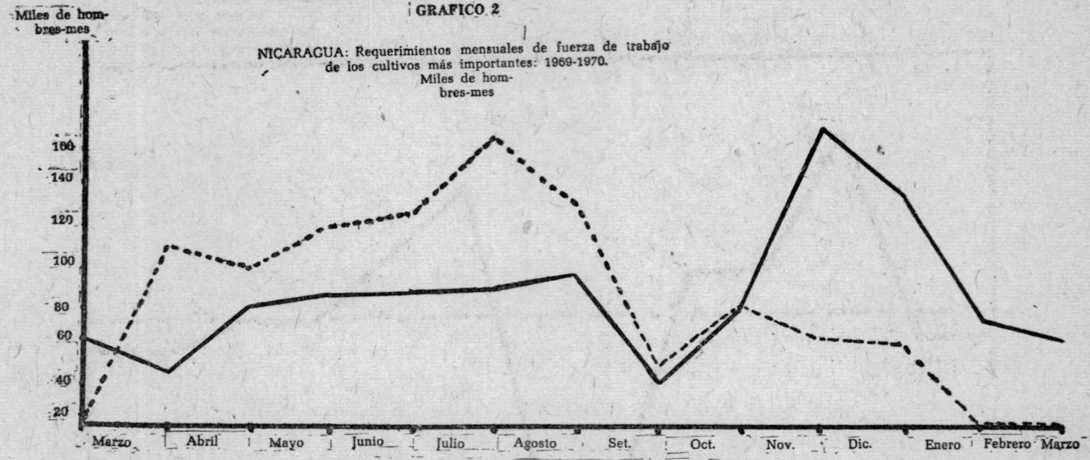

.... cultivos de consumo interno (arroz, frijol, maíz)
▬▬ cultivos de exportación (algodón, café, caña de azúcar)

FUENTE: PREALC-OIT: Situación y Perspectiva del empleo, Santiago, Chile, Octubre 1973, Tomo 4. Gráfico VI-4

GUATEMALA

División Politicoadministrativa

MAPA No. 1

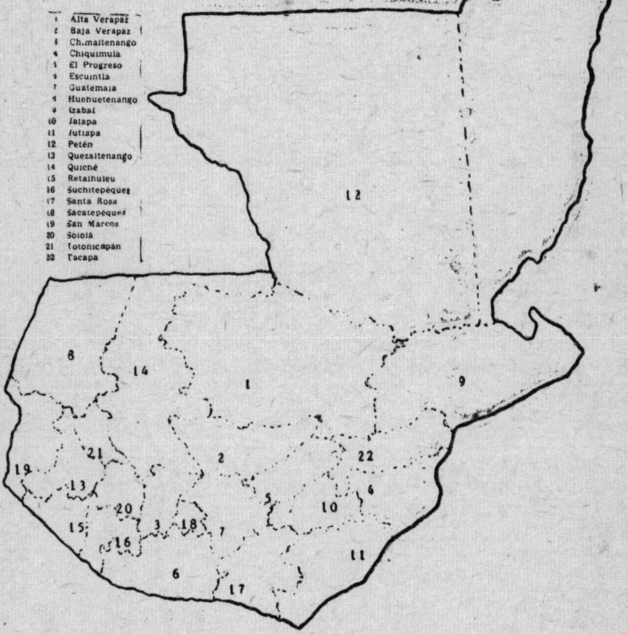

MAPA No. 2

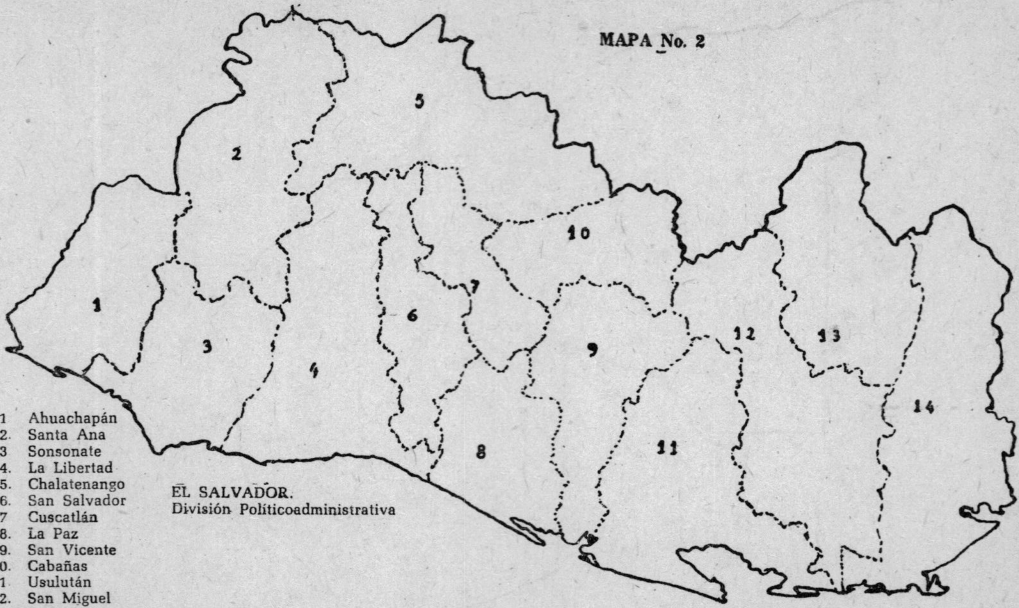

EL SALVADOR.
División Políticoadministrativa

1 Ahuachapán
2. Santa Ana
3 Sonsonate
4. La Libertad
5. Chalatenango
6. San Salvador
7 Cuscatlán
8. La Paz
9. San Vicente
10. Cabañas
11 Usulután
12. San Miguel
13 Morazán
14 La Unión

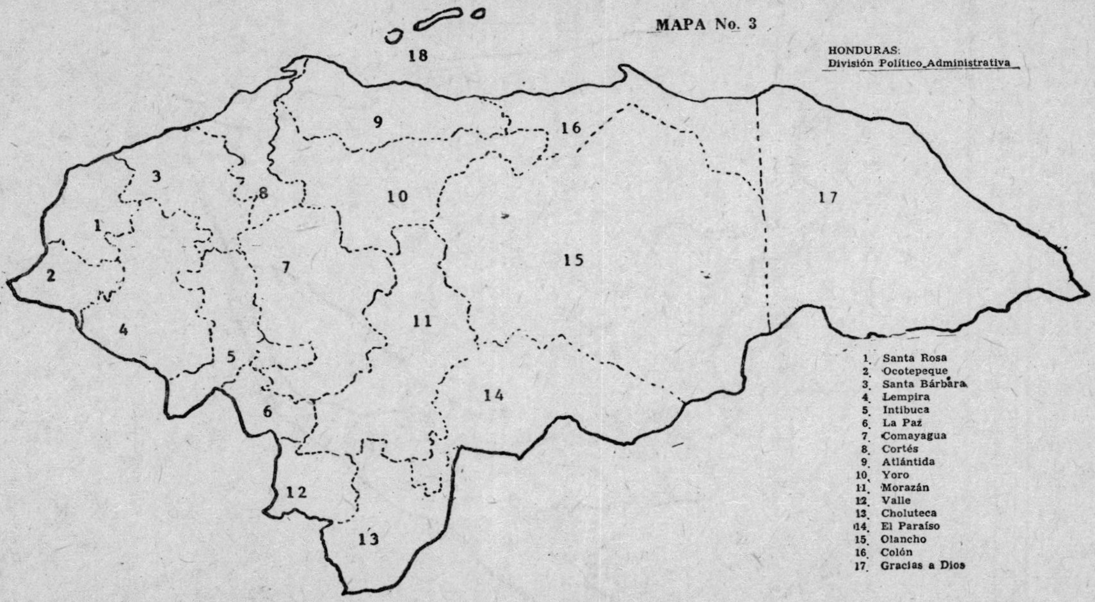
MAPA No. 3
HONDURAS:
División Político_Administrativa
18
9
16
3
8
10
17
1
7
15
2
11
4
5
14
6
12
13
1. Santa Rosa
2. Ocotepeque
3. Santa Bárbara
4. Lempira
5. Intibuca
6. La Paz
7. Comayagua
8. Cortés
9. Atlántida
10. Yoro
11. Morazán
12. Valle
13. Choluteca
14. El Paraíso
15. Olancho
16. Colón
17. Gracias a Dios

MAPA No. 4

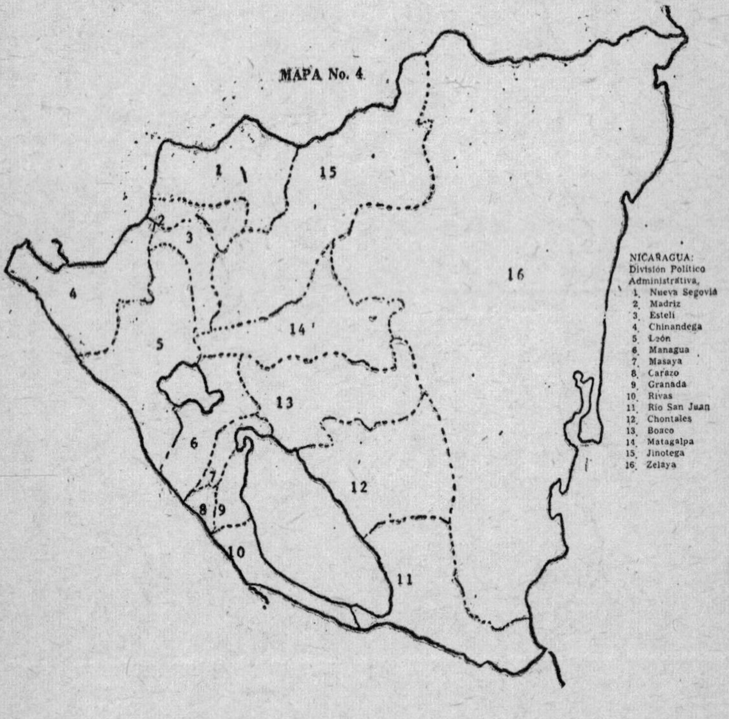

NICARAGUA:
División Político
Administrativa,
1. Nueva Segovia
2. Madriz
3. Estelí
4. Chinandega
5. León
6. Managua
7. Masaya
8. Carazo
9. Granada
10. Rivas
11. Río San Juan
12. Chontales
13. Boaco
14. Matagalpa
15. Jinotega
16. Zelaya

MAPA No. 5

Cantones

PROV. SAN JOSE

1 San José
2 Escazú
3 Desamparados
4 Puriscal
5 Tarrazú
6 Aserrí
7 Mora
8 Goicoechea
9 Santa Ana
10 Alajuelita
11 Coronado
12 Acosta
13 Tibás
14 Moravia
15 Montes de Oca
16 Turrubares
17 Dota
18 Curridabat
19 Pérez Zeledón
20 León Cortés

PROV. GUANACASTE

21 Liberia
22 Nicoya
23 Santa Cruz
24 Bagaces
25 Carrillo
26 Cañas
27 Abangares
28 Tilarán
29 Nandayure
30 La Cruz
31 Hojancha

PROV. LIMON

32 Limón
33 Pococí
34 Siquirres
35 Talamanca
36 Matina
37 Guácimo

PROV. PUNTARENAS

38 Puntarenas
39 Esparza
40 Buenos Aires
41 Montes de Oro
42 Osa
43 Aguirre
44 Golfito
45 Coto Brus

PROV. HEREDIA

47 Heredia
48 Barba
49 Santo Domingo
50 Santa Bárbara
51 San Rafael
52 San Isidro
53 Belén
54 Flores
55 San Pablo
56 Sarapiquí

PROV. ALAJUELA

57 Alajuela
58 San Ramón
59 Grecia
60 San Mateo
61 Atenas
62 Naranjo
63 Palmares
64 Poás
65 Orotina
66 San Carlos
67 Alfaro Ruiz
68 Valverde Vega
69 Upala
70 Los Chiles
71 Guatuso

PROV. CARTAGO

72 Cartago
73 Paraíso
74 La Unión
75 Jiménez
76 Turrialba
77 Alvarado
78 Oreamuno
79 El Guarco

MAPA No. 6

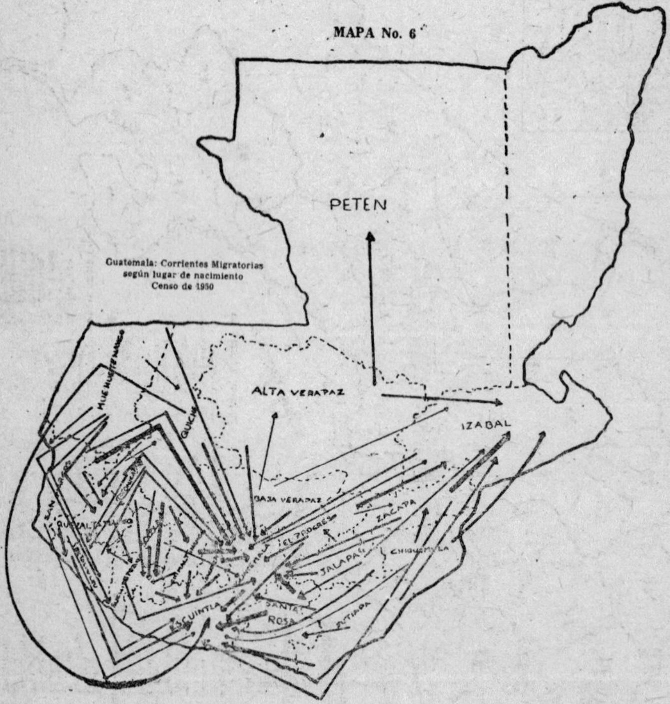

Guatemala: Corrientes Migratorias
según lugar de nacimiento
Censo de 1950

MAPA No. 7

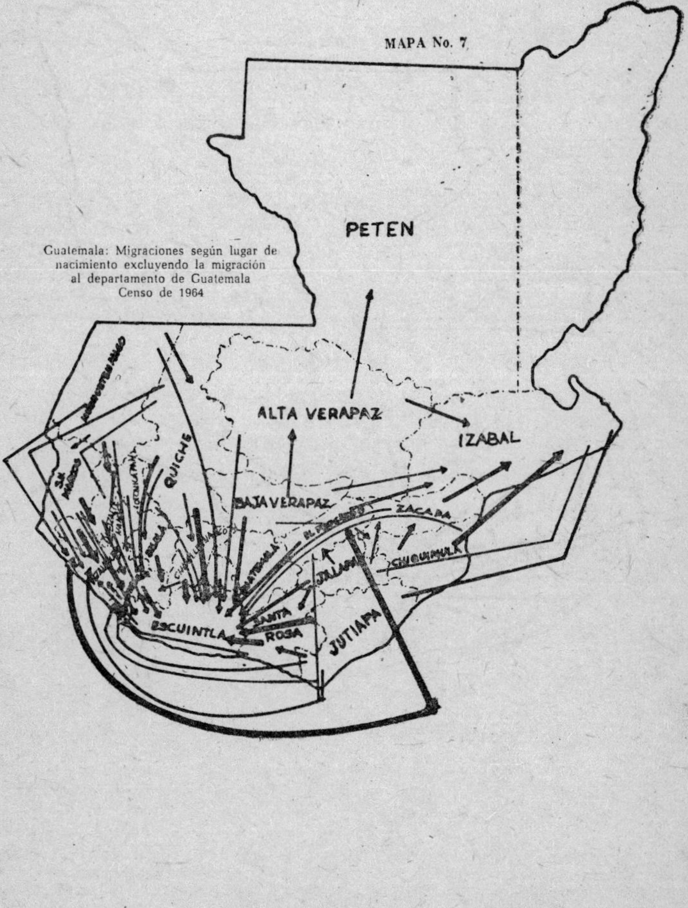

Guatemala: Migraciones según lugar de nacimiento excluyendo la migración al departamento de Guatemala
Censo de 1964

MAPA No. 8

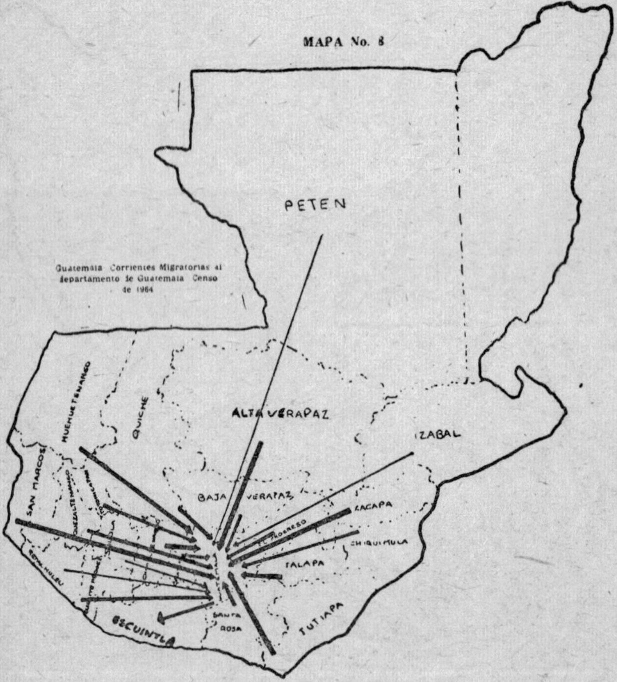

Guatemala Corrientes Migratorias al departamento de Guatemala Censo de 1964

MAPA No. 9

Guatemala: Corrientes Migratorias según residencia en 1968, excluyendo la migración al departamento de Guatemala
Censo de 1973

MAPA No. 10

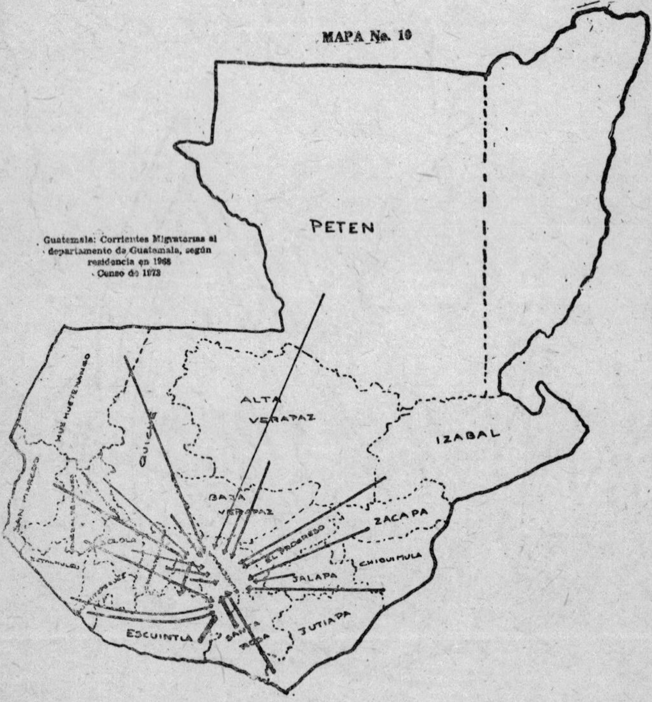

Guatemala: Corrientes Migratorias al departamento de Guatemala, según residencia en 1968
Censo de 1973

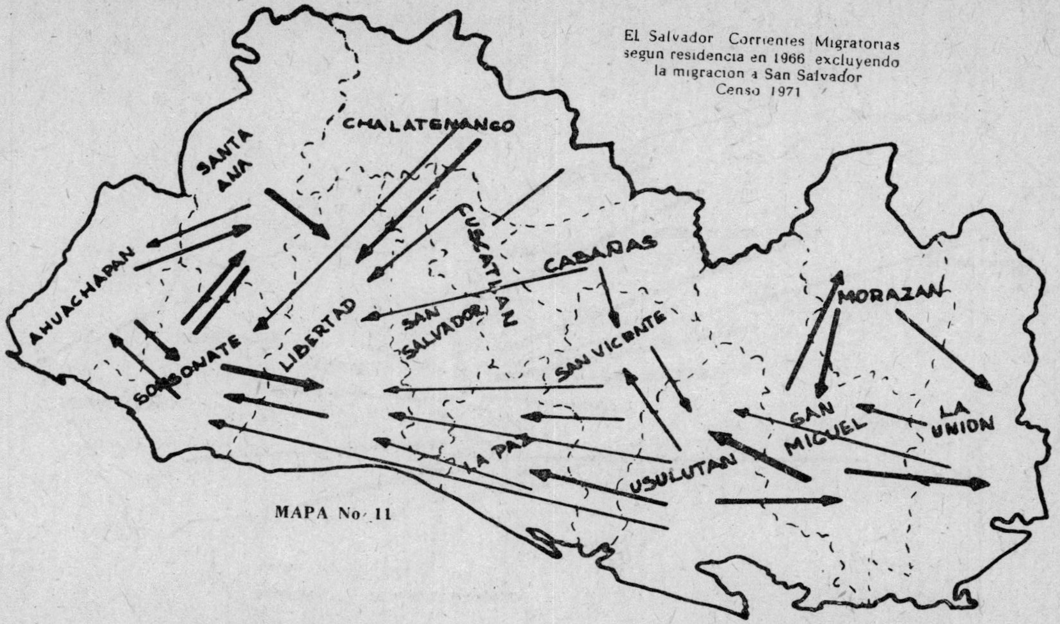

El Salvador Corrientes Migratorias segun residencia en 1966 excluyendo la migracion a San Salvador Censo 1971

MAPA No. 11

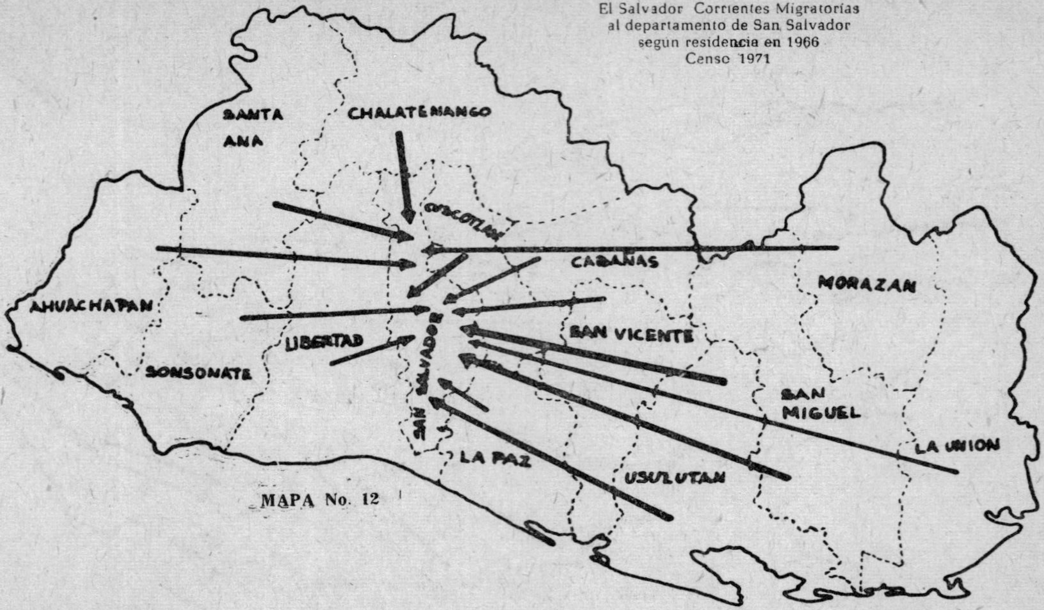

El Salvador Corrientes Migratorías
al departamento de San Salvador
según residencia en 1966
Censo 1971

MAPA No. 12

MAPA No. 13

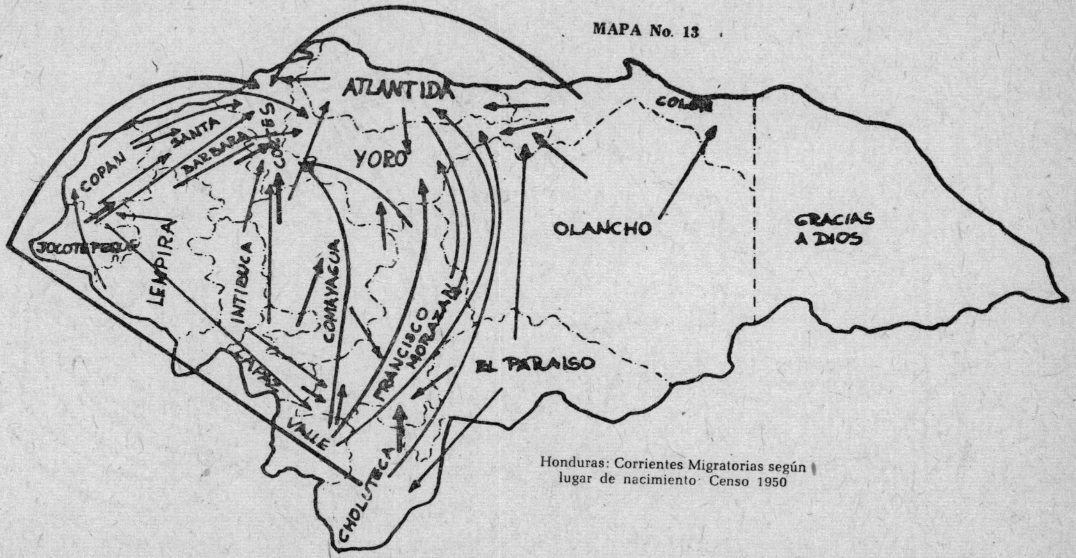

Honduras: Corrientes Migratorias según lugar de nacimiento· Censo 1950

MAPA No. 14

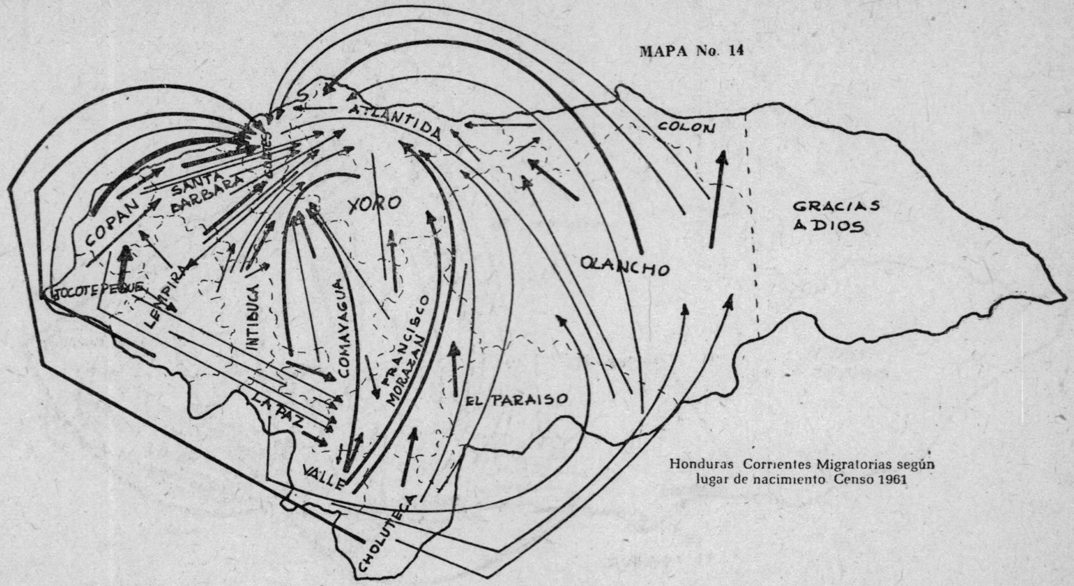

Honduras Corrientes Migratorias según lugar de nacimiento Censo 1961

MAPA No. 15

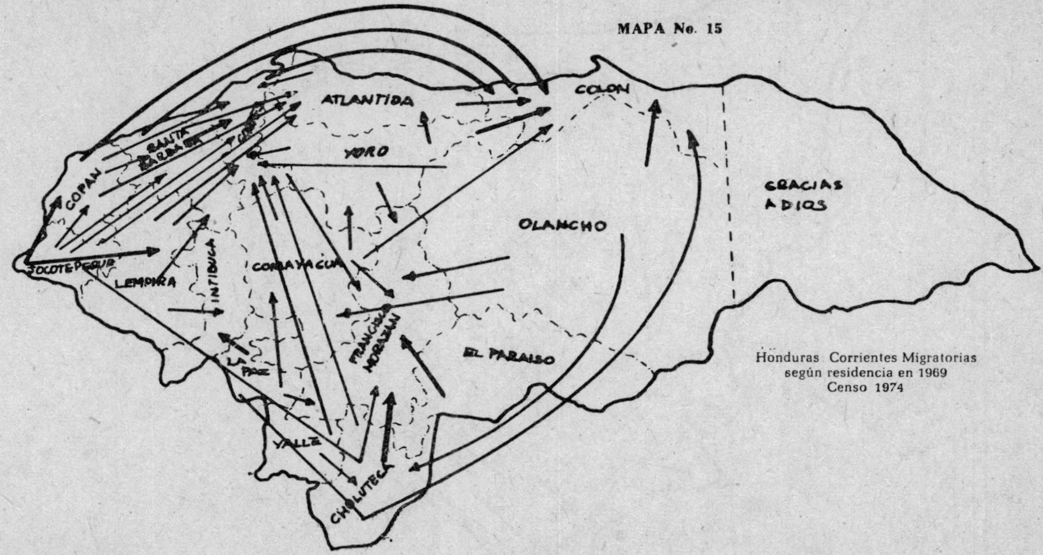

Honduras Corrientes Migratorias
según residencia en 1969
Censo 1974

MAPA No. 16

Nicaragua: Corrientes Migratorias
según lugar de nacimiento.
Censo de 1950

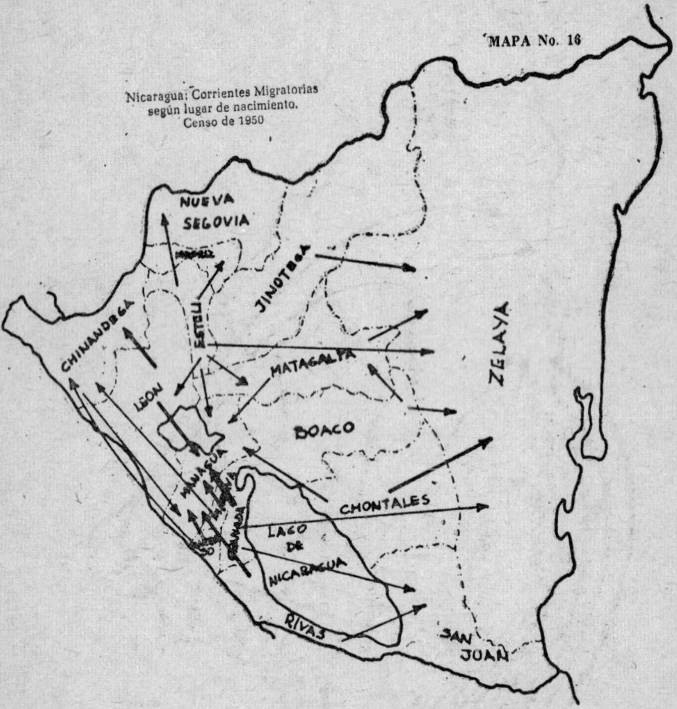

MAPA No. 17

Nicaragua: Corrientes Migratorias según lugar de nacimiento. 1963

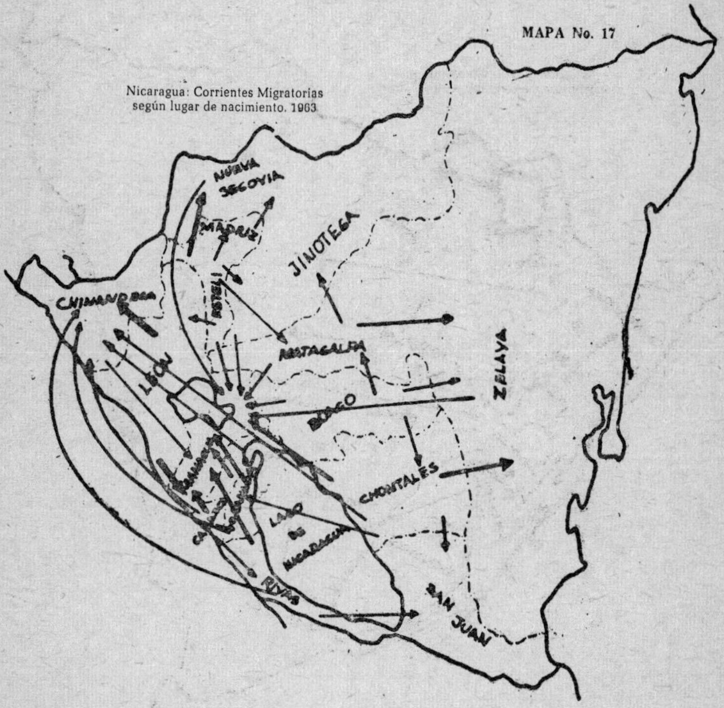

MAPA No. 18

Nicaragua: Corrientes Migratorias según residencia en 1966. Censo 1971

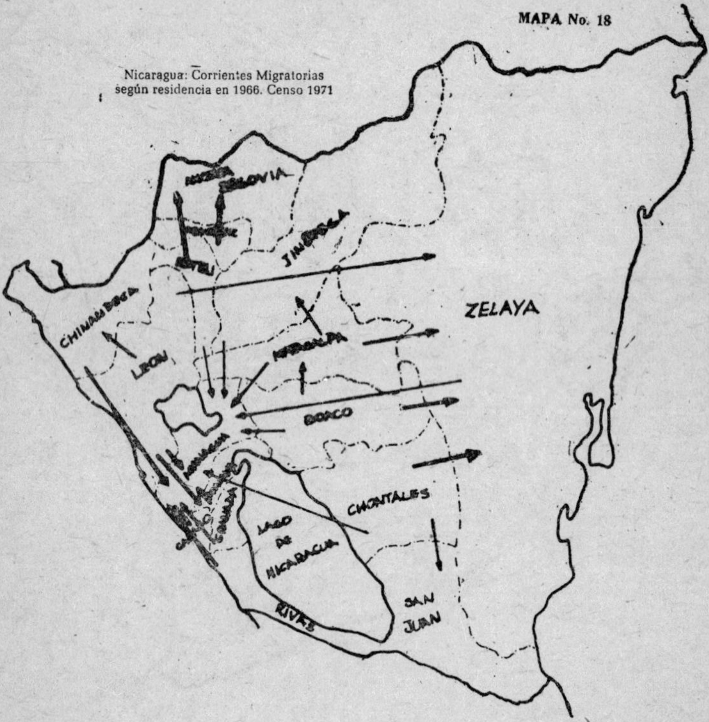

Costa Rica: Corrientes Migratorias
según lugar de nacimiento - 1950

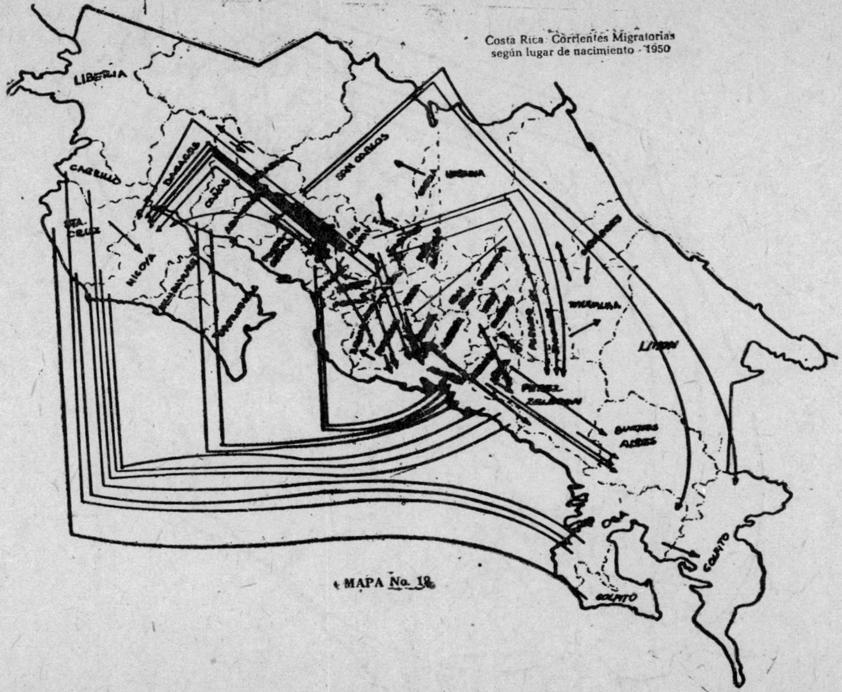

MAPA No. 18

MAPA No. 20

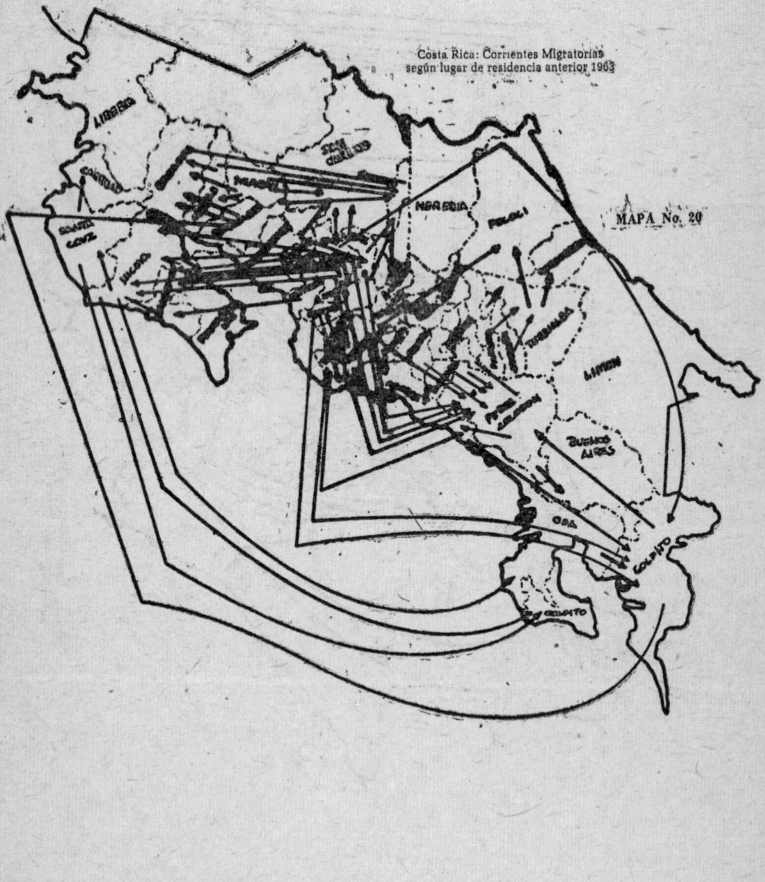

Costa Rica: Corrientes Migratorias según lugar de residencia anterior 1963

Costa Rica: Corrientes Migratorias según residencia en 1968. Se excluye la migración al área metropolitana de San José. Censo 1973

MAPA No. 21

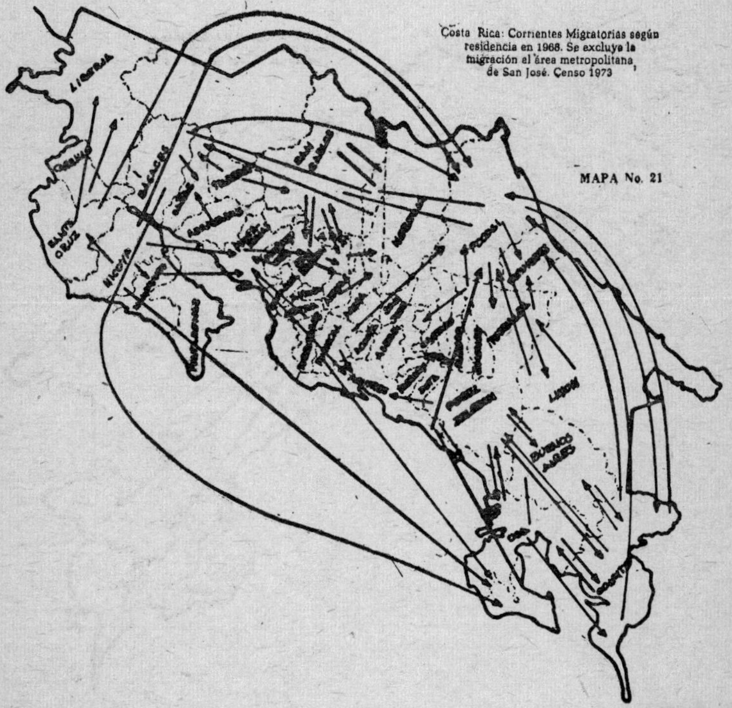

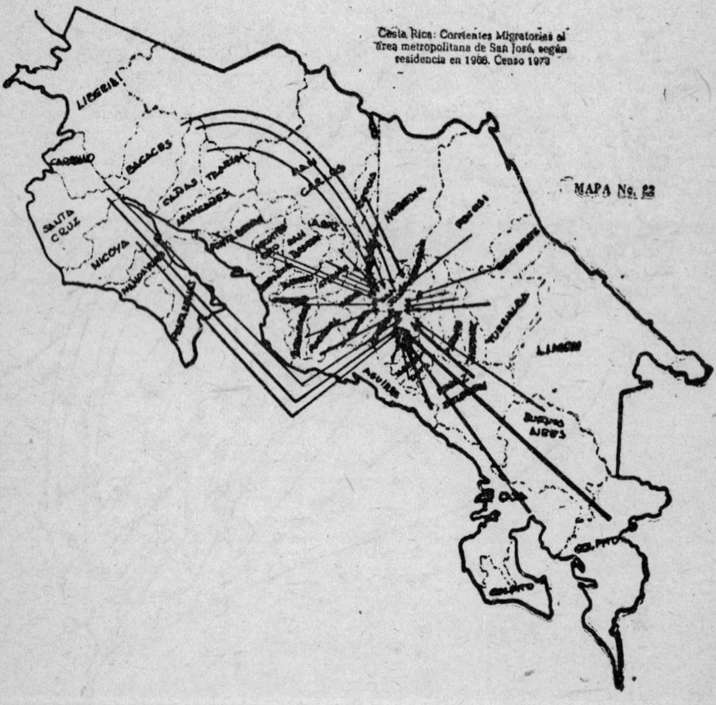

Costa Rica: Corrientes Migratorias al área metropolitana de San José, según residencia en 1968. Censo 1973

MAPA No. 22

ANEXO No. 6

CENTROAMERICA: POBLACION TOTAL, URBANA Y RURAL POR DEPARTAMENTO

CUADRO No. 1

GUATEMALA: Población total Urbana y Rural por Departamento, 1950, 1964 y 1973
(muestra del 5%)

	CENSO 1950			CENSO 1964			CENSO 1973		
	Total	Urbano	Rural	Total	Urbano	Rural	Total	Urbano	Rural
† *Total*	*2.790.868*	*696.458*	*2.094.410*	*4.287.997*	*1.441.711*	*2.846.286*	*5.175.400*	*1.749.840*	*3.425.560*
Guatemala	438.913	318.498	120.415	810.858	634.723	176.135	1.114.120	785.980	328.140
El Progreso	47.872	7.921	39.951	65.582	17.510	48.072	72.840	19.040	53.800
Sacatepéquez	60.124	37.445	22.679	80.942	58.084	22.858	99.160	71.240	27.920
Chimaltenango	121.480	40.056	81.424	163.153	61.570	101.583	197 780	75.900	121 880
Escuintla	123.759	26.334	97.425	270.267	65.307	204.960	275.600	84.400	191.200
Santa Rosa	109.836	13.525	96.311	157.040	31.696	125.344	179.540	39.140	140.400
Sololá	82.921	17.764	65.157	107.822	37.446	70.376	128.120	43.660	84.460
Totonicapán	99.354	16.839	82.515	141.772	20.622	121.150	168.700	24.660	144.040
Quezaltenango	184.213	43.759	140.454	270.916	97.517	173.399	308.880	112.900	195.980
Suchitepéquez	124.403	22.233	102.170	186.634	53.208	133.426	202.540	61.960	140.580
Retalhuleu	66.861	14.748	52.113	117.562	29.339	88.223	124.580	34.580	90.000
San Marcos	232.591	14.653	217.938	336.959	41.286	295.673	391.360	49.240	342.120
Hueuetenango	200.101	12.960	187.141	288.088	46.726	241.362	363.380	57.060	306.320
Quiché	174.911	16.515	158.396	249.939	32.703	217.236	303.880	34.520	269.360
Baja Verapaz	66.313	5.503	60.810	96.485	15.424	81.061	106.440	18.980	87.460
Alta Verapaz	189.812	13.161	176.651	260.498	29.410	231.088	279.880	33.680	246.200
Petén	15.880	1.596	14.284	26.562	12.317	14.245	67.020	22.580	44.440
Isabel	55.032	21.348	33.684	116.685	35.224	81.461	169.960	30.900	139.060
Zacapa	69.536	11.158	58.378	96.554	26.710	69.844	105,100	32.600	72.500
Chiquimula	112.841	11.683	101.158	149.752	31.996	117.756	161.980	37.760	124.220
Jalapa	75.190	13.764	60.195	99.153	25.942	73.211	119.960	34.040	85.920
Jutiapa	138.925	14.995	125.161	194.774	36.951	157.823	234.580	45.020	189.560

FUENTE: Censos de Población de Guatemala, 1950, 1964 y 1973, Dirección General de Estadísticas y Censos, Guatemala.

CUADRO No. 2

EL SALVADOR POBLACION TOTAL, URBANA Y RURAL POR DEPARTAMENTO 1950, 1961 y 1971

DEPTOS.	1950 Total	1950 Urbano	1950 Rural	1961 Total	1961 Urbano	1961 Rural	1974 Total	1974 Urbano	1974 Rural
TOTAL	*1.855.917*	*677.167*	*1.178.750*	*2.510.984*	*966.899*	*1.544.085*	*3.554.648*	*1405.532*	*2.149.116*
Ahuachapán	94.646	23.107	66.539	130.710	34.135	96.575	178.472	41.009	137.463
Santa Ana	202.455	74.181	128.274	259.155	103.178	155.977	335.853	143.865	191.988
Sonsonate	120.327	46.392	73.935	166.932	60.196	106.736	237.059	86.554	150.505
Chalatenango	105.859	27.152	78.707	129.897	35.501	94.396	172.845	47.516	125.329
La Libertad	144.004	49.560	94.444	203.480	70.974	132.506	285.575	98.522	187.059
San Salvador	296.452	212.933	83.519	463.228	349.374	113.854	733.445	561.521	171.924
Cuscatlán	90.099	22.179	67.920	113.042	26.766	86.276	152.825	40.885	111.940
La Paz	96.843	34.430	62.413	130.659	41.906	88.753	181.929	53.041	128.883
Cabañas	77.628	11.403	66.225	94.590	15.171	79.419	131.081	22.309	108.772
San Vicente	87.577	26.768	60.809	112.920	34.819	78.101	153.398	43.796	109.602
Usulután	162.349	48.631	113.718	207.061	58.428	148.633	294.497	79.686	214.811
San Miguel	171.234	54.131	117.103	231.821	77.654	154.167	320.602	108.754	211.848
Morazán	96.729	16.495	80.234	119.381	23.560	95.821	156.052	29.011	127.041
La Unión	109.715	24.805	84.910	148.108	35.237	112.871	221.015	49.063	171.952

FUENTE: Censos de Población de El Salvador 1950. 1961 y 1971.

CUADRO No. 3

HONDURAS: POBLACION TOTAL, URBANA Y RURAL POR DEPARTAMENTO. 1950, 1961 y 1974

	1950			1961			1974		
	Total	Urbano	Rural	Total	Urbano	Rural	Total	Urbano	Rural
TOTAL	*1.368.605*	*224.349*	*1.144.256*	*1.884.765*	*390.569*	*1.494.196*	*2.653.857*	*795.809*	*1.858.048*
Atlántida	63.582	29.259	34.323	92.914	38.482	54.432	148.440	57.850	90.590
Colón	35.465	5.774	29.691	41.904	3.491	38.413	77.239	9.090	68.149
Comayagua	68.171	9.791	58.380	96.442	16.573	79.869	135.455	35.567	99.888
Copán	95.880	11.555	84.325	126.183	15.452	110.731	151.331	28.022	123.309
Cortés	125.728	38.304	87.424	200.099	87.131	112.968	373.629	199.031	174.598
Choluteca	107.271	10.272	96.999	149.175	15.037	134138	192.145	34.440	157.705
El Paraíso	82.572	7.012	75.560	106.823	10.484	96.339	140.840	18.086	122.754
Fco. Morazán	190.359	74.845	115.514	284.428	137.767	146.767	451.778	286.434	165.344
Gracias a Dios				10.905		10.905	21.079		21.079
Intibucá	59.362		59.362	73.138	4.263	68.875	81.685	8.191	73.494
Isla de la Bahía	8.058		8.058	8.961		8.961	13.227		13.227
La Paz	51 220	3.877	47.343	60 600	4.705	55.895	65.390	9.428	55.962
Lempira	90 908		90.908	111.546		111.546	127.465	2.580	124.885
Ocotepeque	45.673	4.170	41.503	52.540	4.120	48.420	51.161	6.623	44.538
Olancho	83.910	5.617	78.293	110.744	11.083	99.661	151.923	23.738	128.185
Santa Bárbara	96.397	3.218	93.179	146.909	10.259	136.650	185.163	13.849	171.314
Valle	65.349	6.171	59.178	80.907	8.119	72.788	90.954	17.611	73.343
Yoro	98.700	14.484	84.216	130.547	23.709	106.838	194.953	45.269	149.684

CUADRO No. 4

NICARAGUA: POBLACION TOTAL, URBANA Y RURAL POR DEPARTAMENTO 1950, 1963 y 1971

DEPTOS	1950 Total	1950 Urbano	1950 Rural	1963 Total	1963 Urbano	1963 Rural	1971 Total	1971 Urbano	1971 Rural
TOTAL	*1.057.023*	*369.249*	*687.774*	*1.524.020*	*626.619*	*897.401*	*1.877.952*	*896.378*	*981.574*
Boaco	50.039	6.189	43.850	71.898	9.825	62.073	69.187	15.590	53.597
Carazo	52.139	21.882	30.256	66.028	28.440	37.588	71.134	32.619	38.515
Chinandega	81.836	32.014	49.822	125.476	57.348	68.128	155.286	74.855	0.431
Chontales	50.529	11.675	38.854	75.547	14.746	60.801	68.802	20.047	48.755
Estelí	43.742	9.882	33.860	68.046	20.298	47.748	79.164	30.350	48.814
Granada	48.732	28.939	19.793	65.706	38.513	27.193	71.102	46.659	24.443
Jinotega	48.554	5.999	42.555	74.818	10.797	64.021	90.640	14.247	76.393
León	123.614	42.841	80.773	148.595	67.239	81.356	166.820	81.334	85.486
Madriz	33.178	4.518	28.660	49.966	8.585	41.381	53.423	11.552	41.871
Managua	161.513	114.389	47.124	317.641	243.400	74.241	485.850	396.279	89.571
Masaya	72.446	29.975	42.471	76.433	38.604	37.829	92.152	52.038	40.114
Matagalpa	135.401	19.875	115.526	170.263	28.454	141.809	168.139	40.450	127.689
Nueva Segovia	27.078	5.772	21.306	45.323	9.742	35.581	65.784	16.742	49.042
Río San Juan	9.089	2.560	6.529	15.333	2.943	12.390	20.832	5.281	15.551
Rivas	45.314	13.219	32.095	63.924	19.416	44.508	74.129	25.296	48.833
Zelaya (a)	73.820	19.520	54.300	89.023	28.269	60.754	145.508	33.039	112.469

a: Está incluída la comarca del Cabo Gracia a Dios.

CUADRO No. 5

COSTA RICA: POBLACION TOTAL, URBANA Y RURAL POR PROVINCIAS Y CANTONES SELECCIONADOS 1950, 1963 y 1973

	1950			1963			1973		
	Total	Urbano	Rural	Total	Urbano	Rural	Total	Urbano	Rural
TOTAL	800.875	268.286	532.589	1.211.749	445.271	766.478	3.048.397	1.092.117	1.956.280
PROVINCIA DE SAN JOSE	281.822	149.631	132.191	487.658	269.900	217.758	1.871.780	760.079	1.111.701
Puriscal	16.743	468	16.275	23.690	1.590	22.100	24.150	2.588	21.562
Tarrazú	10.840	3.607	7.233	5.392	411	4.981	7.542	917	6.625
Acosta	10.160	293	9.867	13.092	315	12.777	14.385	446	13.939
Turrubares	5.937	——	5.937	5.496	105	5.391	4.709	212	4.497
Dota	2.801	139	2.662	3.718	354	3.364	4.375	783	3.592
Pérez Zeledón	16.630	840	18.790	47.319	5.353	41.966	65.080	8.871	58.218
León Cortés	——	——	——	5.650	339	5.311	7.251	407	7.114
Mora	7.736	310	7.426	8.938	679	8.259	10.733	1.840	8.893
PROVINCIA DE ALAJUELA	148.850	28.969	119.882	240.672	44.065	196.607	326.032	80.973	245.059
San Ramón	19.951	3.747	16.204	25.925	6.444	19.481	33.155	9.245	23.910
Grecia	23.571	2.624	20.747	43.923	4.862	39.061	31.806	8.355	23.451
San Mateo	3.611	495	3.116	3.388	403	2.985	2.969	489	2.480
Atenas	9.313	638	8.675	11.018	963	10.055	12.610	1.728	10.882
Naranjo	10.839	2.108	8.731	16.414	2.387	14.027	19.721	5.944	13.777
Palmares	7.934	671	7.263	12.283	1.529	10.754	14.495	3.083	11.412
Poás	5.135	708	4.427	8.179	1.026	7.153	10.191	2.126	8.065

(Continuación en Pág. siguiente)

(Continuación Cuadro No. 5)

Orotina	5.951	1.286	4.665	7.093	1.749	5.344	8.47[illegible]	3.170	5.309
San Carlos	16.180	1.892	14.288	36.586	3.696	32.890	54.952	9.754	45.198
Alfaro Ruiz	4.676	451	4.225	4.919	774	4.145	6.342	1.234	5.108
Valverde Vega	4.313	245	4.068	6.546	612	5.934	8.707	1.529	7.178
PROVINCIA DE CARTAGO	*100.725*	*24.477*	*76.248*	*155.433*	*39.406*	*116.027*	*204.69[illegible]*	*72.914*	*191.785*
Jiménez	7.731	407	7.324	10.439	1.072	9.367	11.523	1.901	9.622
Turrialba	24.466	5.449	19.017	37.620	8.629	28.991	43.202	12.151	31.051
Alvarado	4.597	209	4.388	6.465	376	6.089	7.484	504	6.980
PROVINCIA DE HEREDIA	*51.760*	*17.229*	*34.531*	*85.063*	*29.203*	*55.860*	*133.844*	*50.733*	*83.111*
San Isidro	2.849	336	2.513	4.061	527	3.534	5.979	908	5.071
Santa Bárbara	5.044	875	4.169	8.127	1.319	6.808	10.738	2.017	8.721
PROVINCIA DE GUANACASTE	*88.190*	*11.972*	*76.218*	*18.030*	*6.087*	*11.943*	*178.094*	*42.685*	*136.006*
Nicoya	29.918	1.625	28.293	36.276	3.196	33.080	37.185	7.474	29.711
Santa Cruz	13.615	1.986	11.629	23.576	3.849	19.727	29.739	5.777	23.962
Bagaces	4.079	706	3.373	9.836	1.175	8.661	9.828	2.129	7.699
Carrillo	7.002	886	6.116	11.396	1.574	9.822	14.893	2.958	11.935
Abangares	8.344	803	7.541	10.189	827	9.362	11.633	1.129	10.504
Tilarán	9.057	1.117	7.940	12.097	1.660	10.437	12.563	3.294	9.269
Nandayure	——	——	——	12.038	——	12.038	12.058	824	11.234
Cañas	5.929	1.459	4.470	9.117	2.991	6.126	12.779	6.053	6.726

(Continuación Cuadro No. 5)

PROVINCIA DE PUNTARENAS	*88.168*	*24.373*	*63.795*	*156.508*	*34.038*	*122.470*	*218.208*	*45.557*	*172.651*
Buenos Aires	7.392	——	7.392	11.042	——	11.042	20.104	302	19.802
Montes de Oro	5.595	899	4.696	6.616	1.122	5.494	6.979	1.673	5.306
Osa	11.518	891	10.627	17.574	1.757	15.817	24.613	2.070	22.543
Aguirre	15.291	3.130	12.161	19.898	1.853	18.040	14.473	2.155	12.318
Golfito	10.396	4.256	6.140	36.567	6.859	29.708	42.510	6.962	35.548
PROVINCIA DE LIMON	*41.360*	*11.636*	*29.724*	*68.385*	*22.572*	*45.813*	*115.143*	*39.176*	*75.967*
Pococí	10.482	——	10.482	16.927	983	15.944	28.688	3.524	25.164
Siquirres	7.541	326	7.215	11.317	2.197	9.160	18.133	4.361	13.772

INDICE

Este libro se imprimió en el mes de Julio de 1978, en los talleres de IMPRESORA CRISOL S. A. San José, Costa Rica. Su edición consta de 3.000 ejemplares en papel periódico, y portada de cartulina cromecot